Le Sexe POUR LES NULS

Dr Ruth K. Westheimer

Le Sexe pour les Nuls
Titre de l'édition originale : Sex for Dummies

Publié par
Wiley Publishing, Inc.
111 River Street
Hoboken, NJ 07030 – 5774
USA

ISBN 2-87691-956-7
Dépôt légal : 4e trimestre 2004
Nous nous efforçons de publier des ouvrages qui correspondent à vos attentes et votre satisfaction est pour nous une priorité. Alors, n'hésitez pas à nous faire part de vos commentaires :

Éditions Générales First
27, rue Cassette
75006 Paris – France
e-mail : firstinfo@efirst.com
Site internet : www.efirst.com

Traduction : Marie - Christine Guyon
Production : Emmanuelle Clément
Mise en page : KN Conception
Imprimé en France

Sommaire

En direct du cabinet du Dr Ruth

Chers lecteurs,

Il faut tout d'abord vous avouer que, lorsqu'on m'a demandé d'écrire un ouvrage intitulé Le Sexe pour les Nuls, *je n'ai pas manifesté le moindre enthousiasme. Même si, depuis des années, je proclame la nécessité d'éradiquer l'analphabétisme sexuel – expression qui me paraît convenir à mes fonctions professorales –, l'idée de m'adresser à des personnes se considérant comme irrécupérables en la matière ne me satisfaisait guère.*

Et puis, j'ai pensé :

- *au nombre incroyable de femmes qui connaissent des grossesses non désirées (dans mon pays, plus d'un million d'adolescentes se trouvent dans ce cas chaque année) ;*
- *à toutes les femmes qui n'arrivent pas à l'orgasme et croient qu'il n'y a rien à faire à ce sujet ;*
- *à tous les hommes qui, éjaculateurs précoces, s'imaginent qu'il s'agit d'un problème organique irrémédiable, alors qu'il n'en est rien, cette difficulté étant d'ordre psychologique ;*
- *à tous les couples qui attendent beaucoup de leur sexualité mais ignorent l'importance des préliminaires et négligent les plaisirs de l'après.*

Je me suis dit que, pour tous les gens qui ont du mal à dominer des notions élémentaires en matière de sexualité, il fallait un ouvrage qui apporte un enseignement clair.

J'avais toutefois des doutes. Je suis auteur de nombreux livres sur la question et les librairies foisonnent d'ouvrages de thème identique. La sexualité emplit les pages des magazines ainsi que les programmes télévisés. Pourtant, tout porte à croire que le message ne passe pas. « Pourquoi ? », me suis-je demandé. La recherche est très avancée dans ce domaine. Tout un chacun peut connaître une sexualité harmonieuse. Dans ce cas, comment se fait-il que tant de gens n'atteignent pas le bonheur sexuel ?

Selon moi, c'est parce qu'il leur est difficile de faire le tri dans la masse phénoménale d'informations qu'ils reçoivent chaque jour : celles-ci manquent de clarté et de cohérence. Il n'est pas étonnant que nombre d'entre eux, ne sachant que penser de tout ce qu'ils lisent et entendent, finissent par se prendre pour des nuls en sexe ou, du moins, se croient moins doués que les autres.

Au début de la généralisation des PC, certaines personnes renonçaient à apprendre le maniement d'un ordinateur. (À mon avis, ce genre d'objets est pourtant beaucoup plus compliqué qu'un appareil sexuel.) Elles hésitaient à se procurer un livre sur Windows ou sur le DOS, de crainte de n'y rien comprendre. Puis arriva la collection Pour les Nuls, *qui leur enseignait les bases de ces matières dans un style direct et humoristique. Lesdits « nuls » se transformèrent alors en petits génies de l'informatique ; vous en faites peut-être partie. C'est pourquoi je me suis dit que, si d'autres auteurs avaient réussi dans ce domaine, je pouvais en faire autant dans celui que je connais le mieux : le sexe.*

C'est ainsi que je remets entre vos mains la seconde édition du Sexe pour les Nuls, *écrite à l'intention de ceux qui veulent connaître une sexualité épanouissante mais ne savent pas nécessairement comment s'y prendre. Il suffit de s'y mettre et de poursuivre cette lecture.*

Dr Ruth K. Westheimer

Introduction

Les principaux problèmes auxquels nous devons faire face en matière de sexualité humaine sont, le plus souvent, la conséquence directe de l'ignorance ou de la négligence.

On pourrait croire qu'après des millénaires de « pratique », nous ayons découvert un moyen simple et efficace de transmettre de génération en génération les informations d'ordre sexuel les plus vitales. Mais nous voici à l'aube du XXIe siècle et, malheureusement, nous, adultes, sommes toujours aussi peu compétents pour nous éduquer nous-mêmes sur la question et en faire autant auprès de nos jeunes.

Ceci s'explique en partie par le fait que, dans les cultures occidentales, il est souvent perçu comme gênant d'aborder le sujet de la sexualité, surtout quand il s'agit d'en instruire ses propres rejetons (qui lui doivent la vie, pourtant).

En tant que parents, nous sommes nombreux à nous abstenir carrément d'en parler. Et, même lorsque nous osons nous lancer, nous nous limitons au b.a.-ba, c'est-à-dire à les instruire des moyens contraceptifs et à agiter devant eux l'épouvantail des maladies sexuellement transmissibles.

Ces aspects méritent indubitablement d'être évoqués. Mais qu'en est-il du bon fonctionnement sexuel ? Comment, par exemple, avoir un orgasme ou comment se montrer le meilleur amant possible ? Ces questions figurent-elles au programme des leçons parentales ? À entendre les couples qui me consultent en thérapie, elles restent sous silence dans la plupart des familles.

Apprentissage « sur le tas »

Dans ces conditions, où avez-vous pu faire votre apprentissage sexuel ? En général, vous avez acquis quelques rudiments auprès de vos parents et à l'école. Mais pour l'essentiel, ce savoir vous a été transmis avant que vous soyez prêt à en faire usage ; à l'époque, vous n'y avez sans doute pas compris grand-chose et, par conséquent, vous ne l'avez pas vraiment assimilé. Si, plus tard, on vous a prodigué un autre cours sur la question, vous avez probablement joué les blasés et, considérant que vous dominiez déjà le sujet, vous n'y avez peut-être pas prêté l'oreille.

C'est cette situation contradictoire qui compromet une future existence sexuelle harmonieuse : on reçoit l'information avant l'âge et, au moment où on en aurait besoin, on a tout oublié. Ou, du moins, les bribes qu'on en a retenues sont tellement confuses qu'elles ne sont d'aucun secours.

Pour nos enfants, il en va de même. Malgré nos efforts consciencieux, il y a de fortes chances pour qu'ils accordent plus d'attention à ce qu'ils entendent dans les vestiaires de leur gymnase ou dans leurs chères « teufs » qu'auprès de leurs géniteurs. Reste à savoir s'ils en tirent un enseignement digne de foi…

Même s'il existe, dans ce qu'ils apprennent auprès de leurs copains, une part de vérité échappant à la mythologie sexuelle ambiante, ces notions ne contribuent qu'à ajouter à leurs incertitudes. Et, face à des informations douteuses, n'a-t-on pas tendance à suivre ses propres instincts ?

Malheureusement, dans le domaine sexuel, choisir la voie de l'instinct est souvent source de problèmes.

Résultat : on effectue son apprentissage par l'expérimentation et par l'erreur. Il n'est pas étonnant que cela conduise à de considérables difficultés : grossesses non désirées, contamination par MST ou, dans le « meilleur » des cas, existence sexuelle peu satisfaisante, et ce, parfois *ad vitam.*

Au tournant du millénaire, pareil manque d'information ne peut continuer. Jadis, nous n'étions guère au courant des questions sexuelles, mais nous étions encadrés par des règles dont nous n'étions pas censés nous écarter en ayant, par exemple, des relations avant le mariage. Mais les trente dernières années ont porté un coup fatal à ces principes. D'aucuns considèrent que le résultat de cette évolution (multiplication des grossesses non souhaitées, du nombre de parents isolés, de personnes atteintes de maladies sexuellement transmissibles) était à prévoir.

Mariage, moralité et sécurité sexuelle

Permettez-moi d'exprimer ici ma philosophie à cet égard :

- Je suis du genre vieux jeu, pour ne pas dire complètement ringarde.
- Je crois en Dieu, au mariage et à la moralité.

Mais, considérant que je n'ai pas à vous dicter votre conduite :

- Je me dois de vous procurer les moyens d'éviter, dans votre vie sexuelle, tous les dangers possibles.

C'est pourquoi je crois à l'importance, mariage ou pas, de vous apporter les informations nécessaires pour prévenir grossesses non désirées et maladies sexuellement transmissibles.

Je suis sans aucun doute possible favorable à l'instauration d'une relation amoureuse avant le « passage à l'acte » et ne cesserai d'encourager le lecteur dans ce sens tout au long de cet ouvrage.

Mais, même si je n'approuve pas les aventures d'un soir, je tiens avant tout à vous préserver des lendemains qui déchantent. Pour moi, ce livre constitue un moyen important de vous atteindre, quel que soit votre âge, afin de vous transmettre de précieuses informations sur ce sujet capital.

À propos de ce livre

Le Sexe pour les Nuls édition de poche, se veut une présentation saine de la sexualité. Il s'insère dans la collection *Pour les Nuls,* qui a fait ses preuves dans des domaines aussi variés que l'informatique ou le management. Les informations particulièrement importantes y sont mises en valeur par de petits symboles disséminés dans les marges. Voici la signification de ceux qui apparaissent dans les chapitres suivants.

Cette icône attire l'attention sur un point intéressant à retenir.

Ce symbole vous permettra de repérer les petits trucs qui accroissent le plaisir sexuel (sans avoir à parsemer votre livre de marque-page autocollants…).

Vous trouverez face à cette icône des infos plus spécifiquement destinées aux hommes, celles qui alimentent leurs conversations de vestiaire…

Ici, c'est plutôt le genre « discussion entre filles ».

Cette icône signale des exemples inspirés de séances de thérapie, vécues par des individus ou par des couples. Ils vous indiqueront quoi faire dans des cas similaires. J'ai changé les noms des personnes et élaboré des cas composites à partir de situations diverses.

J'interviens ici pour vous donner des conseils pratiques ainsi que mon avis personnel sur les dilemmes que pose la sexualité aujourd'hui.

Vous trouverez ici quelques renseignements d'ordre scientifique.

Vous y croyez dur comme fer ? Et bien, il ne s'agit que d'une légende ou, tout au moins, d'une information erronée.

Ces paragraphes signalent les dangers qui pourraient soit nuire à votre relation, soit vous entraîner, vous ou d'autres, dans de graves problèmes.

C'est parti !

Que vous vous considériez comme un don Juan, une Lady Chatterley ou un(e) novice absolu(e), sachez tout d'abord que chacun peut progresser en amour, à condition de bénéficier de conseils adéquats. Et, puisque nous sommes tous des êtres sexuels, que cela nous plaise ou non, pourquoi ne pas profiter au mieux des plaisirs que notre corps est à même de nous procurer ? Alors, poursuivez agréablement votre lecture et je vous garantis qu'arrivé à la fin, vous pourrez jeter bonnet d'âne ou casquette de Nul par-dessus les moulins, pour les remplacer avantageusement par un préservatif (il suffit d'avoir compris où le mettre) !

Première partie

Commençons par le commencement

« Je vous avais dit de télécharger une vidéo sur la fécondation, pas sur la fertilisation ! Tant pis, ça servira pour notre atelier jardinage. »

Dans cette partie…

Cette partie est consacrée aux notions de base, indispensables à l'épanouissement physique. Ne croyez pas que vous soyez dispensé de la lire, sous prétexte que vous avez déjà connu des expériences sexuelles. Quelles que soient vos connaissances en la matière, vous avez tout à gagner à les approfondir. L'analphabétisme sexuel est à l'origine de nombreux problèmes ; les conséquences de vos éventuelles lacunes sur votre comportement en amour pourraient s'avérer un jour beaucoup plus préoccupantes que vous ne le pensiez.

Chapitre 1

C'est un garçon !

Dans ce chapitre :

- Fonctionnement du pénis
- Distinguo entre gabarit et performances sexuelles
- Et la circoncision ?
- Les testicules – toujours prêts
- Le voyage extraordinaire du spermatozoïde
- Comment détecter un cancer des testicules

Il y a coït dès lors qu'un homme introduit son pénis (ou verge) dans le vagin d'une femme. Quand le sexe masculin se trouve dans son état de flaccidité normale, c'est-à-dire au repos, pareil exploit est difficile, quoique possible. Mais, lorsqu'il est dur et en érection, la plupart des hommes apprennent vite comment le faire entrer dans le vagin – parfois trop vite. Ce premier chapitre est essentiellement consacré à l'érection et à ce qui la déclenche.

Le pénis dans tous ses états

La cause d'une érection est, disons, sans grand mystère. Mais, pour en comprendre le mécanisme, il convient d'examiner une pièce capitale de l'équipement masculin : le pénis.

Un trio d'éponges (non, pas pour faire la vaisselle !)

Le pénis se compose, pour l'essentiel, de trois structures (voir la figure 1.1), composées de tissus aptes à se gonfler de sang.

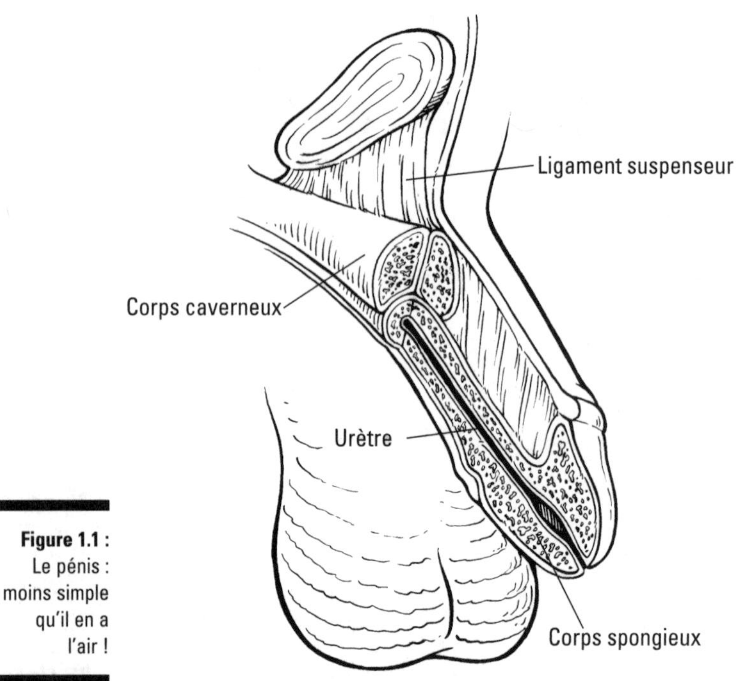

Figure 1.1 : Le pénis : moins simple qu'il en a l'air !

- Les deux *corps caverneux,* situés dans la moitié supérieure de la verge, renferment les artères centrales. Il s'agit de tubes cylindriques, plus gros que la troisième structure.
- Le corps spongieux, qui se trouve plus bas que les deux corps caverneux, entoure l'urètre, canal conducteur de l'urine et du sperme.

En cas d'excitation chez l'homme – je ne parle pas de celle qui l'envahit quand son footballeur préféré marque un but –, les nerfs qui entourent la verge s'activent, entraînant une détente des muscles situés autour des artères et un afflux de sang. Celui-ci est alors absorbé par les structures spongieuses, d'où la raideur du membre, qui est dit en *érection.* Cet état a pour effet de comprimer les veines de telle sorte que, le sang ne pouvant refluer hors du pénis, celui-ci reste tendu.

À la base de la verge, les deux corps caverneux se séparent en forme d'un Y dont les deux branches sont reliées à l'os pubien. C'est ce ligament qui détermine l'angle de l'érection. Souvent, mes interlocuteurs masculins me demandent si « quelque chose ne va pas » chez eux, du fait que leur membre viril n'atteint pas une position tout à fait droite et horizontale. Je leur réponds à tous que ce n'est vraiment pas un problème et qu'aucun système de poulie n'est à installer ici !

Une verge en érection peut adopter des angles très différents, qui n'ont aucun effet sur son fonctionnement. Avec le vieillissement, le ligament situé à la base du pénis se distend, ce qui entraîne une modification de l'angle. C'est pourquoi il arrive que le membre d'un homme de soixante-dix ans se lève moins haut que celui d'un jeune homme.

À l'avant-garde : le gland

À l'extrémité du pénis se trouve le *gland* (voir la figure 1.2). Il présente un orifice, le *méat* et, à sa base, il est encerclé par la *couronne*.

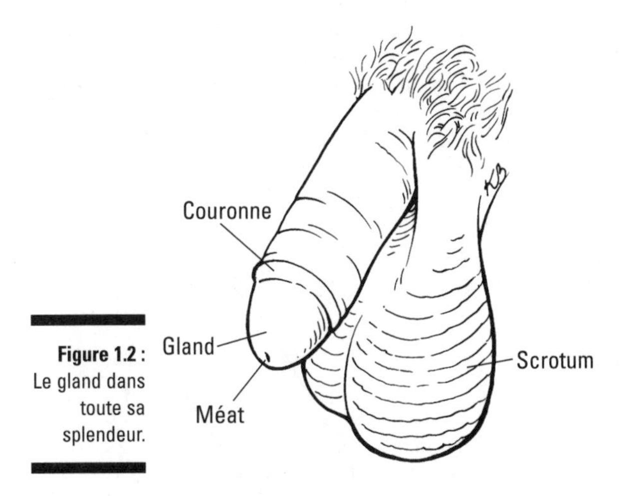

Figure 1.2 : Le gland dans toute sa splendeur.

Le gland assure plusieurs fonctions :

- Il est un peu plus épais que le reste de la verge, en particulier au niveau de la couronne. Ceci permet de bloquer le sperme dans le vagin, à proximité du col de l'utérus, après éjaculation. La nature a trouvé ainsi un moyen d'augmenter les chances de fécondation.

- L'effet de friction est accru au niveau du gland, ce qui favorise l'éjaculation.
- L'homme n'est pas le seul bénéficiaire des avantages du gland. Celui-ci joue un rôle d'absorption des chocs, qui évite au col de l'utérus d'être endommagé par la poussée de la verge à l'intérieur du vagin.

Je vous suggère à vous, les filles, de remercier comme il le mérite le gland de votre compagnon, à la prochaine occasion. Je vous laisse le choix de la méthode.

Le prépuce : une couverture idéale

À la naissance, le gland est recouvert par le prépuce, gaine cutanée ouverte en sa partie supérieure. Chez le bébé, cette ouverture étant très étroite, il n'est généralement pas rétractable. Mais, le plus souvent, il se desserre avec la croissance de l'enfant. Lors de l'érection, il se rétracte complètement, découvrant ainsi le gland. Il a pour finalité de protéger celui-ci, dont la peau est très sensible.

Dans les cultures juive et musulmane, on pratique systématiquement l'ablation chirurgicale du prépuce, ou *circoncision*. Dans les sociétés occidentales, notamment aux États-Unis, cette opération est souvent adoptée aussi, parce qu'elle rend le pénis plus facile à garder propre. Avec les progrès de l'hygiène, certains médecins et parents trouvent aujourd'hui cette intervention moins utile. Le débat reste ouvert. La figure 1.3 illustre la différence entre un pénis circoncis et un autre dans son état naturel.

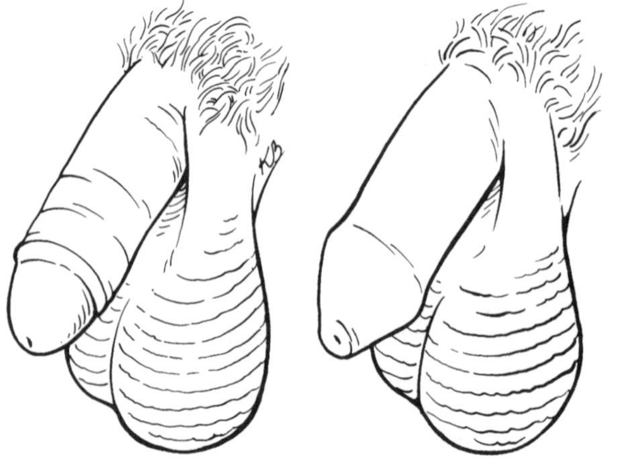

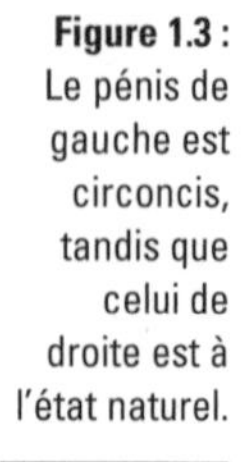

Figure 1.3 : Le pénis de gauche est circoncis, tandis que celui de droite est à l'état naturel.

Sous le prépuce, de petites glandes secrètent un fluide lubrifiant. Lorsque celui-ci s'accumule et se mélange à des cellules cutanées mortes, une substance à la consistance pâteuse et granuleuse, le *smegma*, se forme. Chez un homme non circoncis, cette accumulation entraîne parfois des infections, voire des maladies plus graves. Il est donc indispensable de veiller, en se lavant, à dégager le gland du prépuce pour le nettoyer soigneusement.

Le retrait du prépuce pour le lavage du gland peut faire partie de vos jeux amoureux sous la douche ou dans la baignoire avec votre partenaire. Les femmes ont souvent des doutes sur l'hygiène masculine, pour peu qu'elles aient eu l'occasion de découvrir un tas de linge sale chez un célibataire. C'est sans doute l'un des motifs de la réticence, chez certaines, à pratiquer la fellation. Une propreté impeccable les incitera peut-être à changer d'avis. Et, dans le cas contraire, votre pénis aura au moins l'avantage d'être parfaitement net…

Circoncision et capacités sexuelles

Du fait que, chez l'homme circoncis, la peau du gland devient plus dure et moins sensible, on s'interroge fréquemment sur les conséquences éventuelles de l'ablation du prépuce sur les capacités sexuelles.

Certains pensent que, la peau des hommes non circoncis étant plus sensible, ils sont plus sujets que les autres aux éjaculations précoces. Des patients me demandent même s'ils devraient se faire opérer pour remédier à ce problème. (L'éjaculation précoce étant une difficulté d'ordre psychologique surmontable, comme je l'explique au chapitre 16, je déconseille cette intervention chez l'adulte.)

Il arrive aussi que des hommes circoncis m'interrogent sur la possibilité de faire reconstituer leur prépuce. Ils considèrent en effet que, la peau de leur gland étant plus dure, ils sont privés d'une part de plaisir. Je leur réponds que, dès lors qu'ils connaissent l'orgasme, ceci ne devrait pas leur causer de souci.

Gabarit et performances sexuelles

Une majorité d'hommes font grand cas de la taille de leur organe sexuel. Pour eux, plus il est gros, mieux c'est.

En effet, les hommes étant très sensibles aux *stimuli* visuels, ils accordent une importance essentielle à l'apparence en général. La grandeur du pénis, en particulier, leur semble un avantage primordial, au même titre que l'opulence de la poitrine féminine. Pour nombre d'entre eux, plus une partie attirante du corps présente de vastes dimensions, mieux ça vaut. (Malheureusement, ce critère ne vaut plus du tout aujourd'hui pour les cuisses, que les femmes n'ont pourtant aucun problème à arrondir. Mais où sont donc passés Rubens et ses beautés charnelles et voluptueuses ?)

VOUS, LES HOMMES

Prenons les mesures

Il existe différentes façons de mesurer un pénis. Autant dire que l'homme choisira celle qui procurera le résultat le plus avantageux. Certes, les dimensions de base de l'objet sont sa longueur et sa circonférence ; mais elles dépendent fondamentalement de l'humeur du monsieur au moment de prendre les mesures.

Si deux verges au repos semblent de grandeur assez équivalente, celle-ci diffère lorsqu'elles sont en érection. (D'ailleurs, elle peut aussi varier d'une érection à l'autre chez le même homme, en fonction de son degré d'excitation.) Celui qui est « en mesure » de pavoiser dans les douches d'un stade ne présentera pas forcément le meilleur développement dans la chambre à coucher.

L'impression d'avoir un pénis trop petit résulte, entre autres, de la manière dont on l'observe. (Non, je n'insinue pas qu'il vous faille recourir à une loupe.) Par un effet d'optique, l'homme qui regarde son pénis le perçoit en raccourci. Pour prendre toute la mesure de l'instrument, il vaut mieux qu'il le contemple dans le miroir de son armoire à glace. Si ceci ne vous était jamais venu à l'esprit auparavant, préparez-vous à une agréable surprise. Faites l'expérience avant et pendant une érection ; je vous garantis, surtout dans ce dernier cas, que votre ego en ressortira nettement flatté.

Si les hommes questionnaient la gent féminine sur ce point, ils entendraient un autre son de cloche. En fait, certaines femmes ont peur des pénis d'une taille hors du commun, tandis que la plupart des autres n'accordent que peu d'importance à ces histoires de gabarit. Il demeure pourtant difficile de convaincre les obsédés du centimètre de changer d'avis.

S'il est vrai que la longueur de la verge diffère d'un spécimen à l'autre, ceci a-t-il une influence là où la question pourrait vraiment importer, c'est-à-dire dans le vagin ? Dans la plupart des cas, la réponse est un non catégorique.

Le vagin possède, par nécessité, des parois élastiques pour permettre le passage du bébé lors de l'accouchement. Il s'adapte donc à la forme de la verge. En outre, c'est à l'entrée de cet organe que se concentrent la plupart des terminaisons nerveuses de la femme. C'est pourquoi les sensations qu'elle éprouve sont les mêmes quelle que soit la taille du pénis de son partenaire.

Certes, en cas de micro-pénis, la femme risque de ne pas bien le sentir, ce qui présente un inconvénient. Mais, comme nous le verrons au chapitre 9, la plupart des femmes ne parviennent à l'orgasme qu'à l'aide d'une stimulation clitoridienne directe. Aucun membre viril n'étant capable de ce genre d'acrobatie en plein acte sexuel, voilà une raison de plus pour ne pas accorder d'importance à la question de la taille.

Les hommes me demandent tout le temps s'il existe une méthode permettant d'améliorer les dimensions de leur verge. Je n'en connais qu'une seule et vous en informe uniquement parce qu'elle a, en outre, un effet bénéfique sur la santé. Bien que l'essentiel du pénis soit visible, la racine du corps caverneux demeure dissimulée sous la peau. Chez un homme doté d'une importante masse graisseuse dans la zone pubienne, la partie de pénis qui passe inaperçue est d'autant plus grande. Pour inverser le phénomène, il suffit donc de maigrir : l'objet paraîtra plus long. Disons que, pour une perte d'une quinzaine de kilos de surcharge pondérale, vous « gagnerez » deux bons centimètres. (Désolée pour les maigrichons, vous n'obtiendrez aucun résultat dans ce sens en vous mettant à la diète.)

Par ailleurs, certaines techniques chirurgicales permettent d'augmenter la dimension du pénis. L'une d'elles a pour effet d'en accroître le volume, mais en excluant le gland, ce qui rend celui-ci disproportionné. L'autre consiste à allonger la verge en sectionnant certains ligaments ; par conséquent, le membre en érection monte moins haut qu'auparavant et l'homme perd en sensibilité. Ces effets secondaires, auxquels s'ajoutent d'autres risques, réduisent grandement l'intérêt de ces méthodes, qui demeurent donc peu pratiquées. Selon moi, la contrepartie est beaucoup trop lourde pour justifier d'entreprendre de tels actes chirurgicaux. Vous pouvez toujours vous renseigner auprès d'un urologue ; il est probable qu'il vous fournira des détails propres à vous dissuader de vous lancer dans pareil projet.

Toujours tout droit

La proportion de pénis située sous la peau par rapport à la totalité du membre influe sur l'angle de l'érection. Quand celle-ci est courte (et que le pénis est long, par conséquent), il existe de plus fortes probabilités que la verge pointe vers le bas. Dans le cas inverse, elle sera plus horizontale, ou remontera peut-être.

Frank

Lorsque Frank vint me consulter, nous passâmes une demi-heure à dialoguer avant qu'il n'aborde le véritable objet de sa visite. Il reconnaissait ne pas avoir de fréquentations féminines, mais attribuait cette situation à toutes sortes de causes qui me paraissaient infondées. Je sentais que quelque chose d'autre le tracassait et qu'il n'arrivait pas à l'exprimer, c'est pourquoi je lui déclarai carrément qu'il ne me faisait pas confiance. Il m'avoua alors qu'il craignait de sortir avec des filles parce que, quand leurs relations devenaient intimes, elles s'apercevaient forcément que son pénis n'était pas normal.

N'étant pas médecin, je n'examine pas les patients, mais je lui demandai de me décrire son sexe. Il m'expliqua que celui-ci, au lieu de se tendre de façon rectiligne comme ceux des acteurs de films pornos, présentait une importante incurvation. Ceci me parut rester dans les limites de la normalité mais, pour dissiper toute incertitude sur une éventuelle maladie, je l'envoyai consulter un urologue.

Quand je revis mon patient, c'était un autre homme. Le spécialiste avait confirmé mon avis. Frank, sachant qu'il ne risquait pas de susciter les moqueries de ses partenaires, avait gagné assez de confiance en lui pour sortir avec quelqu'un. Environ un an plus tard, il m'annonça qu'il avait rencontré la femme de sa vie.

Il arrive qu'un homme me manifeste son embarras parce que sa verge n'est pas droite quand il est en érection. Comme le démontre l'exemple de Frank, c'est tout à fait normal. Mais il est vrai que, chez certains, elle présente une incurvation plus prononcée que chez les autres ou bien qu'elle pointe vers la droite ou la gauche.

Dans la grande majorité des cas, l'incurvation du pénis n'a rien d'extraordinaire. Le problème relève juste d'une ignorance en matière sexuelle, l'intéressé ne sachant pas qu'il en va de même, dans une certaine mesure, pour la plupart de ses congénères. Il arrive simplement qu'une verge soit plus déviée que les autres. Les hommes concernés ne connaissent en général pas de problèmes, bien que certains d'entre eux doivent adapter leurs positions en conséquence. Il existe toutefois une maladie, dite de *La Peyronie*, qui peut rendre les rapports sexuels impossibles (mais rassurez-vous : bien souvent, elle se guérit d'elle-même dans de brefs délais, comme je l'indique au chapitre 16).

De façon générale, le problème se situe avant tout dans l'esprit des hommes qui me consultent. Ils craignent de paraître anormaux et n'osent donc pas se trouver une petite amie. Ils ont peur qu'au moment de faire l'amour pour la première fois avec eux, leur partenaire réagisse de manière négative.

Voici un moyen simple d'éviter de vous faire du souci sur la réaction d'une nouvelle partenaire à la vue de votre pénis : attendez d'avoir noué des liens assez solides avant d'avoir des rapports. D'ailleurs, cette attitude permet de dissiper la plupart des autres doutes que chacun peut connaître sur ses capacités sexuelles. Vous trouverez beaucoup plus de plaisir avec quelqu'un dont vous êtes amoureux, le sexe devenant alors une expression de vos sentiments et non uniquement une façon agréable de passer le temps.

En conclusion, que votre verge soit droite comme un I ou qu'elle ait l'allure d'un boomerang, dites-vous bien que les trois petits mots « Je t'aime » comptent beaucoup plus pour votre amie que la direction indiquée par votre pénis.

Les testicules, ces méconnus

Même si les hommes ne sont pas toujours parfaitement au courant du fonctionnement interne de leur pénis, cette partie de leur anatomie leur est assez familière. Mais, en ce qui concerne leurs testicules, ils sont trop nombreux à en ignorer quasiment tout.

Attendez-vous toutefois, d'ici à la fin de ce chapitre, à les voir, et même à les sentir, d'une façon tout à fait différente.

Tout le monde descend !

Au début de l'existence du fœtus mâle, les testicules sont des organes internes. Ce n'est qu'au cours des derniers mois de la grossesse qu'ils descendent dans le scrotum, enveloppe cutanée qui se situe à la base du pénis. Il arrive que l'un des testicules, ou les deux, reste en place.

Parfois, ces testicules récalcitrants jouent à cache-cache : pendant la première année du bébé, ils descendent et remontent de temps en temps. Dès lors qu'ils font d'occasionnelles apparitions, tout va bien ; ils se décideront tôt ou tard à s'installer dans leurs pénates définitives.

En revanche, un testicule qui demeure à l'intérieur de l'organisme n'assurera pas correctement ses fonctions car la température y est trop élevée. De plus, un jeune garçon présentant ce problème risque d'être gêné par son aspect physique. C'est pourquoi on fait appel au médecin, qui applique un traitement hormonal ou, le plus souvent, chirurgical.

Une fabrique d'hormones

Outre le rôle vital que remplissent les testicules dans la survie de l'espèce, il est indispensable pour l'homme qu'ils fonctionnement correctement, car ils lui procurent des hormones, dont la plus importante est la testostérone, qui justifie son surnom d'« hormone mâle ». Chez un bébé de sexe masculin né sans *testostérone*, le scrotum s'apparente aux grandes lèvres et le pénis au clitoris.

Dans le cas où un testicule ne parvient pas à se former convenablement, un utérus et une trompe de Fallope se développent de façon partielle dans l'organisme. En effet, l'enfant ne dispose pas en suffisance d'une autre hormone qui aurait dû être secrétée par ce testicule et sert à inhiber la croissance d'organes femelles.

Une fabrique de sperme

Bien que toutes sortes de méthodes contraceptives permettent aujourd'hui d'associer moins systématiquement les rapports sexuels à la fécondation, leur finalité première demeure, du point de vue de la propagation de l'espèce, la reproduction. Et il ne suffit pas, pour cela, que l'homme introduise son pénis dans le vagin de la femme : encore faut-il, pour accomplir cette tâche importante, qu'il y dépose une semence. Celle-ci, appelée sperme et contenant les *spermatozoïdes*, se fabrique dans les testicules.

Les spermatozoïdes sont de surprenantes petites créatures. De tout l'organisme humain, ils sont le seul élément qui remplit sa fonction en dehors de celui-ci. D'ailleurs, ils ne survivent pas à des températures élevées, notamment la température interne humaine. C'est pourquoi les testicules se situent en dehors du reste du corps, où ils bénéficient d'un peu d'air frais (du moins quand leurs propriétaires sont adeptes du kilt ou du pagne).

Afin que les spermatozoïdes accomplissent leur mission de reproduction de l'espèce, ils doivent surmonter un grand nombre d'obstacles, au cours d'un long périple. Vous connaissez sans doute leur forme finale – une tête ovale prolongée par une queue qui assure leur propulsion – (voir la figure 1.4) ; mais, lorsqu'ils naissent, ils ne présentent pas le même aspect.

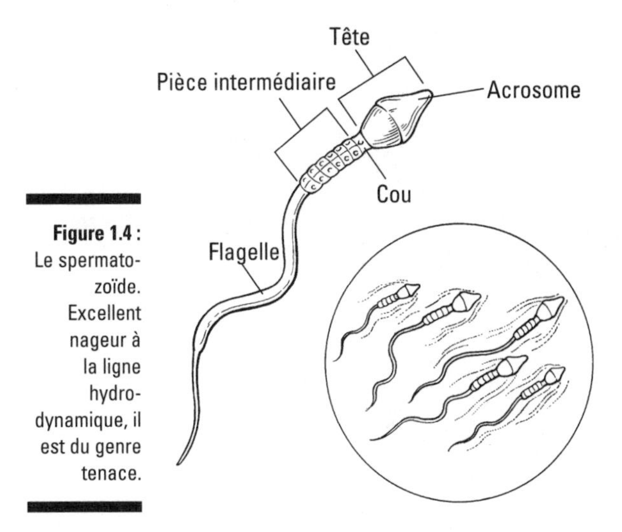

Figure 1.4 : Le spermatozoïde. Excellent nageur à la ligne hydrodynamique, il est du genre tenace.

De modestes débuts

Au début de son existence, le spermatozoïde n'est qu'une cellule germinale. Les cellules de ce type sont produites dans les *tubes séminifères*, longs canaux en forme de spaghettis reliés entre eux, rassemblés en boule compacte et entourés d'une épaisse membrane. L'ensemble a pour nom – roulements de tambours, SVP – un testicule. (C'est entre les tubes séminifères que se trouvent les cellules responsables de la production de testostérone, l'hormone mâle). Les cellules germinales progressent dans les tubes, en se transformant lentement mais sûrement en spermatozoïdes.

Une fois leur métamorphose achevée, les cellules mâles quittent le testicule pour rejoindre l'*épididyme* puis le *canal déférent*. (Avant de vous perdre, jetez vite un coup d'œil sur la figure 1.5. Dans des endroits pareils, il n'y a guère de stations-service où demander son chemin.)

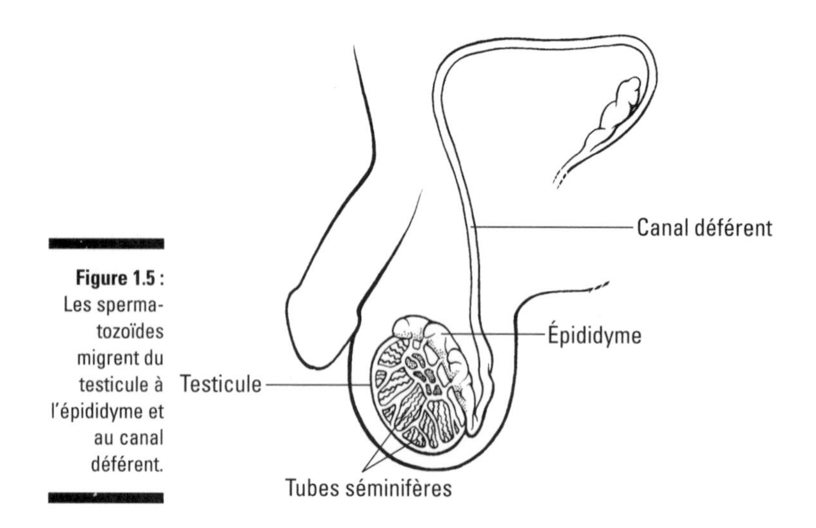

Figure 1.5 : Les spermatozoïdes migrent du testicule à l'épididyme et au canal déférent.

Diviser pour unir : la méiose

Maintenant que le schéma vous aide à suivre mentalement le trajet suivi par les spermatozoïdes, je peux évoquer une autre transformation importante des gamètes mâles.

Toutes nos cellules présentent un code complet du patrimoine génétique, l'ADN (acide désoxyribonucléique, pour les intimes), unique à chaque individu. Il en va de même pour les cellules germinales, mais elles subissent un processus appelé *méiose*, dont voici les principaux effets :

- La méiose divise la cellule germinale en deux nouvelles cellules, portant chacune une moitié du code ADN, soit 23 éléments de matériel génétique (les *chromosomes*) au lieu des 46 habituels.

  Quand un spermatozoïde s'unit à un ovule, lui aussi doté de 23 chromosomes, leurs patrimoines génétiques respectifs se mélangent et l'enfant qui en résulte présente des caractéristiques issues de sa mère et de son père.

- Lors de la division des cellules mâles, les chromosomes sexuels se séparent. Les enfants mâles héritent de deux chromosomes X et Y, tandis que les filles n'ont que des chromosomes X.

  Selon que le spermatozoïde qui atteint l'ovule en premier se caractérise par un chromosome X (féminin) ou Y (masculin), le futur bébé sera soit une fille, soit un garçon.

Voici un détail qui devrait ravir les machos invétérés : non seulement les spermatozoïdes sont capables d'évoluer en dehors de l'organisme, mais ces véritables missiles miniatures disposent aussi d'un armement complet. Au-dessus de leur tête se situe l'acrosome qui, rempli d'enzymes, permet au gamète mâle de pénétrer un ovule, si tant est qu'il en rencontre un sur son parcours.

Quand son développement est achevé, le spermatozoïde quitte la *gonade* (synonyme de testicule) et entre dans l'épididyme, suite de minuscules tubes qui se trouvent sur le testicule. (Pour les amateurs de chiffres, ces tubes déployés atteindraient pas loin de vingt mètres de longueur.) Pendant son séjour dans l'épididyme, il apprend à nager. Au début de son parcours, sa queue (*flagelle*) ne lui sert pas à grand-chose, mais quand il arrive au bout du parcours, notre ami le gamète est un authentique petit bolide.

Le canal déférent

La figure 1.5 indique que l'étape suivante sur le trajet d'un spermatozoïde se situe dans un conduit, le canal déférent, par lequel il est éjecté dans l'urètre. Il se trouve alors plongé dans des liquides provenant des vésicules séminales et de la prostate ; ce mélange n'a plus qu'à faire son entrée dans le monde, à la prochaine éjaculation.

L'association des spermatozoïdes et de ces liquides constitue le sperme. Le volume de sperme présent lors d'une éjaculation équivaut au contenu d'une petite cuillère, avec des différences en fonction du laps de temps écoulé depuis la dernière. Ce liquide est de couleur blanchâtre, a une odeur particulière et il est épais au début de l'émission. Les spermatozoïdes n'en représentent que 5 à 10 %, mais seule cette partie du sperme est à l'origine des grossesses.

Spermatogenèse insuffisante (stérilité masculine)

L'aspect apparemment normal des testicules ne garantit pas leur parfait fonctionnement. Lorsqu'un couple désirant un enfant ne parvient pas à en avoir, les médecins recherchent, parmi leurs premières hypothèses, un éventuel problème concernant les spermatozoïdes de l'homme. Souvent, celui-ci ne produit pas assez de spermatozoïdes, ou bien ces derniers présentent une *motilité* insuffisante, c'est-à-dire qu'ils ne parviennent pas à nager jusqu'à l'ovule. Ces difficultés s'expliquent soit par une anomalie de la production, difficile à traiter, soit par un blocage à l'une des étapes du processus, auquel la chirurgie peut éventuellement remédier.

Le pourquoi de la coquille

Bien des hommes se donnent des airs de durs, de « tatoués ». Pourtant, le centre de leur virilité réside dans leurs testicules, glandes extrêmement sensibles. À tel point que, si vous êtes un homme, il vous suffit d'imaginer un coup bas pour ressentir une forme de douleur au niveau des bourses.

Un jeune garçon qui ne l'a jamais expérimenté peut ne pas voir l'intérêt de protéger cette zone par une coquille en cas de pratique de sports violents. En revanche, tout homme ayant déjà souffert pareil supplice n'hésite pas une seconde.

Dépistage du cancer des testicules

Malgré la fragilité des testicules, leurs propriétaires n'y accordent qu'une attention limitée, mis à part le fait qu'ils évitent avec soin d'être heurtés dans cette région délicate. C'est regrettable, car le cancer des testicules, bien que rare, présente un risque mortel s'il n'est pas détecté à temps. Il survient le plus souvent chez des individus âgés de quinze à trente-cinq ans. En fait, c'est la maladie la plus fréquente au sein de la population masculine entre vingt et trente ans. Heureusement, elle est facilement curable – à condition d'être diagnostiquée à temps.

De par leur emplacement à l'extérieur du reste du corps, il est facile d'examiner les testicules et d'y repérer toute anomalie. Et, ce qui n'est pas un mince avantage, cette position permet de les inspecter sans aller chez le médecin (les femmes, elles, sont bien obligées d'y recourir pour l'examen du col de l'utérus).

Les boules...

Un cancer des testicules débute par l'apparition d'une boule indolore. Plus tôt on la remarque et plus on a de chances de la traiter sans conséquences graves.

Pour repérer la présence d'une éventuelle grosseur :

- Saisissez doucement un testicule après l'autre et faites-le rouler entre le pouce et l'index afin d'identifier toute différence par rapport au précédent auto-examen.
- La glande doit sembler à la fois souple et ferme, avec une légère mollesse, comme un grain de raisin.
- Comparez les deux testicules entre eux.
- Effectuez cette palpation une fois par mois.

- En cas d'anomalie, prenez immédiatement rendez-vous avec un urologue.

Ne confondez pas l'épididyme, situé sur le bord supérieur du testicule, avec une grosseur anormale, vous vous causeriez des frayeurs inutiles.

Le cancer des testicules peut affecter n'importe quel individu mâle, mais le risque est plus élevé chez ceux dont l'une ou les deux glandes n'étaient pas descendues à la naissance (voir plus haut, « Tout le monde descend ! »). Il leur est donc à plus forte raison recommandé d'effectuer avec soin l'examen décrit ci-dessus.

Parfois, une lésion bénigne entraîne une légère tuméfaction. Celle-ci peut masquer une tumeur, c'est pourquoi une palpation mensuelle est nécessaire, pour garder d'une fois sur l'autre une idée de votre état normal.

Je sais que nombre de mâles attendent d'être à l'article de la mort pour consulter un médecin, et *a fortiori* pour des problèmes d'ordre génital. Pourtant, il importe vraiment de ne pas être négligent dans ce domaine.

Si l'idée de l'auto-examen vous rebute et que vous ayez une compagne, pourquoi ne pas lui confier cette tâche ? J'ignore si cela l'enchantera plus que vous, mais il est probable que vous profiterez l'un comme l'autre des effets secondaires de la palpation.

Douleurs testiculaires

Les hommes livrent difficilement leurs petits secrets, surtout quand ils se situent au niveau de l'entrejambe. Il est très fréquent de ressentir des élancements dans la zone du scrotum. Si cette douleur disparaît après une ou deux minutes, il n'y a pas à s'en inquiéter. En revanche, si elle se manifeste de façon continue, consultez immédiatement un urologue.

La prostate

Outre les testicules, il existe une autre zone à problèmes que les hommes négligent trop souvent de se faire examiner : la *prostate*. Située sous la vessie, cette glande masculine produit certains des liquides qui constituent le sperme et lui donnent sa couleur blanchâtre. Elle est traversée par l'urètre, canal qui conduit sperme et urine. Toute maladie touchant la prostate risque donc d'affecter également celui-ci.

Examen

Avec l'âge, il est courant que la prostate grossisse et qu'elle oblige donc l'homme à uriner plus souvent. Cette hypertrophie est contrariante, mais pas dangereuse. Toutefois, la prostate présente aussi une fâcheuse tendance aux tumeurs malignes. Le cancer de la prostate présente de graves risques mais se soigne sans difficulté quand on le détecte précocement.

L'examen qui permet d'identifier toute anomalie traduisant la présence d'une éventuelle excroissance maligne consiste en un simple toucher. Pour ce faire, le médecin fait pencher le patient en avant et lui introduit les doigts dans le rectum. C'est ainsi qu'il peut palper la glande prostatique.

Loin de moi l'idée de reprocher à un homme sa réticence à subir ce genre de palpation ; toutefois, l'examen de la prostate n'est pas pire que les contrôles gynécologiques auxquels se soumettent régulièrement les femmes. Aucun prétexte pour y échapper ne me semble donc valable ! Un contrôle régulier peut vous sauver la vie ; je vous conseille donc instamment de ne pas le remettre à plus tard.

Traitements

Il existe différents traitements des maladies de la prostate, dont certains ont des effets sur l'activité sexuelle. Ainsi, les médicaments destinés à soigner hypertrophies ou tumeurs prostatiques amenuisent parfois le désir. L'ablation chirurgicale de tout ou partie de la glande présente également des effets secondaires.

L'opération la plus couramment pratiquée pour remédier à une hypertrophie de la prostate s'appelle *résection transurétrale*. À la suite de cette intervention, environ 5 % des patients souffrent d'impuissance et 80 % connaissent un phénomène du nom d'*éjaculation rétrograde*. Dans ce dernier cas, le sperme, au lieu de sortir du pénis, reflue vers la vessie. Ceci n'empêchant pas l'orgasme, certains hommes n'y voient pas d'inconvénient ; pour d'autres, cette absence d'émission nuit au plaisir. Cette affection pose véritablement un problème lorsque le couple désire un enfant ; l'insémination artificielle peut alors s'avérer nécessaire.

Les différents traitements des affections prostatiques étant connus pour entraîner d'éventuels troubles de l'érection, les patients hésitent à consulter aux premiers signes de leur maladie. Bien entendu, celle-ci ne peut que s'aggraver et, lorsqu'ils se décident à voir un médecin, il est parfois trop tard. Heureusement, le Viagra restitue désormais aux hommes opérés de la prostate leurs capacités érectiles (voir le chapitre 16). Si j'applaudis ce progrès, je souhaiterais cependant que les intéressés se soumettent plus tôt à un examen médical, ce qui ouvrirait la voie vers leur guérison.

Chapitre 2

C'est une fille !

Dans ce chapitre :

- Visite guidée de l'anatomie féminine
- Menstruation et ménopause
- Aux premières loges, les seins

Même pour les femmes, l'appareil génital féminin demeure un mystère. Du fait de son caractère majoritairement interne, il ne leur est pas aussi familier que le système reproductif masculin l'est pour les hommes. Certaines font même leur maximum pour l'ignorer. Elles y touchent le moins possible et n'ont jamais observé ce qui se trouve entre leurs jambes.

Ces organes ont beau être cachés, ils n'en manifestent pas moins leur existence de façon régulière, de telle sorte qu'il soit impossible de les oublier complètement. Pour différentes raisons, ils méritent d'ailleurs l'attention :

- L'un des moyens dont notre appareil sexuel dispose pour se rappeler à notre bon souvenir de manière flagrante est la grossesse. Le fait que, chaque année, quantité de femmes se trouvent enceintes sans l'avoir désiré (10 000 par an en France, semble-t-il) démontre qu'un trop grand nombre d'entre elles n'en savent toujours pas autant qu'il faudrait sur leur corps.
- La connaissance de l'anatomie féminine représente, pour les hommes comme pour les femmes, la clé d'une sexualité harmonieuse, ce qui constitue l'objectif principal de cet ouvrage.

- Une bonne information contribue dans une large mesure à rehausser l'image générale de la femme. En effet, l'idée que ses organes génitaux se situent dans une région obscure et inconnue est préjudiciable non seulement pour cette partie du corps en soi, mais aussi pour le statut de la femme en tant qu'être humain.

Certes, dans nos sociétés, l'appareil génital est considéré comme intime du point de vue individuel, mais ceci ne signifie pas pour autant qu'il faille garder le secret sur ce sujet d'un point de vue général.

Que vous soyez homme ou femme, je vais donc faire en sorte que cette région du corps ne soit plus, pour vous, une énigme. Mieux, je vais en imprimer dans votre esprit une carte précise, que vous n'oublierez jamais.

Si vous êtes une femme, vous bénéficiez d'un avantage appréciable : vous pouvez compléter la présente lecture par un auto-examen. Un grand nombre d'entre nous n'ont jamais pris soin d'observer leurs organes sexuels dans le détail ; pourtant, je vous le conseille vivement. Ceux-ci n'étant pas aussi apparents que leurs homologues masculins, il vous faudra juste un miroir en guise d'accessoire. Après vous être déshabillée, asseyez-vous dans un endroit où vous pouvez étendre les jambes. Si l'éclairage est insuffisant, aidez-vous d'une lampe de poche. Je vous propose de commencer par cette exploration, puis de lire les pages qui suivent et de vous réexaminer ensuite pour identifier les différentes parties décrites ici.

Si vous êtes un homme et que votre partenaire n'y voie pas d'objection, partager cette expérience ne peut pas vous faire de mal, en respectant toutefois les précautions suivantes :

- Si votre compagne n'a jamais procédé à cet examen, laissez-la l'effectuer seule, dans un premier temps, pour éviter de la perturber par votre présence.
- Quand ce sera votre tour de découvrir son intimité, faites votre maximum pour que l'exploration ne revête aucun aspect sexuel, même si cela vous excite (et je n'en doute pas). Si vous parvenez à garder à l'expérience son caractère didactique, vous pourrez poser à votre partenaire quelques questions sur ce qu'elle ressent quant à ses organes ainsi que sur les pratiques amoureuses qu'elle apprécie ou non.

Si, une fois votre visite terminée, vous avez tous les deux envie de faire l'amour, ne vous en privez pas, mais promettez-moi de mettre en application vos nouvelles connaissances afin de ne pas retomber dans d'anciennes habitudes.

Quelques mots latins

Avant d'embarquer pour notre voyage dans l'anatomie féminine, jetez un coup d'œil sur la figure 2.1.

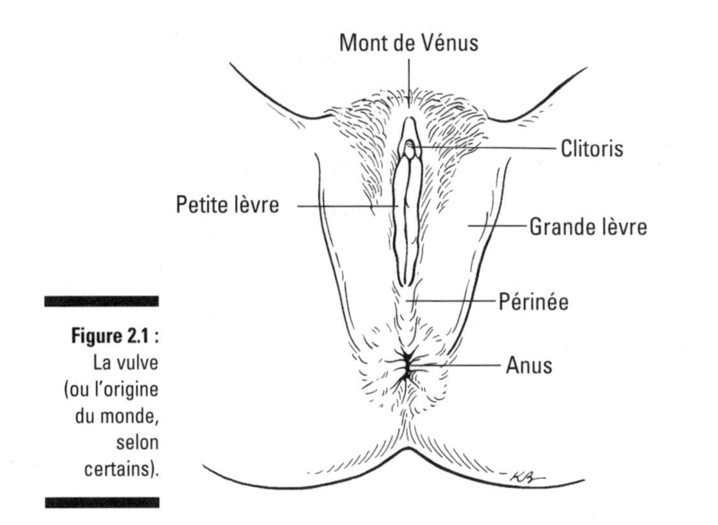

Figure 2.1 : La vulve (ou l'origine du monde, selon certains).

La partie illustrée ci-dessus, qui se trouve entre le mont de Vénus et l'anus, s'appelle la vulve. Le mont de Vénus, constitué d'une couche de tissu graisseux recouvrant l'os pubien, assure une fonction de pare-chocs. Couvert de poils, il est aisément identifiable. Quant à l'anus... quel que soit votre sexe, vous en possédez un et devez bien savoir à quoi il sert.

Vive la vulve

La vulve est encadrée par les *grandes lèvres*, à l'intérieur desquelles on distingue :

- les *petites lèvres* ;
- le *clitoris* (point le plus sensible chez la femme) ;
- l'*urètre* (canal excréteur de l'urine) ;
- le *vestibule*.

Le vestibule donne accès au vagin ; il est couvert par une membrane, l'*hymen*. En cas d'excitation sexuelle, les *bulbes vestibulaires* situés en dessous se gonflent de sang, à l'instar du pénis. C'est logique car ils sont constitués du même tissu spongieux.

Que vous observiez la figure 3.1 ou un « spécimen » réel, il importe de savoir qu'il existe des différences d'un sexe féminin à l'autre.

Dans les premières semaines de l'embryon, les organes génitaux masculins et féminins présentent un aspect similaire. En effet, les uns et les autres sont constitués, pour l'essentiel, des mêmes tissus. Ce n'est qu'au cours de leur formation qu'ils se différencient. (Pour notre plus grand plaisir.) Ainsi, les tissus des petites lèvres chez la femme sont identiques à ceux du scrotum chez l'homme.

Les grandes lèvres se composent de deux replis de tissu qui délimitent la vulve (voir la figure 2.2). À la puberté, des poils apparaissent sur cette zone ainsi que sur le mont de Vénus. Les grandes lèvres sont de couleur plus foncée que la peau des zones voisines. Elles entourent les petites lèvres, situées de part et d'autre du vestibule et non pileuses. Les unes rejoignent les autres à leur partie supérieure pour constituer le *capuchon* du clitoris.

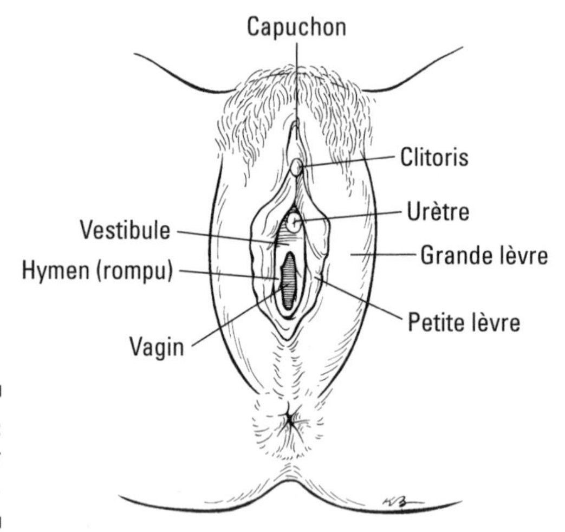

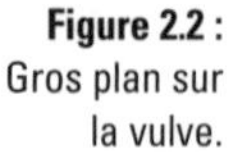

Figure 2.2 : Gros plan sur la vulve.

Le vestibule renferme les *glandes de Bartholin* (ou *glandes vulvo-vaginales*), dont les secrétions servent de lubrifiant naturel lors des relations sexuelles (nous verrons toutefois plus loin dans ce chapitre que la majeure partie de cette lubrification provient des parois vaginales). Ces secrétions indiquent, comme l'érection chez l'homme, l'excitation féminine. Avec l'âge, les glandes vulvo-vaginales rétrécissent et produisent des secrétions moins importantes. C'est pourquoi il devient souvent nécessaire de faciliter les rapports par un lubrifiant artificiel.

À la jonction de l'extrémité supérieure des petites lèvres se trouve le *clitoris*, principal organe du plaisir féminin. De la taille d'un petit pois, il est constitué du même tissu que le pénis. Comme lui, il se termine par un gland ; en cas d'excitation, il se gonfle de sang et augmente de volume, quoique dans une mesure bien moindre que la verge. Caractérisé par de nombreuses terminaisons nerveuses, c'est un organe extrêmement érogène qui joue un rôle essentiel dans l'orgasme féminin (voir le chapitre 9).

Quoique plus petit que le pénis, il présente un nombre équivalent de terminaisons nerveuses. C'est pourquoi bien des femmes, ne supportant pas un contact direct avec le clitoris, préfèrent être stimulées au niveau du capuchon ou du mont de Vénus.

Comme sur le pénis, du *smegma* (mélange de sécrétions, de cellules cutanées et de bactéries) s'accumule parfois sous le capuchon clitoridien. Il importe donc de laver cette zone avec soin. En cas d'accumulation excessive, le gynécologue peut le nettoyer de façon plus complète.

En dessous du clitoris se situe l'orifice de l'urètre, par lequel s'effectue l'excrétion urinaire. Ce canal est totalement indépendant du vagin, dans lequel pénètre la verge lors du coït. Certains hommes, et même certaines femmes, ignorent qu'il s'agit de deux orifices bien distincts ; ceci explique, en partie, leurs *a priori* sur cette partie du corps. Pourtant, la taille du pénis est beaucoup trop importante pour entrer dans l'urètre. De plus, l'excrétion urinaire s'effectuant, chez l'homme, par la verge, celui-ci ne devrait en aucun cas considérer le vagin moins propre que son organe viril. Toutefois, si vous êtes toujours mal à l'aise à ce sujet, voici comment y remédier facilement.

Pour avoir la certitude que vos parties génitales comme celles de votre partenaire sont d'une propreté impeccable, pourquoi ne pas inclure votre toilette mutuelle dans vos jeux amoureux. Un peu d'hygiène n'a jamais tué personne !

Les infections des voies urinaires sont très fréquentes chez la femme. Elles s'expliquent notamment par le fait que des bactéries peuvent pénétrer dans l'urètre lors des rapports sexuels. Veillez particulièrement à la propreté de cette partie du corps, en vous essuyant toujours de l'avant vers l'arrière et non l'inverse.

L'hymen, symbole de virginité

Autrefois, il était considéré comme important pour une jeune fille de garder intact son hymen, preuve de sa virginité. Il était de tradition de vérifier celle-ci par l'écoulement de sang qui se produit souvent lors de la première pénétration.

La coutume voulait jadis qu'au lendemain de la nuit de noces, on expose les draps des mariés pour prouver que la jeune femme était demeurée pure jusqu'au mariage. Si celle-ci avait « fauté », du sang de poulet faisait l'affaire – les tests ADN n'existaient pas encore.

De nos jours, il est fréquent que cette membrane se brise par accident avant les premières relations sexuelles, soit quand la jeune femme place un tampon hygiénique, soit à l'occasion d'activités sportives, en faisant du vélo, par exemple. Dans la grande majorité des cas, l'hymen, même intact, est perforé, ce qui permet le passage du flux menstruel ; toutefois, il arrive qu'un médecin doive le percer. (Précisons que, même si l'hymen est prématurément rompu, la jeune fille n'en reste pas moins vierge jusqu'à ses premiers rapports.)

Le vagin, passage stratégique

Ce qui distingue la femme de l'homme, c'est l'emplacement interne de la majeure partie de son appareil sexuel et, notamment, du vagin. Celui-ci est un cylindre creux et tapissé de muscles, qui s'étend du vestibule au col de l'utérus.

Chez la femme adulte, le vagin mesure environ 7 à 10 cm, mais il est très extensible : pendant la copulation, il s'adapte à la forme du pénis. Et, lors de l'accouchement, il s'élargit encore plus, pour permettre le passage du nouveau-né. Le reste du temps, il s'aplatit comme un ballon dégonflé.

Le vagin présente normalement une courbure vers le haut. (Chez certaines femmes, c'est l'inverse, mais c'est rare.) Ignorant ce détail, il arrive que la femme éprouve des difficultés à y placer un tampon.

Les parois du vagin se composent de trois couches (voir la figure 2.3). La première est la *muqueuse*, très épaisse et présentant de nombreux replis. Elle réagit aux variations hormonales féminines en produisant différentes secrétions. En dessous se trouvent une couche musculaire et une autre, de tissu conjonctif, l'adventice. L'une et l'autre sont imbibées de sang.

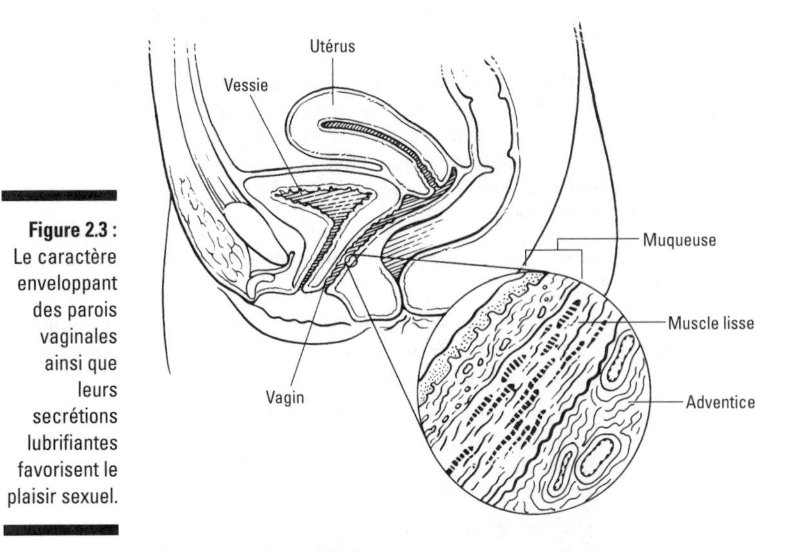

Figure 2.3 : Le caractère enveloppant des parois vaginales ainsi que leurs secrétions lubrifiantes favorisent le plaisir sexuel.

Sous le vagin, au niveau du plancher pelvien, d'autres muscles servent à soutenir le vagin et à en assurer la fermeté. Les exercices de Kegel, que j'aborde au chapitre 9, permettent de tonifier ces muscles.

En parlant d'exercices, quand une femme fait de la gymnastique ou pendant l'acte sexuel, il arrive que de l'air pénètre dans le vagin et que, lors d'un changement de position, il en ressorte en produisant une flatulence. Ces gaz, fréquents, n'ont rien de préoccupant.

L'excitation sexuelle donne lieu à plusieurs changements physiques :

- turgescence des lèvres vaginales et du clitoris ;
- érection des mamelons ;
- imprégnation de sang dans les parois vaginales par un processus appelé *vasocongestion*, semblable à celui qui se produit dans la verge en érection.

Le vagin est lubrifié par des secrétions qui, issues du sérum sanguin des vaisseaux qui l'entourent (et non d'une glande), en traversent la paroi sous l'effet d'un surcroît de pression.

Ces liquides, outre qu'ils facilitent le mouvement du pénis dans le vagin, assurent une autre fonction. Ils rendent le milieu vaginal moins acide ; en effet, les spermatozoïdes survivent mieux dans un environnement alcalin.

Chez la plupart des mammifères, c'est le mâle et non la femelle qui produit un lubrifiant, semblable à celui que secrète la glande de Cowper chez l'homme, mais en bien plus grandes quantités. Les chercheurs ont observé que, chez certaines espèces, le cheval, par exemple, l'excitation entraîne une émission continue de ce liquide par le pénis.

Au cours de la vie d'une femme, le vagin connaît plusieurs changements :

- Avant la puberté, le conduit est étroit et sa paroi est mince, d'où les graves lésions que peut provoquer une agression sexuelle sur une petite fille.
- À la puberté, le vagin s'agrandit et subit d'autres modifications dues à l'activité hormonale. Il adopte une position surélevée. En cas d'excitation, le clitoris devient dur et se redresse.
- À la ménopause (j'aborderai bientôt le sujet), les niveaux hormonaux s'abaissent. Les tissus vaginaux se fragilisent, deviennent moins élastiques. La lubrification naturelle se raréfie. Heureusement, il existe des moyens de traiter ces problèmes, de sorte qu'ils n'affectent pas la vie sexuelle.

Le col de l'utérus

Le vagin se termine par le col de l'utérus, accès à l'utérus lui-même et partie inférieure de cet organe. Le col de l'utérus fait saillie sur quelques millimètres dans le vagin. Il produit une glaire qui évolue au cours du cycle menstruel, c'est-à-dire du processus de libération de l'ovule, une fois par mois, en vue d'une éventuelle grossesse (voir « Menstruation » plus loin dans ce chapitre).

- Pendant la première moitié du cycle, en particulier autour de l'ovulation (libération de l'ovule), la glaire est abondante, claire et translucide. Elle favorise la pénétration des spermatozoïdes, qui peuvent y survivre plusieurs jours.
- Après l'ovulation, la glaire cervicale se transforme. Devenue épaisse, opaque et visqueuse, elle empêche le passage des spermatozoïdes par l'*isthme,* entrée de l'utérus.

Parmi les différentes pilules contraceptives, certaines assurent leur fonction en rendant la glaire impénétrable aux spermatozoïdes. L'aspect de celle-ci sert également d'indicateur de fécondabilité aux personnes qui pratiquent le contrôle naturel des naissances (sur cette méthode, voir le chapitre 5).

L'utérus : très, très extensible

L'utérus, dont la forme ressemble à celle d'une poire, mesure environ 8 cm de long. Cet organe musculaire est aplati quand il est vide. Sa paroi intérieure est tapissée d'un tissu, connu sous le nom d'*endomètre*, qui se développe et se détruit à chaque cycle menstruel. Les règles sont déclenchées par des hormones ovariennes.

C'est dans l'utérus que grandit le bébé ; il suffit de songer à une femme en état de grossesse avancée pour comprendre que cet organe est d'une incroyable élasticité. Par chance, il reprend sa dimension habituelle après l'accouchement ; sans quoi, nous garderions en permanence un imposant tour de taille.

Les ovaires et les trompes de Fallope

Les trompes de Fallope, d'une dizaine de centimètres de long, conduisent de l'utérus aux ovaires (voir la figure 2.4). Côté ovaires, l'entrée de ces tubes s'élargit ; elle est bordée de filaments en forme de doigts, les *franges*, qui facilitent l'entrée des ovules libérés par les ovaires dans les trompes.

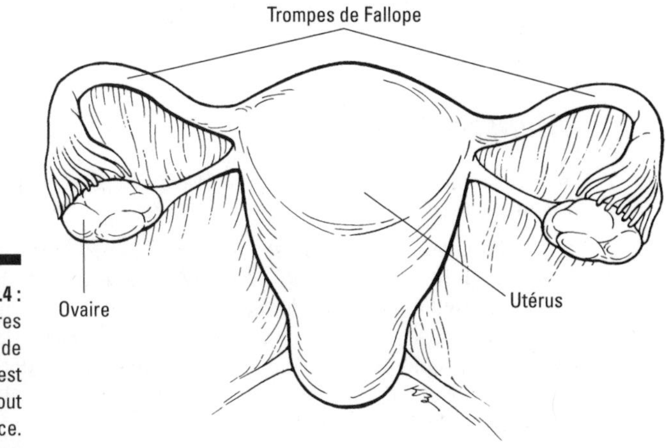

Figure 2.4 : Ovaires et trompes de Fallope : c'est ici que tout commence.

Une femme possède deux ovaires, mesurant environ 3,5 cm de long. Tous ses ovules (soit 200 000) y sont stockés. C'est à la suite d'un signal donné par l'hypophyse qu'ils sont libérés, normalement un par un.

Les ovaires secrètent aussi l'œstrogène et la progestérone, hormones sexuelles qui déclenchent les processus nécessaires à la procréation.

Je décris la fécondation au chapitre 1. Si vous avez passé outre cette partie, ou même si vous l'avez lue, je vous conseille d'y revenir. La sexualité a pour finalité primordiale la reproduction de l'espèce, on ne s'en souvient jamais assez.

Il semblerait que l'œstrogène et la progestérone n'aient guère d'influence sur le désir sexuel féminin. Les femmes produisent aussi des androgènes, hormones masculines qui jouent peut-être un rôle plus important à cet égard, mais les connaissances actuelles en la matière ne sont pas probantes.

Menstruation et ménopause

Pour bien des femmes, menstruation et ménopause constituent une source de problèmes. Optimiste forcenée, je me refuse pour ma part à les qualifier ainsi.

Les règles présentent parfois des inconvénients et certains aspects de la ménopause sont gênants, mais ces événements naturels ont tout de même des avantages. Selon moi, il vaut toujours mieux considérer que le verre est à moitié plein, et non à moitié vide.

Menstruation

Quel avantage peut-on trouver à perdre du sang par le vagin tous les mois, me direz-vous ?

- Premièrement, les règles font partie du processus de reproduction et la possibilité de donner le jour (j'adore les bébés) mérite bien un petit désagrément.
- Deuxièmement, il suffit de discuter avec une femme qui a des problèmes de saignements irréguliers pour découvrir combien il est agréable de prévoir leur venue à date fixe et de pouvoir s'y préparer.

- Troisièmement, les interruptions du cycle menstruel peuvent être un signe précoce d'éventuels troubles de la santé. Il est donc justifié de veiller au fonctionnement régulier de son organisme.

Syndrome prémenstruel

Il me paraît difficile de traiter le sujet de la menstruation sans évoquer le syndrome prémenstruel, même si je préférerais m'en abstenir. L'approche de leurs règles affecte-t-elle les femmes de façons diverses, tant sur le plan psychologique que physique ? Si elles sont aussi nombreuses à s'en plaindre, c'est sans doute que le phénomène existe et qu'il mérite donc d'être pris en considération. Mais j'ai du mal à accepter que certaines s'y complaisent et s'en servent de prétexte pour les motifs les plus divers, car ceci procure aux hommes une raison de les tenir à l'écart.

Je ne suis pas une féministe radicale, loin de là. J'accepte avec joie qu'un monsieur me tienne la porte ou m'envoie des fleurs. Mais je me refuse à cautionner ceux qui prétendent qu'il est impossible de donner des responsabilités importantes à une femme du fait de ses sautes d'humeur. En fait, les deux sexes sont sujets à ce genre de variations.

Combien d'hommes autour de nous ne sont-ils pas terriblement changeants, en partie sous l'effet d'hormones mâles ? Leurs crises de rage les contraignent-ils aux seconds rôles ? Bien sûr que non. Les états d'âme prétendument versatiles des femmes ne devraient donc pas servir de prétexte pour les écarter. La seule manière de l'éviter, c'est de limiter ces variations d'humeur autant que possible.

Les médecins associent plus de 150 symptômes au syndrome prémenstruel (pas étonnant, dans ces conditions, qu'on ait tendance à exagérer l'ampleur du phénomène !), parmi lesquels irritabilité, déprime, troubles de l'appétit, gonflements abdominaux, douleurs mammaires, difficultés de concentration, insomnies, crises de larmes et œdèmes des extrémités.

Ces symptômes se manifestent pendant une semaine, entre l'ovulation et le début des règles. Certaines femmes n'en constatent que quelques-uns. Elles sont nombreuses à ne les ressentir que de manière épisodique, tandis que d'autres subissent une attaque en règle tous les mois.

Le syndrome prémenstruel n'est pas scientifiquement attribué à une cause particulière ; parmi ses origines possibles figurent des carences hormonales ou nutritionnelles et un déséquilibre des secrétions.

Si vous souffrez du syndrome prémenstruel, croyez en toute ma sympathie. Mais si vous recourez à pareil prétexte pour vous faire « porter pâle » à votre travail, vous nuisez à l'ensemble des femmes, car vous alimentez l'idée selon laquelle elles sont incapables d'assumer des responsabilités de façon continue. Ces troubles, dont on ne connaît encore ni la cause ni le traitement, méritent sans aucun doute des recherches plus approfondies. En attendant, j'en appelle à toutes les femmes pour qu'elles s'efforcent d'y faire face sans empoisonner l'existence de leur entourage en général, et de leur conjoint, en particulier. Moi qui suis américaine, je crois qu'il est temps que mon pays élise une présidente. Mais imaginez combien adversaires et journalistes s'en donneraient à cœur joie si les candidates avançaient une telle excuse à la moindre occasion !

Le sexe pendant les règles

Mais trêve de harangues politiques, évoquons la question du sexe pendant la menstruation.

Moi, je suis juive et, pour un juif orthodoxe, le sexe est absolument proscrit pendant cette période. Cette attitude est très répandue, qu'elle relève de convictions religieuses ou d'une simple peur de la vue du sang. Il n'empêche que, paradoxalement, bien des femmes ressentent une plus grande excitation lors de leurs règles. Ceci s'explique par le fait que la zone pelvienne est alors saturée de sang, selon un mécanisme similaire à celui de l'érection.

Que faire si vous avez envie de faire l'amour pendant vos règles ? Il n'existe aucune raison physique qui justifie la continence au cours de cette période. Il suffit tout simplement de placer une serviette sur votre drap pour le protéger. Quant à votre partenaire, s'il est gêné à l'idée d'avoir du sang sur le pénis, il peut toujours utiliser un préservatif. Si le cœur vous en dit, rien ne vous interdit de céder à la tentation. Sauf motif religieux.

Des études scientifiques indiquent que l'orgasme est à même de soulager les désagréments liés aux règles, car il limite les contractions et les sensations de lourdeur pelvienne.

Il importe de savoir que si, techniquement parlant, la femme ne peut être fécondée pendant ses règles, Dame Nature lui joue parfois des tours. Il arrive ainsi de confondre un saignement vaginal avec le début des menstruations et donc, de se retrouver enceinte si l'on a pas pris ses précautions. Si vous choisissez le contrôle naturel des naissances et planifiez vos rapports sexuels en fonction de votre cycle, notez précisément vos dates pour éviter ce genre d'erreur.

On pourrait croire que c'est au moment de l'ovulation que les femmes ressentent le plus d'envies sexuelles, puisque que c'est l'occasion de propager l'espèce. D'ailleurs, c'est la seule période à laquelle les femelles, chez les animaux, sont en chaleur. Si un phénomène comparable survient chez certaines femmes, aucune étude scientifique n'a jamais démontré qu'il se vérifie de manière générale. La raison de sa disparition presque totale chez l'être humain demeure donc un mystère.

Ménopause : le « retour d'âge »

La ménopause est la période où les ovaires cessent de libérer des ovules et la muqueuse utérine de se détruire lors des règles. N'étant plus fertile, la femme ne connaît plus de risque de grossesse. Chaque personne est différente, mais ce changement intervient en moyenne à l'âge de cinquante ans. De ce fait, les femmes passent le dernier tiers de leur vie ménopausées.

Si les symptômes de la ménopause se limitaient à l'interruption des règles, on en ferait quasiment une fête… Mais l'interruption de l'ovulation entraîne aussi une baisse de la production d'œstrogène et de progestérone, les hormones femelles, ce qui crée parfois des troubles.

Une évolution progressive

La ménopause ne survient pas du jour au lendemain. Les changements qu'elle entraîne arrivent lentement, pendant une période appelée *âge critique* (ou *climatère*). Les règles deviennent irrégulières, leur flux plus ou moins abondant. Elles cessent complètement après un an ou deux.

Certaines femmes connaissent toutefois des signes avant-coureurs jusqu'à dix, voire quinze ans avant l'âge critique, pendant une période du nom de *périménopause*, dont il serait souhaitable qu'elles soient mieux informées pour ne pas s'inquiéter à l'excès à leur apparition. Les follicules ovariens, responsables de la production d'ovules, deviennent alors résistants à l'hormone FSH, qui déclenche l'ovulation. Tentant de libérer les ovules, l'organisme secrète un surcroît de cette hormone, d'où une montée du niveau d'œstrogène. La production de progestérone, en revanche, ne suit pas une courbe comparable. C'est pourquoi, au lieu d'un déclin régulier des niveaux hormonaux, c'est un effet de « montagnes russes » qui survient. Il en résulte divers symptômes, comme des saignements anormaux, un état dépressif et les fameuses bouffées de chaleur (évoquées plus loin dans ce chapitre).

Les saignements peuvent amener le gynécologue à pratiquer un *curetage*, qui consiste en un nettoyage approfondi de l'utérus. Mais il existe désormais des techniques qui, reposant sur l'échographie, permettent des procédures moins agressives.

Quant aux *bouffées de chaleur*, qui envahissent soudain le corps entier, elles constituent un symptôme typique de la ménopause. Elles peuvent se produire à tout moment de la journée ou de la nuit. Elles varient en fréquence et en durée d'une femme à l'autre. Comme elles ont tendance à susciter des rougissements, elles peuvent être gênantes, bien qu'il n'y ait aucune honte à cela. Certaines femmes ne connaissent pas de bouffées de chaleur mais, chez la plupart des autres, celles-ci surviennent pendant deux ans. En l'absence de traitement, environ un quart de la population féminine subit ce symptôme pendant plus longtemps. (Pour en savoir plus, consultez la section consacrée aux traitements hormonaux de substitution.)

La baisse de la production d'hormones se traduit aussi par des transformations au niveau du vagin et de la vessie. Les parois vaginales s'amincissant, il en résulte une sécheresse des muqueuses qui provoque, à son tour, des irritations et sensations de brûlure. Par manque de lubrification, les rapports sexuels peuvent devenir douloureux. Des changements comparables affectent la vessie, obligeant la femme à uriner plus souvent.

De nombreuses femmes subissent aussi des troubles d'ordre psychologique, même s'il n'existe pas de corrélation médicalement prouvée entre ceux-ci et la ménopause. Ils peuvent résulter, dans une certaine mesure, des perturbations du sommeil dues aux bouffées de chaleur, ou de la réaction de l'intéressée à un bouleversement physique qui marque définitivement la fin de sa jeunesse.

Parmi les effets secondaires les plus nocifs de la ménopause figurent l'ostéoporose – diminution de la masse osseuse résultant d'une moindre rétention du calcium – et d'éventuels problèmes cardiaques.

Lorsqu'un petit dernier paraît dans une famille à des années d'intervalle avec le précédent enfant, sa naissance résulte souvent d'une « erreur » due à l'arrivée de la ménopause. En effet, celle-ci mettant plusieurs années à s'installer, une femme peut voir ses cycles devenir plus irréguliers. Constatant une absence de règles pendant deux ou trois mois, il arrive qu'elle pense ne plus en avoir. Mais, parfois, elle ovule de nouveau et, si elle n'utilise pas de contraceptif, peut se retrouver à changer des couches à un âge où elle se pensait libérée de telles obligations. En fait, on considère théoriquement que la ménopause n'est établie qu'après une interruption des règles de plus de douze mois.

Traitement hormonal de la ménopause

Heureusement, la médecine a trouvé moyen de soulager tous les symptômes de la ménopause, grâce aux traitements de substitution par œstrogènes. Les recherches démontrent, en effet, qu'en administrant à la femme les hormones qu'elle ne peut plus produire, elle ressent moins les effets indésirables de la ménopause. En outre, ces traitements réduisent certains risques de cancers, en particulier du col de l'utérus. D'autres études indiquent cependant un risque accru de cancer du sein chez certaines patientes. Toute femme en début de ménopause devrait consulter son médecin pour connaître les possibilités les plus adaptées à son cas.

N'étant pas qualifiée pour cela, je ne vous en dirai pas plus sur les effets physiques de la ménopause. (Si vous êtes une femme à l'approche de la tranche d'âge concernée, je vous recommande de lire un ouvrage spécialement consacré à ce sujet ou, mieux, d'interroger votre gynécologue.) La question des relations sexuelles après la ménopause, en revanche, sera traitée au chapitre 12. Sachez d'ores et déjà que ma philosophie sur le sexe, après un certain âge, est très optimiste.

Aux premières loges : les seins

Je ne saurais achever cette visite de l'anatomie féminine sans un petit tour sur les hauteurs… Comme chacun devrait l'admettre, la taille des seins n'a guère d'importance, sauf aux yeux des fans de Russ Meyer, peut-être. Il n'empêche qu'il s'agit d'une zone érogène et que, du fait de leur proéminence même sous les vêtements, c'est l'une des parties du corps qui se remarque en premier.

L'allaitement

La fonction de base des seins est de nourrir les bébés. En effet, ils secrètent du lait dès que l'enfant commence à téter. Ce processus véritablement extraordinaire, la lactation, favorise non seulement la bonne santé du bébé mais aussi celle de la mère, car il contribue à la débarrasser des charges graisseuses accumulées durant la grossesse.

De façon surprenante, il fut une période, au XXe siècle, pendant laquelle bien des Occidentales cessèrent de pratiquer l'allaitement naturel, mais elles sont de plus en plus nombreuses à revenir à cette méthode traditionnelle.

Si vous avez entendu dire qu'une mère n'est pas fécondable lorsqu'elle allaite, revoyez vos conceptions. Certes, il n'y a généralement pas d'ovulation à cette période, mais ce n'est pas une règle absolue, comme trop de femmes l'apprennent à leurs dépens, une fois qu'il est trop tard.

Plaisir sexuel

Pendant l'enfance, la poitrine a le même aspect chez les filles et chez les garçons. Mais, lors de la puberté féminine, les mamelons puis l'aréole, c'est-à-dire la zone de peau plus foncée qui les entoure, s'agrandissent. Ensuite, avec l'élévation des niveaux de progestérone, les tissus sous-jacents augmentent eux aussi de volume pour former le sein complet.

Les mamelons, qui présentent une forte concentration de terminaisons nerveuses, sont des organes érectiles. Cette zone érogène contribue au plaisir de l'homme comme de la femme : le premier s'excite à leur vue et à leur toucher, et la seconde y éprouve d'agréables sensations.

Il est fréquent, lorsqu'elles se masturbent, que les femmes se caressent les seins et les mamelons.

Dépistage du cancer du sein

Un sein se compose, pour l'essentiel, de tissus graisseux. Ceux-ci absorbant les toxines stockées dans l'organisme, le sein est souvent le siège de cancers chez la femme.

En France, plus d'une femme sur quinze est appelée à développer un cancer du sein. Il est donc primordial de procéder à un examen de sa poitrine une fois par mois. La figure 2.5 illustre une méthode de dépistage.

Il importe d'effectuer cette palpation à la même période chaque mois, car les seins connaissent des modifications en cours de cycle menstruel. C'est pendant les règles ou juste après qu'on obtient les meilleurs résultats.

Ce qu'il faut rechercher, c'est la présence de toute anomalie – une grosseur, en l'occurrence. Si vous découvrez quoi que ce soit, pas de panique. La plupart du temps, il ne s'agit que d'un symptôme bénin, mais consultez toutefois votre médecin sans tarder. Considérez-vous chanceuse de l'avoir détecté précocement car, dans la plupart des cas, ces affections sont faciles à traiter.

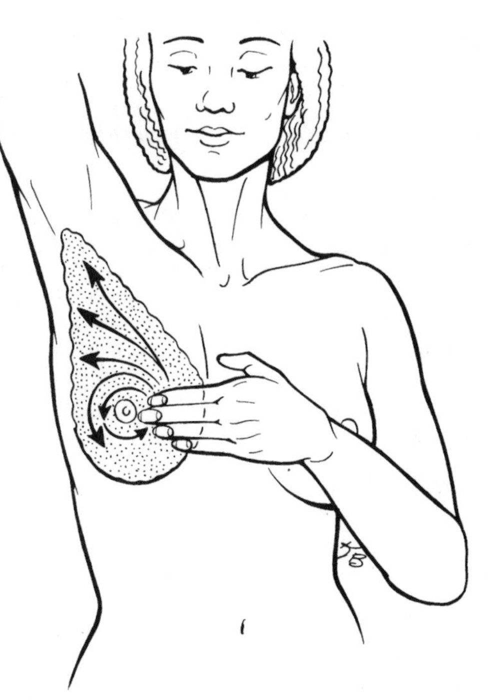

Figure 2-5: L'examen régulier des seins en vue de dépistage de tumeur éventuelle est un important gage de bonne santé.

Il est nécessaire de se faire examiner aussi par un professionnel, qui pourrait déceler quelque chose qui vous soit passé inaperçu, et d'effectuer une mammographie quand le médecin vous le prescrit. Avec l'âge, ces examens deviennent de plus en plus importants et doivent se réaliser à intervalles plus rapprochés. À partir de quarante ans, il faudrait que toute femme s'y soumette une fois par an (certains spécialistes considèrent toutefois qu'il suffit de commencer à cinquante ans). Ceci vaut également pour des patientes plus jeunes mais appartenant à l'un des groupes à risque suivants :

- La femme a des antécédents familiaux de cancers du sein.
- Elle n'a jamais été enceinte.
- Elle a eu son premier enfant après l'âge de trente ans.
- Elle a été réglée avant l'âge de douze ans.
- Elle est obèse.
- Elle a une alimentation riche en graisses.
- Elle a déjà été atteinte par un cancer du sein.

Votre médecin vous indiquera le rythme d'examens convenant le mieux à votre cas personnel.

Soyez fière de votre poitrine

Petits ou gros, vos seins sont à même de vous procurer du plaisir, à vous comme à votre partenaire. Certes, une poitrine menue attire moins le regard quand la femme est habillée, mais dès qu'elle la découvre devant un homme, il est probable que la profondeur de ses bonnets de soutien-gorge importe peu à l'intéressé. Par conséquent, au lieu d'avoir honte de vos seins, sachez les mettre en valeur au moment opportun, ils le méritent.

Chapitre 3

Adolescence : comprendre l'incompris

Dans ce chapitre :

- Les transformations de la puberté
- Amitié et plus
- Découverte de l'identité sexuelle
- L'importance de la famille

J'ai reçu récemment une lettre d'un jeune homme qui s'apprêtait à entrer à l'université. Sachant que j'enseignais à des étudiants, il me demandait si j'avais constaté chez eux une évolution par rapport à la génération précédente.

Je lui ai répondu par l'affirmative. Aux États-Unis, la sexualité humaine est devenue, depuis l'apparition du sida, un thème que l'on traite beaucoup plus qu'avant en faculté et même au lycée. On me pose des questions bien plus complexes qu'il y a encore une dizaine d'années. La plupart des étudiants dominent l'essentiel du sujet et attendent de moi un complément d'information. Les voyant se presser en foule à mes conférences, j'en déduis cependant que les jeunes ont toujours de nombreuses interrogations à résoudre. C'est pourquoi je ne cesse de sillonner les villes américaines d'université en université ; c'est aussi l'une des raisons pour lesquelles j'ai écrit ce livre.

En matière sexuelle, il ne fait aucun doute que les jeunes font aujourd'hui face à des circonstances complètement différentes de celles qu'ont connues les générations précédentes. La pilule, le grand nombre de mères célibataires, le sida, la fin de la clandestinité pour les homosexuels sont des facteurs qui n'existaient pas à une époque encore récente.

Mais ce n'est pas seulement en ce qui concerne la sexualité que le passage à l'âge adulte constitue un seuil difficile. Chaque nouvelle génération a pour mission de supplanter la précédente et de faire avancer notre civilisation. C'est ce qu'on appelle le progrès.

Toutefois, pour devenir indépendant de ses parents et professeurs et pour accomplir quoi que ce soit, il faut d'abord apprendre. Comme cela se produit pour chaque génération, cette recherche d'indépendance place les jeunes en situation de conflit avec leurs aînés. Pour vérifier que les conflits intergénérationnels ne datent pas d'hier, il suffit de parcourir les écrits de Sophocle sur les jeunes Grecs du Ve siècle avant J.-C. Le philosophe s'exprimait exactement dans les termes qu'emploient nos contemporains adultes : « Les enfants d'aujourd'hui sont de véritables dictateurs. Ils contredisent leurs parents, mangent avec un appétit vorace et tyrannisent leurs maîtres. »

Les conflits adolescents ne résultent pas seulement de leurs querelles avec parents ou enseignants. Ils traduisent aussi directement les bouleversements physiques qui se produisent à cette période de la vie. Le passage de l'enfance à l'âge adulte ne se fait jamais en douceur. La croissance s'effectue par à-coups. Ces changements perturbent autant les adultes qui les observent que les jeunes chez qui ils surviennent inévitablement.

La prise accélérée de centimètres a beau être la manifestation la plus visible – et la plus gênante – de cette évolution, ce sont ses aspects internes qui revêtent le plus d'importance. En effet, les hormones, à l'état latent jusque-là, entrent en action pour déclencher croissance physique et psychologique.

L'adolescence est semblable à certaines compagnies de chemin de fer. On ne sait jamais à quelle heure partira le train, ni à laquelle il arrivera aux différentes gares de son trajet.

Dans la vie, faut pas s'en faire !

Dans la plupart des cas, c'est entre onze et seize ans que ces changements surviennent mais, parfois, la puberté débute dès neuf ou dix ans ou, à l'inverse, pas avant dix-sept. Il n'est certes pas facile d'être la première fille de sa classe à avoir de la poitrine ou le premier garçon à voir un léger duvet apparaître au-dessus de sa lèvre supérieure : évidemment, tout le monde s'en aperçoit. Mais jouer les lanternes rouges, même si personne n'a l'air de le remarquer, est encore moins réjouissant, car on se croit condamné à conserver à perpétuité des seins plats ou un corps imberbe.

Profiter de sa jeunesse et ne pas s'inquiéter de ce genre de choses, voilà le meilleur conseil à donner à un ado, mais je sais qu'il est difficile à faire accepter. Les transformations de la puberté sont trop spectaculaires pour qu'on les ignore, surtout du fait qu'elles affectent aussi les aspects mentaux et affectifs.

Pour moi aussi, la puberté a été synonyme de difficultés, car je n'ai jamais grandi au-delà de 1,45 m. Alors que tous mes camarades poursuivaient leur croissance, la mienne s'est arrêtée. J'en ai ressenti beaucoup de chagrin, puis j'ai décidé que ma stature ne devait pas constituer un obstacle. Vous conviendrez, j'espère, que j'y suis parvenue. En fait, les personnes de petite stature réussissent souvent ; elles ont compris que, pour y arriver, elles devaient déployer encore plus d'efforts que les autres.

Si vous êtes adolescent, quel que soit votre âge, accordez-vous quelques minutes par jour pour faire le point sur vous-même et pour vous laisser aller à vos états d'âme. Mais ensuite, reprenez-vous et dites-vous qu'il faut aller de l'avant. Votre souci principal, à cette époque de votre existence, doit être de réussir vos études. Par chance, votre développement physique ne peut en rien affecter vos progrès scolaires, à moins de le vouloir. Refusez-vous à cette idée. Concentrez-vous sur votre travail et, avant même que vous vous en rendiez compte, vos craintes d'être différent des autres changeront de trottoir.

Toutefois, dans le cas où votre puberté s'avérerait soit précoce, soit tardive, voici deux autres suggestions :

- **Observez les adultes qui vous entourent.** Vous constaterez qu'ils ont tous dépassé le seuil de l'adolescence ! Que vous soyez impatient que vos camarades vous rattrapent ou qu'au contraire vous vous sentiez « à la traîne », vous vous rappellerez ainsi que, tôt ou tard, vous en serez au même point que les autres.
- **Apprenez-en autant que possible sur votre évolution physique.** Dans cet ouvrage, je n'explique que de façon rapide les transformations qui surviennent à l'adolescence. Vous en savez déjà sans doute autant sur la question. Mais il existe quantité d'ouvrages plus approfondis et spécialement destinés aux jeunes. En effet, quand nous comprenons ce qui nous arrive, nous appréhendons mieux la situation, même si nous ne la maîtrisons pas complètement. Nous sommes alors à même de faire des choix en connaissance de cause. Savoir ce qui se passe dans votre corps vous aidera à envisager ce processus de façon plus calme et plus détachée.

L'avancée vers l'âge adulte

À un moment ou à un autre au cours de la deuxième décennie de l'existence, le cerveau commence à stimuler la production des hormones responsables des changements physiques de la puberté. On ignore ce qui déclenche ce processus cérébral (une chose est sûre, selon moi, c'est que certaines séries télévisées ne contribuent pas à l'accélérer…).

L'organisme produit des hormones de types très différents. Vers l'âge de onze ans, le cerveau s'exclame : « Suffit de jouer à la poupée (ou au meccano) ; il est temps de passer aux choses sérieuses. » En fait, il transmet ce message en commandant la libération de certaines substances chimiques. Si vous avez le cœur assez accroché pour suivre un épisode d'Urgences d'un bout à l'autre, voici une description plus médicale du processus :

- Une glande, l'hypophyse, libère d'importantes quantités d'*hormone folliculostimulante* (dite *FSH*) et d'*hormone lutéinisante* (dite *LH*).
- La FSH et la LH ont pour fonction d'activer les organes sexuels de sorte que des ovules se développent dans les ovaires, chez la jeune fille, et des spermatozoïdes dans les testicules, chez le jeune homme.
- Les organes sexuels se mettent alors à produire leurs propres hormones. Chez la femme, les plus importantes sont les œstrogènes et la progestérone, chez l'homme, c'est la testostérone.

Transformations physiques

Voici les transformations physiques qui s'effectuent à la puberté :

- Pour les deux sexes, la taille et le poids augmentent, des poils apparaissent aux aisselles et au pubis, ceux des membres deviennent plus épais et plus visibles, la transpiration s'accentue, la peau est beaucoup plus grasse (d'où la présence d'acné, bête noire des ados).

- Chez les filles, les seins deviennent plus gros et plus saillants, les mamelons ressortent davantage, les organes génitaux externes sont de taille plus importante, plus charnus et de pigmentation plus foncée. Utérus et ovaires s'agrandissent également. Les premières règles apparaissent. Parfois, il faut attendre jusqu'à un an et demi pour que le cycle devienne régulier.

- Chez les garçons, testicules et verge grandissent. L'éjaculation devient possible, de même que des érections spontanées (au moment et à l'endroit où c'est le plus gênant, comme par hasard). Les jeunes gens, de même que la plupart des hommes, commencent aussi à connaître des « pollutions nocturnes », éjaculations involontaires qui surviennent pendant le sommeil et laissent des traces sur les draps.

Transformations psychologiques

Il n'est pas étonnant que la transition de l'enfant (dont la principale préoccupation consistait jusque-là à accumuler un maximum de Pokémon en cour de récréation), au jeune homme ou à la jeune fille (qu'obsèdent la quantité de points noirs sur sa figure, la date de ses prochaines règles, les tâches de sperme à faire discrètement disparaître de ses draps ou l'intérêt suscité auprès de ses camarades), risque d'être un passage traumatisant.

Toutefois, de même que le cap des deux ans n'est pas forcément un seuil difficile pour un bébé, tous les ados ne deviennent pas aussi lunatiques et renfrognés que le veut leur réputation. En fait, c'est de cette époque de leur vie que la plupart des gens gardent le meilleur souvenir. Il est vrai que, même si elle cause des soucis, elle est aussi pleine d'événements agréables. Les grandes premières – qu'il s'agisse du premier baiser, des premiers rapports sexuels ou de la première mobylette – sont très excitantes. Les jeunes se séparent chaque jour un peu plus de leurs parents, changent d'établissement scolaire, nouent de nouvelles amitiés, sortent plus tard le soir, trifouillent leurs comédons (heu, pardon, je supprime ce détail)... Chaque jour apporte son lot de nouveaux obstacles à surmonter, et rien n'est plus enthousiasmant et vivifiant que ce genre de défis.

Évidemment, si tout marche pour vous comme sur des roulettes, vous n'avez pas besoin de mon aide. Mais, pour ceux qui traversent des difficultés, voici comment résoudre les plus courantes.

Pour amitié...

À l'adolescence, il est plus important que jamais d'être entouré d'amis. Pour bien des jeunes, il n'y a pire épreuve que de rester enfermé un samedi soir. Pour d'autres, cette période est pénible car ils n'ont pas autant de copains qu'ils le voudraient. Parfois, la famille déménage ou vous expédie en internat, ou votre meilleur ami, qui commence à batifoler avec les filles, vous plante là tout seul.

Ce qui compte, c'est de savoir que cette situation n'a rien d'irrémédiable. La pire chose à faire serait de rester à broyer du noir dans son coin. Au contraire, il faut sortir de son isolement, créer des liens. En période scolaire, vous pouvez :

- partager friandises ou gadgets avec vos camarades dans la cour de votre collège ;
- participer à une activité extrascolaire ou à une association ;
- vous porter volontaire pour préparer la prochaine fête ;
- prendre des polaroïds de vos camarades à cette occasion puis les leur offrir.

Pendant les vacances, repérez les autres adolescents isolés et tentez de sympathiser avec eux :

- En vous promenant à vélo ou en rollers, adressez la parole aux jeunes qui font de même.
- Prenez votre ballon et essayez de participer à un match.
- Fréquentez la bibliothèque locale ; quitte à passer outre le règlement, engagez la conversation avec votre voisin.
- Si vous vous trouvez près d'une plage, munissez-vous de votre frisbee ou de votre jeu de cartes et lancez une partie.
- Pratiquez le bénévolat au sein d'associations susceptibles de réunir des jeunes de votre âge.

N'hésitez pas à compter sur votre famille pour vous aider à nouer des amitiés. Les adultes ne demandent pas mieux que de faire rencontrer leurs enfants respectifs. Au lieu de faire la tête quand votre mère propose de rendre visite à des gens qui vous sont inconnus, accompagnez-la. Vous n'avez vraiment rien à perdre. Si vous avez des frères et sœurs, partagez leurs activités, même s'ils sont beaucoup plus petits que vous. Leurs copains ont peut-être des aînés.

Certes, il paraît plus facile de rester vautré dans le canapé à regarder la télévision, mais ceci devient rapidement ennuyeux. Plus vite vous vous serez fait des amis, mieux vous vous sentirez dans votre peau.

...et plus

Il y aurait de quoi écrire un livre entier sur les relations amoureuses des adolescents. Je me contenterai ici de vous suggérer quelques conseils très importants :

- Il est préférable de sortir d'abord en groupe. Les tête-à-tête sont difficiles à assumer pour l'un comme pour l'autre et vous n'êtes pas forcément prêts pour cela. Ne vous laissez pas influencer par le fait que votre meilleur(e) ami(e) entretient déjà une relation stable. Comme je l'ai déjà dit, les adolescents évoluant à des allures variables, les uns sont plus précoces que d'autres. Et celui ou celle que vous admirez fait peut-être l'erreur d'anticiper.

- Chez les adolescents, les amours prolongées sont souvent sources de problèmes. Les tourtereaux passent tellement de temps ensemble qu'ils en négligent leurs études. Ils ont tendance à s'isoler de leurs amis, ce qui contribue à intensifier leurs relations, qui risquent d'autant plus d'aller trop loin, trop vite. Et, lorsqu'ils rompent, ils se sentent encore plus seuls que les autres.
- Il y a une différence entre fréquenter quelqu'un parce qu'on est amoureux, et parce qu'on veut seulement faire comme les copains.
- Ne vivez pas dans l'illusion que vos sentiments vous font perdre la tête. Ce n'est pas parce qu'on aime quelqu'un qu'on doit prendre n'importe quel risque pour le retrouver.
- Si l'élu vous manque de respect, conduit imprudemment, abuse de l'alcool, consomme des stupéfiants, vous demande de l'accompagner dans des *raves* ou en tout endroit dangereux, prenez immédiatement la fuite.
- Assurez-vous toujours que quelqu'un, de préférence vos parents ou, du moins, des amis, sachent où vous vous trouvez.

Un grand nombre d'entre vous entrent en conflit avec leurs parents à propos de l'âge des premiers flirts. Vos père et mère, pour qui vous êtes toujours un bébé, se considèrent en droit de freiner des quatre fers. De votre point vue, voilà qui est absolument injuste. Votre découverte des émois amoureux vous procure un sentiment un peu plus magique chaque jour. Le premier baiser vous a rendu très nerveux ; il en sera de même pour les premières caresses et les premiers rapports. Plus ces étapes surviendront de façon progressive, plus cet effet magique se prolongera. J'ai la certitude que la plupart des adultes auraient préféré, rétrospectivement, attendre plus longtemps. Avant de passer à l'acte, on vit une insouciance qu'on ne connaîtra plus jamais ensuite. Vos relations amoureuses vous causeront par la suite assez de souci, pendant des années et des années. Par conséquent, plus vous retarderez cette échéance, mieux cela vaudra pour vous. Vos camarades les plus précoces, don Juan ou femmes fatales en herbe, suscitent sans doute votre envie. Mais si, dans dix ans, vous leur demandiez si c'était la chose la plus souhaitable, je parie qu'ils vous répondraient par la négative.

La première fois

Il est incroyable qu'un aspect aussi essentiel de notre existence, les mœurs sexuelles, se soit autant transformé en un aussi bref laps de temps. Il n'y a pas si longtemps, les jeunes gens n'avaient guère de liberté en la matière. Les parents choisissaient un futur époux et arrangeaient le mariage, point final. Certes, les rapports sexuels avant le mariage et l'adultère existaient, mais au prix de considérables risques. L'avortement était interdit et la jeune fille qui se retrouvait enceinte hors mariage subissait l'opprobre de sa famille et de la société. Avec pareille épée de Damoclès au-dessus de la tête, la plupart des femmes, se résignant au statu quo, restaient vierges jusqu'à leurs épousailles.

Par la suite, la société commença à considérer la femme comme autre chose qu'un bien matériel, et l'autorisa donc à s'instruire comme les hommes. De ce fait, l'âge du mariage est devenu de plus en plus tardif. Il est courant, désormais, de ne former un couple qu'après la fin des études. Ce facteur, entre autres, incite à ne pas attendre pour avoir des relations sexuelles.

Attendre ?

La fréquence des rapports sexuels hors couple établi a pour conséquence un nombre accru de jeunes mères célibataires, qui doivent faire face, ainsi que leur enfant, à de considérables difficultés, notamment matérielles.

Le nombre de grossesses involontaires chez les adolescentes s'explique, entre autres, par la baisse de l'âge des premières règles. En France, elles surviennent aujourd'hui à treize ans en moyenne, contre dix-huit au siècle dernier.

Cette précocité mentale et physique est difficilement compatible avec une abstinence prolongée. De plus, la pilule contraceptive permet aujourd'hui d'éviter les grossesses. Il n'est donc pas étonnant que les jeunes soient impatients de commencer leur vie sexuelle.

Si le mariage est en perte de vitesse par rapport aux générations précédentes, les jeunes adultes sont nombreux à vivre en couple. Il suffit d'observer le modèle offert par nombre de séries télévisées mettant invariablement en scène des jeunes gens qui sortent ensemble ou déploient tous leurs efforts pour y parvenir. Par ailleurs, grands-parents, oncles et tantes ne se privent pas de demander aux intéressés, même en bas âge, s'ils ont déjà un(e) petit(e) ami(e). Tout ceci contribue à une précocité des relations sexuelles.

Le sexe, qu'est-ce que c'est ?

J'interromps ici mes réflexions sociologiques pour poser une question qui paraîtra ridicule à certains : le sexe, qu'est-ce que c'est ? Les personnes qui m'écrivent et, en particulier, les jeunes gens, sont nombreuses à me demander ce qu'on entend par « relations sexuelles ». Ils veulent savoir si les contacts sans pénétration – bucco-génitaux, notamment – sont à classer sous cette étiquette. Je leur réponds que ces pratiques partagent un but avec la pénétration : arriver au plaisir orgasmique. Selon moi, pour réaliser des actes aussi intimes, il faut entretenir une véritable relation amoureuse.

Quelles sont les différences entre ces trois pratiques :

- Contact sans pénétration. Les deux partenaires se masturbent l'un l'autre ou se frottent corps à corps. Le risque de grossesse est nul et l'éventualité d'une contamination par maladie sexuellement transmissible, négligeable.
- Pratiques bucco-génitales (fellation et cunnilingus). Il existe une possibilité de transmettre une maladie mais aucun risque de grossesse.
- Coït (rapport sexuel avec pénétration). Il existe à la fois un risque de contamination et de grossesse.

Il en ressort un certain rapport logique entre le risque et l'intimité de la relation. D'ailleurs, avec le temps, on acquiert plus de confiance en l'autre, notamment sur son absence de contamination par une maladie. De plus, deux amants vraiment proches sont plus à même de faire face à une grossesse accidentelle, le cas échéant (rappelons qu'aucune méthode contraceptive n'est sûre à 100 %).

Pour ce qui concerne le terme de « virginité », il désigne, techniquement parlant, l'état d'une personne qui n'a jamais eu de rapports avec pénétration. Mais, d'un point de vue historique, était vierge celui ou celle qui n'avait eu aucun contact intime avec quiconque du sexe opposé. Remarquons que l'intimité sexuelle est une notion subjective : bien des couples font l'amour mais n'osent pas pratiquer fellation ou cunnilingus.

Tout cela ne répond pas à la question : « Le sexe, qu'est-ce que c'est ? », me direz-vous. La raison en est que cette notion est aussi floue, de nos jours, que celle de virginité. Ce qui compte, c'est ce que vous avez envie de faire de votre corps. À condition d'agir en connaissance de cause.

À quel âge ?

Des adolescents ou des parents me questionnent aussi, de façon fréquente, sur l'âge qui convient pour avoir ses premiers rapports sexuels. Il n'y a pas d'âge « idéal » en la matière. Contrairement au vote ou à la conduite, par exemple, il n'existe pas d'âge minimal légal pour faire l'amour.

La seule personne à devoir en décider, c'est vous. Certains vous conseilleront de dire « non », mais ils ne sont pas à votre place.

Ne précipitez pas les choses

Le principal conseil que je puisse vous donner, c'est de ne pas précipiter les choses. Mûrissez votre décision, pesez le pour et le contre.

On n'oublie jamais sa « première fois ». Il importe qu'il s'agisse d'un souvenir heureux et non d'un échec qu'on regrette toute sa vie.

Ne cédez pas aux pressions

N'acceptez jamais, au grand jamais, un rapport sexuel sous quelque pression que ce soit.

Votre petit(e) ami(e) vous menace de ne plus vous voir tant que vous ne coucherez pas ensemble ? Le choix à faire est simple : cessez de fréquenter cette personne, un point, c'est tout. Ce n'est pas vous qui l'intéressez, mais la perspective de rapports sexuels.

Si le copain ou la copine en question vous affirme qu'il ou elle en meurt d'envie, dites-vous bien ceci :

- Personne n'est jamais mort d'abstinence. En revanche, le sida ou le cancer du col de l'utérus (associé au papillomavirus) tuent. Le chapitre 15 étudie plus en détails les maladies sexuellement transmissibles.
- Il est possible d'atteindre l'orgasme sans pénétration. Rien n'empêche votre partenaire, ni vous-même, de vous masturber mutuellement, c'est-à-dire de vous aider l'un l'autre, de la main, à trouver votre plaisir.

Il est extrêmement difficile de décider quand avoir ses premiers rapports sexuels. J'aimerais bien vous apporter la solution miracle mais les circonstances de la vie de chacun sont forcément incomparables avec celles d'autrui. Le monde d'aujourd'hui n'a pas grand-chose à voir avec celui de mon adolescence. Il serait impossible de juger si votre choix, quel qu'il soit, est pertinent ou non. Seuls le temps et votre expérience personnelle le diront.

Ne prenez pas votre décision pas à la légère car, dans un sens comme dans l'autre, elle aura des conséquences importantes. Au lieu de laisser la personne avec qui vous sortez, ou qui que ce soit d'autre, vous influencer, livrez-vous à une introspection profonde. C'est ainsi que vous ferez le choix qui est le bon pour vous.

Masturbation

Je viens d'évoquer la masturbation, activité tout à fait courante chez les ados. Celle-ci consiste à caresser ses organes sexuels de sorte d'atteindre l'orgasme. J'étudierai ce jeu en solo de façon plus détaillée au chapitre 14. Malgré la quantité d'idées reçues qui circulent à ce sujet, cette pratique ne présente pas le moindre danger sauf celui, si vous y consacrez trop de temps, de vous faire négliger d'autres aspects de votre existence, vos études ou votre vie sociale, notamment.

Le problème, c'est de trouver à s'isoler. Tout dépend du logement dont dispose votre famille. Il est naturel d'attendre de vos parents et frères et sœurs qu'ils vous accordent la part d'intimité qui vous est nécessaire, mais vous devez, en retour, respecter leurs droits. Si vous monopolisez la salle de bains pendant des heures, ne comptez guère sur eux pour faire des efforts. Qui veut être traité en adulte doit se comporter de même !

Ce n'est pas parce que la masturbation est fréquente chez les jeunes de votre âge que vous devez vous croire anormal si vous ne la pratiquez pas. L'envie et l'absence d'envie en la matière sont tout aussi acceptables l'une que l'autre. Comme pour toutes les autres facettes de votre sexualité, celle-ci ne dépend que de votre choix personnel.

Identité sexuelle

Un adolescent n'a pas obligatoirement de certitude sur son identité sexuelle. En d'autres termes, il arrive qu'on ignore, à cet âge, si l'on est hétéro ou homosexuel. D'ailleurs, ados et pré-ados entretiennent parfois une forme de rapports avec des personnes de même sexe sans pour autant être homosexuels (voir le chapitre 13).

L'adolescence est une période d'apprentissage. Certaines personnes mettent plus longtemps que d'autres à définir le sexe qui les attire véritablement. Une fois encore, vous saurez bien un jour quelle est votre nature. Ne vous laissez pas torturer par d'éventuels doutes.

La famille, ça compte

Vous êtes à l'âge où l'on prend des distances avec son entourage familial. Pour que votre personnalité mûrisse, c'est absolument indispensable. Cette rupture du cordon ombilical n'est toutefois pas un abandon. D'accord, vous voulez passer plus de temps avec vos copains. Mais n'oubliez pas d'en consacrer autant que possible à votre famille. Elle a besoin de vous, tout comme vous avez besoin d'elle.

Vous vous amusez certainement beaucoup avec les jeunes de votre âge, mais reconnaissez que leur fréquentation engendre aussi des tensions. Il vous faut affronter une hiérarchie sociale : peut-être l'un de vos camarades joue-t-il un rôle de chef de bande, ou certains d'entre vous rivalisent-ils pour occuper cette enviable position. La présence d'éléments du sexe opposé vous oblige à vous montrer sans cesse sous votre meilleur jour, à veiller à arborer telle tenue vestimentaire et pas une autre. Pour attirer leur attention, vous êtes placé en concurrence avec vos pairs.

Chez vous, dans le fond, c'est plus cool. Vous avez le droit de faire l'idiot, d'exprimer vos goûts (sans que votre entourage n'exige qu'ils correspondent à la dernière mode) ou de regarder les dessins animés que vous aimiez quand vous étiez petit. Avec votre famille, vous pouvez aborder certains sujets d'une façon qui ne passerait pas auprès de vos amis. Avec elle et avec personne d'autre, vous avez le droit de retrouver vos émotions d'enfant en évoquant ensemble vos souvenirs ou en regardant de vieilles photos.

Faites un effort. Levez-vous un peu plus tôt pour partager le petit déjeuner de vos parents. Dînez aussi souvent que possible en compagnie du reste de la famille. Essayez de réaliser des activités ensemble. Admettons que la perspective de croiser vos copains alors que vous vous promenez sagement avec papa et maman ne vous réjouisse guère. En revanche, les vacances en famille peuvent être géniales, alors, n'excluez pas d'emblée cette idée. Les amis, c'est bien, mais en cas de difficultés, ils ne sont pas toujours aussi présents que la famille. On peut s'éloigner des jupons de sa mère sans pour autant lui tourner le dos.

L'influence des autres

Tout être humain est, dans une certaine mesure, influencé par les autres, mais c'est à l'adolescence que la pression de l'entourage se fait surtout sentir. Aidé de vos parents, vous devez surmonter les difficultés que cela entraîne. Lorsqu'on se soumet à l'excès à des influences extérieures, on risque de commettre des actes qu'on regrettera ensuite toute sa vie. Mais, à l'inverse, il faut bien accepter quelques concessions, sinon, la condition d'adolescent deviendrait insupportable. Il s'avère souvent très difficile de trouver le juste milieu.

En ce qui concerne les questions sexuelles, un facteur d'exagération entre en jeu. Si un ami se charge de vous conseiller en matière vestimentaire, il suffit de regarder autour de vous pour vérifier qu'indubitablement, tout le monde porte des pantalons trois fois trop grands. Mais, lorsque vos copains racontent à qui veut les entendre leurs exploits les plus torrides, rien ne prouve que ce soit vrai. Votre crédulité ne peut qu'encourager leur vantardise. De même qu'un marin doit maintenir son cap en dépit des vents qui risquent de l'en détourner, vous devez mener votre vie sans laisser leur influence vous dominer. Ne vous trompez pas non plus de direction en résistant à des pressions inexistantes.

Cyberporno

À l'adolescence, les garçons manifestent un intérêt naturel pour les images érotiques. Faute de véritables conquêtes, celles-ci jouent un rôle de substitut. Avec l'avènement d'Internet, la pornographie est aujourd'hui facilement accessible aux jeunes, ce qui n'était pas le cas jusqu'à récemment.

Encore plus que les photos d'inoffensives *playmates* des traditionnels magazines pour hommes, les scènes très crues que les jeunes contemplent désormais en ligne leur donnent une image déformée de la sexualité. Au lieu de la considérer comme partie intégrante d'une relation affective, ils risquent de l'assimiler à un sport dont le seul but serait d'imiter ce qu'ils ont vu à l'écran. Si la réalité ne correspond pas à cette image (et c'est le cas le plus probable), il y a fort à parier qu'ils seront déçus.

Au cinéma, les spectateurs savent que toute scène d'action résulte d'effets spéciaux. Mais ils ne se rendent pas forcément compte que le reste du film n'a rien de réaliste non plus. Il en va de même pour les jeunes internautes amateurs de sites érotiques. Si le tour de poitrine de leur petite amie demeure dans les limites du raisonnable, ou si celle-ci se refuse à batifoler devant eux en compagnie de sa meilleure copine, peut-être se sentiront-ils frustrés, sans raison valable.

Je sais que la facilité d'accès à l'érotisme sur Internet est fort alléchante. Mais, si vous résistez à cette tentation, vous vous rendrez un énorme service, à vous et à votre vie sexuelle.

N'en restez pas là !

Bien que la suite de cet ouvrage couvre des questions qui ne concernent pas les lecteurs adolescents à cette époque de leur vie, ils devront peut-être y faire face un jour. On est toujours mieux armé quand on est informé.

Quelle que soit votre évolution, appréciez vos années d'adolescence, elles le méritent. Vous n'aurez plus l'occasion d'en profiter, sauf, éventuellement, à travers vos propres enfants. Alors, amusez-vous, sortez « couvert » et poursuivez cette lecture.

Deuxième partie

À savoir avant de commencer

« Nous nous sommes connus en surfant sur le Web… Ce qui m'a séduite, c'est sa cyber-syntaxe ! »

Dans cette partie...

Certaines personnes s'imaginent encore que mon rôle consiste à vous déclarer : « Allez-y, faites ce qui vous plaît ». Pourtant, j'ai toujours été obstinément vieux jeu. Et le sida m'incite à un surcroît de prudence. Je persiste donc à vous conseiller de nouer de véritables sentiments avant d'avoir des rapports sexuels. C'est pourquoi je consacre cette partie aux bases d'une sexualité harmonieuse, c'est-à-dire à l'élaboration et à la préservation d'une relation amoureuse.

Chapitre 4

Connaître son partenaire : le problème des MST

Dans ce chapitre :

- Aborder la question
- Rebondir sur d'autres sujets
- Les tests de dépistage
- Que faire en cas de résultats positifs ?

À partir du moment où, au début des années 80, mon émission m'a procuré une certaine notoriété, les gens ont commencé à m'arrêter dans la rue pour me poser des questions sur le sexe. On continue aujourd'hui à m'interroger sans cesse à ce sujet, que ce soit par courrier, dans le cadre de conférences ou même dans les toilettes publiques ! À l'origine, mes interlocuteurs cherchaient surtout à savoir comment améliorer leur vie sexuelle. Parfois, la question sortait quelque peu des sentiers battus, comme lorsqu'on me demanda mon avis sur telle utilisation d'oignons coupés en rondelles (non, je ne vous ferai pas un dessin, mais vous vous êtes sans doute déjà amusé à lancer des anneaux sur une quille...). Dans l'ensemble, la nature des problèmes que l'on me soumettait demeurait toutefois universelle. Puis, l'arrivée du sida procura au public une nouvelle raison de s'interroger sur ses pratiques sexuelles. C'était une question de vie ou de mort.

Depuis le début de l'épidémie, on me demande toutes sortes d'informations à ce sujet. Je traite au chapitre 15 des plus pratiques, celles qui concernent les préservatifs, notamment. Mais le principal sujet de préoccupation du public, c'est le dépistage : comment en parler avec un partenaire ?

Il ne s'agit surtout pas de sous-estimer ici les risques d'autres maladies sexuellement transmissibles (MST). On ne connaît pas toujours le remède de certaines d'entre elles. Il en est qui passent inaperçues mais sont cause de stérilité chez la femme. Parfois, elles sont extrêmement contagieuses. En l'absence de traitement, certaines, tout comme le sida, peuvent entraîner la mort (voir le chapitre 15). Dans tous les cas, il est très gênant d'aborder le sujet. Pourtant, si le danger mortel du virus VIH ne planait pas, je crains que les gens n'auraient pas la bonne idée de parler de ces autres affections. Et même avec cette épée de Damoclès au-dessus de la tête, je sais qu'un trop grand nombre d'entre eux préfèrent fermer les yeux sur les conséquences possibles d'un rapport sexuel.

Parlons-en

Dans notre culture, il est beaucoup plus courant de pratiquer l'acte sexuel que d'en parler – sauf sous forme de plaisanteries grivoises. C'est tout à fait regrettable, et j'ai toujours essayé d'inciter les couples à dialoguer sur leurs préférences ou réticences en la matière. Bien des partenaires n'attendent pas d'être affectivement intimes pour faire l'amour ensemble. Avant même de se connaître véritablement, ils sont donc amenés à se poser des questions aussi personnelles que celle du test du sida.

On pourrait croire que deux personnes sur le point de coucher ensemble n'aient pas d'hésitations à évoquer pareil sujet. C'est ici que survient l'un des problèmes en la matière : ce n'est pas parce que l'un est prêt à aller plus loin que l'autre y est disposé aussi. Dans le bon vieux temps, c'est-à-dire avant le sida, c'était l'homme qui, le plus souvent, multipliait les manœuvres d'approche ; quant à la femme, elle lui faisait comprendre son intention de donner suite ou non. Ce système marchait tant bien que mal (au pire, l'un recevait une gifle ou l'autre criait à l'attentat à la pudeur…). Aujourd'hui, il ne fonctionne plus.

À l'abord d'un nouveau millénaire, une étape intermédiaire s'impose : une discussion sur le sida. Si les deux parties sont manifestement d'accord pour finir la nuit ensemble et ne demandent qu'à se rassurer mutuellement, elles auront vite fait le tour de la question, entre deux baisers sur le chemin de la chambre à coucher... Mais lorsqu'on n'est pas sûr des intentions de l'autre, comment amener la conversation sur le difficile terrain des MST ?

Les scénarios suivants vous éclaireront sur la question.

Paul et Juliette

Paul et Juliette s'étaient déjà rencontrés à plusieurs reprises. Ils sortirent un soir en boîte en compagnie d'un autre couple. Pendant les slows, Paul tenait Juliette très serrée contre lui. Ce contact lui faisait manifestement de l'effet et la jeune femme, loin de s'en offusquer, se collait encore plus à lui. Pour son cavalier, il ne faisait pas de doute qu'elle était disposée à poursuivre cette entreprise de rapprochement... Mais, leurs amis les raccompagnant en voiture, il se contenta d'un chaste baiser lorsqu'ils déposèrent Juliette devant chez elle.

Quelques jours plus tard, Paul téléphona à Juliette pour l'inviter à dîner au restaurant. En chemin, il lui parla d'abord de choses et d'autres sur un ton badin puis, prenant son courage à deux mains, lui demanda : « Penses-tu qu'il soit trop tôt pour évoquer le test du sida ? » Elle lui répondit que non et la conversation indispensable pour aller plus loin eut lieu, tout simplement.

En présentant les choses de cette façon, Paul ne partait pas du principe que Juliette était forcément d'accord pour coucher avec lui. Au contraire, il la laissait libre de prendre la décision. Si elle avait voulu attendre plus longtemps, il lui était facile de lui répondre dans ce sens. Mais, comme elle se sentait prête, ils abordèrent le sujet en douceur. Ils partageaient les mêmes intentions.

Claire et Tony

Quand Claire rencontra Tony, il emménageait dans le même immeuble qu'elle. Pour le dépanner, elle lui offrit quelques produits de première nécessité. Son installation dans ses nouvelles pénates l'occupait beaucoup et, de plus, il venait de trouver un nouvel emploi, mais ils se retrouvèrent à plusieurs reprises pour boire un verre et dînèrent un soir dans un restaurant voisin.

Tony eut enfin un week-end véritablement libre et profita de l'occasion pour inviter sa nouvelle amie dans un restaurant plus chic. Le champagne montait quelque peu à la tête de Claire. Au retour, au lieu de rejoindre son appartement comme les fois précédentes, Tony lui proposa d'entrer chez lui et elle accepta. Ils prirent quelques verres sur son canapé tout neuf et Claire se retrouva bientôt dans les bras du jeune homme. Celui-ci ne tarda pas à la conduire vers sa chambre, semant ses vêtements en route.

Claire eut la présence d'esprit de bredouiller : « Heu... tu n'as pas de maladies, au moins ? »

« Tu plaisantes, lui répondit-il, je ne suis pas du genre à coucher avec n'importe qui. » Une petite voix tentait bien de chuchoter quelque chose à Claire, mais celle-ci avait les idées plutôt embrouillées, elle avait très envie de Tony, elle était nue sur son lit et elle ne l'écouta donc pas.

Ce que la petite voix essayait de lui faire comprendre, c'est que Tony, quoi qu'il en dise, était justement sur le point de faire l'amour avec une quasi-inconnue. Qu'est-ce qui prouvait que c'était une exception ?

Dans les mêmes circonstances, la plupart des gens n'auraient, comme Claire, songé qu'à l'instant présent. D'où l'intérêt d'évoquer la question du sida largement à l'avance. N'attendez pas de vous trouver dans une situation où il serait difficile de revenir en arrière, par gêne vis-à-vis du partenaire – et par impossibilité de réprimer vos émois. Méfiez-vous d'autant plus quand vous êtes l'un ou l'autre sous l'effet de l'alcool ou d'une drogue. Reconnaissez que votre résistance à la tentation a ses limites. Il importe, dans ces moments, de se protéger par divers moyens : il ne suffit pas d'un morceau de latex.

En parlant de latex, la situation aurait-elle été plus rassurante si Tony avait proposé d'utiliser un préservatif ? Dans une certaine mesure seulement, car il arrive qu'un préservatif se déchire, qu'on le perde ou que des fuites se produisent. Les « capotes » offrent une protection suffisante à condition de bien connaître son partenaire. Dans notre exemple, Claire ne savait presque rien de Tony et ne pouvait en aucun cas s'assurer qu'il disait la vérité. Il pouvait mentir ou être porteur d'une maladie sans le savoir. Un préservatif, même quand il ne se déchire pas et reste bien en place, ne constitue pas une garantie contre certaines MST. Par exemple, il ne protège pas complètement contre l'herpès (parfois latent et, dans d'autres cas, extrêmement contagieux), qui se transmet par les secrétions vaginales, notamment.

Que vous soyez ou non disposé à suivre mes conseils – nouer une relation véritable avant de « coucher » –, ne vous placez jamais dans la situation de Claire. Comment faire ? Ce n'est pas compliqué…

Prenez la résolution suivante : ne jamais vous déshabiller avant d'être sûr(e) de ne courir aucun risque. Il commence à déboutonner votre corsage ? Elle entreprend de desserrer votre ceinturon ? Demandez-lui de vous écouter d'abord. Expliquez-lui que vos réticences ne proviennent pas de votre manque de désir (si tant est que ce soit le cas) mais de l'importance que vous accordez à une sexualité sans danger.

Après cette interruption, libre à vous de poursuivre, que vous vous arrêtiez à un stade fixé d'un commun accord ou que vous alliez jusqu'au bout. Dans un cas comme dans l'autre, vous n'aurez pas laissé la chance décider à votre place de la suite des événements.

Steve et Betsy

Steve et Betsy étudiaient dans la même fac. Ils s'étaient connus en septembre et, en octobre, ne pouvaient plus se passer l'un de l'autre. Souvent, ils se retrouvaient le soir, mais n'avaient que des rapports manuels, Betsy refusant la pénétration. Steve, qui était déjà allé plus loin avec d'autres filles, avait une idée sur ce qui arrêtait son amie : celle-ci, sachant qu'il avait eu des rapports multiples, devait craindre qu'il soit porteur du sida.

Un soir, ils s'assirent dans un coin calme du campus. Il lui annonça alors la grande nouvelle : « J'ai pris rendez-vous demain pour faire le test du sida. » Betsy le considéra un moment en silence puis elle lui déclara : « Steve, j'espère que tu ne fais pas ça pour moi. Je crois vraiment que je t'aime, mais je voudrais attendre d'en avoir la certitude pour aller jusqu'au bout avec toi. »

Steve s'était trompé : ce n'était pas le risque de contamination qui faisait hésiter Betsy. Elle voulait simplement garder sa virginité pour l'homme de sa vie. C'est la profondeur de leur amour que Steve aurait dû, tout d'abord, évoquer, et non la question des MST. La jeune fille ne lui avait pas confié les motifs de ses réticences car elle craignait qu'il ne la quitte, effrayé par l'importance qu'elle accordait à leur relation. Elle était pourtant heureuse de lui procurer une satisfaction sexuelle et éprouvait aussi du plaisir dans leurs rapports, mais se sentait incapable d'aller au-delà pour le moment.

Le parti adopté par Betsy mérite l'approbation. Peut-être, puisque c'était elle qui hésitait à passer à l'acte, aurait-elle dû s'expliquer avant. Elle aurait ainsi épargné à Steve d'aborder un sujet particulièrement embarrassant.

Soulignons de nouveau qu'on ne peut présumer des intentions de l'autre. C'est pourquoi il est à ce point gênant de mettre le sujet du dépistage sur le tapis. Toutefois, en abordant la question selon l'exemple de Paul, c'est-à-dire en permettant à l'interlocuteur de s'esquiver sans heurts, on évite plus facilement l'erreur de Steve.

Rebondir sur d'autres sujets embarrassants

À l'heure actuelle, c'est surtout la peur du sida qui est présente dans tous les esprits. Il existe toutefois d'autres maladies, qui effrayaient les populations avant que n'apparaisse ce virus et existent toujours aujourd'hui. Si, par exemple, vous êtes atteint d'herpès, qui risque à tout moment de sortir de son état latent, il est de votre devoir d'en informer un partenaire potentiel. À celui-ci de décider s'il donne suite. Comme je l'ai indiqué plus haut, le préservatif n'offre pas une protection absolue contre la transmission de l'herpès, notamment pour l'homme. D'où l'intérêt d'aborder la question, comme l'indique l'exemple suivant :

Iris et Patrick

Iris, qui s'était fait plaquer par son petit copain, ne s'en était pas encore remise. Quand, dans un bar, Patrick se mit à la draguer, elle se dit qu'une nuit dans les bras d'un charmant éphèbe lui remonterait le moral. Iris, comme son ex-ami, était atteinte d'herpès. Elle préféra ne pas en informer Patrick, de peur de le faire fuir et parce qu'elle ne présentait aucun symptôme. Elle insista pour qu'il se protège – de crainte d'être contaminée par le sida, pensa Patrick.

Les deux jeunes gens continuèrent à se voir. Plus Iris s'attachait à Patrick, plus elle appréhendait de lui avouer la vérité. Au bout d'un mois, Patrick constata qu'il était atteint. Furieux contre sa partenaire, il coupa immédiatement les ponts.

On croit souvent que l'herpès ne se transmet qu'en cas de manifestations visibles chez le partenaire. En fait, le virus est contagieux plusieurs jours avant l'apparition de toute éruption. Par conséquent, même si les symptômes ne surviennent chez vous qu'à intervalles très espacés, considérez toujours que vous risquez de contaminer quelqu'un.

Hormis le sida, de nombreuses MST se traitent par antibiotiques ou à l'aide d'autres médicaments (voir le chapitre 15). Voilà la ligne de défense idéale, pour vous comme pour vos conquêtes. Mais, au cas où vous ne vous feriez pas soigner ou seriez actuellement sous traitement, il est indispensable de mettre vos partenaires au courant.

Les bienfaits du dialogue

Il n'est pas très agréable d'aborder le sujet des MST avec un(e) petit(e) ami(e). Cet effort produit pourtant des résultats positifs, en plus de prévenir les risques de contamination. En effet, la plupart des gens n'osent guère parler de sexualité, y compris pour ce qui concerne les bons côtés de la chose. C'est pourquoi, une fois parvenu, dans un but de prophylaxie, à mettre ce thème brûlant sur le tapis, ne vous en débarrassez pas comme d'une patate chaude. Au contraire, profitez-en pour rebondir sur d'autres questions qui méritent aussi un débat.

C'est, par exemple, le moment ou jamais d'évoquer la contraception.

- Le préservatif joue, ici aussi, son rôle. Certains hommes se refusent absolument à l'utiliser. Leurs partenaires ont tout intérêt à en être informées assez tôt pour décider ou non d'aller plus loin avec eux.
- Si la femme prévoit d'adopter la pilule, il faut qu'elle dise à l'homme de patienter jusqu'à ce qu'elle commence.

Le sujet de conversation à traiter ensuite – je sais bien que rares sont ceux qui franchissent cette étape –, c'est d'expliquer à votre partenaire le meilleur moyen de vous faire jouir... Il est vraiment regrettable que la question ne soit presque jamais posée, car les amants les plus enviables sont justement ceux qui savent exprimer leurs préférences. Sans aller jusque-là, essayez au moins d'établir le dialogue en la matière.

L'évocation de précédentes expériences, par exemple, peut servir d'entrée en matière : « Il y a quelques années, j'ai eu une relation avec Jack, un type très direct. C'est ce qui m'a d'abord séduite en lui. Mais, au lit, j'aurais préféré qu'il aille un peu moins droit au but, si tu vois ce que je veux dire ? »

Votre nouvelle rencontre ne verra peut-être pas exactement ce que vous voulez dire... Mais, au moins, ce monsieur n'hésitera pas à prendre son temps.

Lorsqu'on relate une histoire passée, il vaut mieux éviter les comparaisons désobligeantes... Mettez vos expériences à profit pour faire passer votre message, mais avec délicatesse.

Questions de première importance

Ne craignez pas de vous préparer à ces moments privilégiés où le dialogue est ouvert. Prévoyez les messages que vous souhaitez faire passer. Même si vous ne suivez pas votre plan à la lettre, ceci vous facilitera la tâche.

Ignorant vos *desiderata* personnels, je ne peux vous suggérer les mots pour les exprimer. Mais voici quelques exemples qui vous serviront de modèles.

- « C'est bien que tu aies osé me parler de MST. J'espère que tu n'hésiteras pas non plus à me dire comment te donner plus de plaisir. »
- « Tu ne peux savoir combien ça m'aide que tu aies abordé ce sujet. Moi, j'ai du mal à parler de sexe mais je voudrais vraiment te dire ce qui compte pour moi. »

- « Eh oui, même sur ces histoires de contamination, je suis du genre à ouvrir mon clapet. Je suis comme ça au lit aussi, mais si ça te gêne que je te parle en faisant l'amour, je ferai de mon mieux pour me retenir ! »
- « Il n'y a pas que les MST qui me fassent peur... Quand un mec me demande certains trucs, ça me bloque... »

Comment faire le test ?

Il ne suffit pas de se mettre d'accord pour pratiquer un test de dépistage des MST. Encore faut-il y aller pour de bon. Voici l'essentiel à savoir à ce sujet, que j'approfondirai au chapitre 15.

Le test peut être effectué dans tout laboratoire d'analyse, sur ordonnance du médecin ou du centre de planification familiale. En France, il existe aussi des centres de dépistage gratuit et anonyme.

On pratique une prise de sang en vue d'analyse. Selon la procédure employée, on obtient le résultat en deux à quatre semaines.

La fiabilité du test du sida dépend fortement du délai écoulé depuis le rapport sexuel qui vous préoccupe. En effet, une éventuelle contamination se détecte par la présence d'anticorps au virus VIH, qui n'apparaissent dans le sang qu'en cas de contact avec la maladie. Il est possible de les déceler à partir de deux à six mois après transmission. Plus le test s'effectue tardivement, plus il a de chances d'apporter des résultats probants.

L'attitude des partenaires actuels ou potentiels l'un envers l'autre joue un rôle important :

- Ils doivent être francs l'un envers l'autre sur leurs précédentes relations et sur la date de leurs derniers rapports avec une tierce personne.
- Si l'un d'eux a des rapports avec autrui après le test, autant dire que celui-ci n'a plus de valeur.

Je sais que, par confiance, un grand nombre d'entre vous s'abstiennent de demander à un nouveau partenaire de se soumettre à ce dépistage. Ils considèrent que ce n'est pas nécessaire : celui-ci leur a déclaré n'avoir pas eu de relations multiples et avoir systématiquement utilisé le préservatif, ce qu'ils continuent à faire avec vous. Vous êtes libre d'opter pour cette attitude. Je comprends qu'il soit pénible d'attendre les résultats d'un test. Mais j'insiste pour vous rappeler que le préservatif n'offre pas une garantie à 100 %. J'ai vu des amis mourir du sida. Certaines autres maladies sexuellement transmissibles ont de graves conséquences. Je vous enjoins donc à vous montrer aussi prudent que possible.

Pour être sûr de faire le choix le mieux informé sur votre protection contre les MST, je vous propose de lire attentivement le chapitre 15.

Réactions psychologiques

Si vous appréhendez d'évoquer la question des MST avec un partenaire, vous risquez d'éprouver encore plus de craintes à l'idée de pratiquer le test. Même si avez pris toutes les précautions et n'avez pas multiplié les rencontres, vous n'aurez la certitude d'être « négatif » que quand vous aurez les résultats en main. Il se peut que cette période d'attente vous procure de terribles angoisses.

Les associations spécialisées apportent un soutien psychologique aux personnes concernées. Votre centre de dépistage sera à même de vous en conseiller une près de votre domicile.

Ces organismes aident notamment à faire face à un éventuel résultat positif, qui produit un choc d'autant plus écrasant qu'on croyait s'être entouré d'un maximum de précautions. En prenant contact avec eux à l'avance, on se prépare mieux à surmonter un choc.

Safe sex ?

Certaines personnes pensent que la contamination par le sida ou par d'autres MST n'est possible qu'en cas de pénétration vaginale ou anale. Elles croient que les autres pratiques sexuelles sont parfaitement dépourvues de danger. À moins d'avoir une plaie ouverte sur la main, il est vrai que la masturbation réciproque ne présente pas de risques. Il en va de même lorsque l'homme place son pénis entre les seins ou entre les cuisses de sa partenaire, à condition de ne pas insérer ensuite ses doigts mouillés de sperme dans le vagin.

Quant aux rapports dits bucco-génitaux, c'est une autre histoire. Les spécialistes nous indiquent qu'ils sont plus sûrs que les rapports vaginaux ou anaux. Il n'empêche que, même s'ils sont vingt fois moins risqués, ils ne sont pas sans danger à 100 %. Je dis et je répète que la *fellation* (contact bucco-génital sur un homme) et le *cunnilingus* (contact bucco-génital sur une femme, également appelé *cunnilinctus*) ne sont pas dénués de risques. Certes, la première de ces pratiques, réalisée avec un préservatif, est inoffensive, à condition de ne pas endommager le latex avec les dents. Pour la seconde, on peut toujours se munir d'une petite membrane de caoutchouc appelée digue dentaire. Mais je doute qu'on parvienne à garder cet accessoire en place sur une partenaire excitée.

Les résultats du partenaire sont positifs

Supposons que vous appreniez, parce que votre partenaire actuel ou potentiel vous en informe ou parce que vous avez effectué le test ensemble, sa séropositivité ou sa contamination par une autre MST. Comment réagir ?

Il s'agit là d'une question très personnelle. Tout dépend, en premier lieu, de la relation qu'on entretient avec l'intéressé. Lorsqu'on le connaît à peine, il n'est pas trop difficile d'« arrêter les dégâts » en mettant fin à tous rapports avec lui. Si on est amoureux de cette personne, la décision de prendre ses distances est plus pénible mais elle n'est pas exclue pour autant : il faut bien se protéger soi-même et on ne guérit toujours pas du sida.

L'avis du médecin est évidemment primordial. Son rôle est de vous expliquer dans quelle mesure vous pouvez avoir été contaminé vous-même, ou risquez de l'être. De plus, il est possible que votre compagnon développe une maladie mortelle. Ensuite, le choix de rester avec lui ou non est une question de conscience, en fonction de la profondeur de vos liens. La difficulté d'une décision de cette nature justifie qu'on ait recours à l'aide d'un psychologue ; ce n'est en aucun cas un signe de faiblesse, mais plutôt de lucidité.

Vos résultats sont positifs

On peut être infecté par le virus du sida ou par d'autres maladies sans présenter de symptômes et ce, pendant des années (voire des décennies pour certaines MST). Il est d'autant plus choquant d'apprendre qu'on est atteint alors que rien ne le laissait supposer.

Certaines affections se soignent sans difficulté. Mais, que faire lorsque aucun traitement radical n'existe, comme dans le cas de l'herpès ou du sida ? Paniquer ? Plonger dans la dépression ? Non, évidemment. Cherchez l'aide d'un spécialiste, dont l'expérience et le savoir rendent cette épreuve plus supportable pour les patients.

Le diagnostic du sida n'est plus, comme naguère, l'équivalent d'une condamnation à mort. Les pluri-thérapies permettent aujourd'hui aux porteurs de la maladie de vivre et de poursuivre leurs activités. Mais ceci exige de se soumettre à d'astreignants traitements. Efforcez-vous de garder la tête sur les épaules : céder à la panique reviendrait à perdre du temps. L'appui médical et psychologique des professionnels vous aidera à prendre une part active à la préservation de votre santé.

Il ne fait aucun doute que le sida a transformé les comportements sexuels. J'espère que les scientifiques trouveront un jour un vaccin ou un traitement efficace contre la maladie et je m'emploie à soutenir leur action. En attendant, je ne puis que vous conseiller la prudence maximale.

Bien des jeunes croient que leur âge les met à l'abri de tout danger : sida, accidents de la route, excès d'alcool, etc. Quant aux générations précédentes, elles ont tendance à s'imaginer que le virus ne les concerne pas. Les uns comme les autres sont évidemment dans l'erreur.

Quel que soit votre âge, mettez en pratique un slogan célèbre : « Sortez couverts ! », autrement dit, protégez-vous par tous les moyens.

Chapitre 5

Éviter les grossesses non désirées

Dans ce chapitre :

- Choisir sa contraception
- Nouvelles méthodes
- Idées reçues sur le contrôle des naissances

Certes, le but premier de la sexualité est la préservation de l'espèce et non le plaisir, quoi que celui-ci serve manifestement à nous inciter à nous reproduire. Depuis un demi-siècle, nous établissons un distinguo sans précédent entre ces deux finalités.

En effet, nous profitons aujourd'hui, en quelque sorte, du beurre et de l'argent du beurre. En d'autres termes, le plaisir n'est désormais plus indissociable d'une possibilité de grossesse. Cette dernière devient choisie : nous pouvons décider du moment de fonder une famille, du nombre de nos enfants et, avec plus ou moins de précision, du moment de leur naissance.

Cela n'est pas perçu comme un signe de progrès par tout le monde : de nombreuses autorités religieuses continuent à nier le droit au sexe dans un but autre que la procréation. Il n'empêche que vous pouvez coucher avec des centaines de partenaires si cela vous chante sans jamais contribuer à propager l'espèce. Plutôt rétrograde moi-même, je me contente de soutenir que les aventures d'un soir ne sont pas souhaitables.

De toute façon, l'objectif de ce livre n'est pas de débattre de l'influence de la révolution sexuelle. Mais peut-être publiera-t-on un jour *La morale pour les Nuls*.

Quand je défends le principe d'une relation stable, c'est parce qu'elle procure des échanges sexuels beaucoup plus satisfaisants, à mon sens, qu'entre deux personnes quasiment étrangères. Je ne condamne en rien les autres types de comportements mais crois sincèrement qu'en suivant mes conseils à cet égard, vous connaîtrez une sexualité plus heureuse.

Je me fais toutefois un point d'honneur à donner mon avis sur les grossesses non désirées et résultant d'un manque de précaution. Bien que je sois en faveur du droit à l'avortement, je préférerais mille fois un monde où celui-ci deviendrait inutile. L'imperfection des méthodes contraceptives actuelles rend encore nécessaire le recours à l'interruption volontaire de grossesse. Mais, si toute personne ne souhaitant pas avoir d'enfant employait au moins l'un des moyens de contrôle des naissances décrit dans ce chapitre, notre société serait sur la bonne voie.

Je crois que de grands pas en avant ont été réalisés aux États-Unis depuis les premiers succès de mon émission de radio, en 1980, date depuis laquelle je n'ai cessé de marteler la nécessité de la contraception. Selon un institut de statistiques américain connu pour ses études sur le contrôle des naissances et la santé sexuelle, seules 56 % de mes concitoyennes âgées de quinze à quarante-quatre ans utilisaient un moyen contraceptif en 1982. En 1995, cette statistique atteignait 64 %. En outre, près de la moitié des grossesses non désirées (47 %) survient chez les 3 millions de femmes sexuellement actives et en âge de procréer, mais ne recourant à aucun moyen contraceptif. Les 53 autres se produisent chez les 39 millions de femmes pratiquant la contraception.

Ces chiffres justifient que je poursuive ma croisade sans relâche. C'est notamment pour souligner l'importance du contrôle des naissances que j'ai entrepris la rédaction de cet ouvrage. Si, grâce à lui, je parviens à éviter même une seule grossesse involontaire, je considérerai cela comme une victoire. Je vous demande donc instamment d'examiner ce chapitre avec la plus grande attention : il en va non seulement de votre avenir, mais de ma réputation !

Contraception, trois principales méthodes :

- méthodes dites « naturelles » ;
- méthodes mécaniques et chimiques ;
- méthode hormonale : la pilule.

En France, 65 % des femmes en âge de se reproduire utilisent un moyen contraceptif. Pour 36 %, il s'agit de la pilule. En raison de l'épidémie du sida, une plus vaste proportion de femmes a aujourd'hui des rapports protégés par préservatif.

Sachez que, de tous les moyens contraceptifs, le préservatif est le seul qui réduise dans une vaste mesure les risques de contamination par maladie sexuellement transmissible. Sans être la barrière la plus efficace contre les grossesses (c'est quand même mieux que rien), il représente une arme cruciale dans la guerre contre le sida et autres MST. Par conséquent, si vous ne poursuivez pas une relation régulière avec un partenaire unique, ou si celui-ci a des rapports avec d'autres personnes, faites en sorte de toujours vous munir de préservatifs – et de vous en servir !

Méthodes dites « naturelles »

Pour bien faire, la meilleure façon d'éviter les grossesses serait de pratiquer la *continence*, c'est-à-dire de ne pas avoir de relations sexuelles du tout.

Il est aussi possible d'éviter les rapports uniquement pendant la période du mois où la femme est fécondable. Ce contrôle « naturel » des naissances se fonde sur la régularité du cycle reproductif. Les inconvénients de cette méthode sont évidents. Chez de nombreuses femmes, ce cycle n'est pas régulier et, même quand c'est le cas, des exceptions peuvent survenir. D'où le risque de grossesse non désirée.

Pour expérimenter l'une des techniques exposées ci-dessous, il faut essayer de prévoir la date de la prochaine ovulation. Elles sont d'autant moins fiables que le cycle menstruel est irrégulier.

Méthode du calendrier

La période de fécondabilité ne se limite pas au moment de l'ovulation. Un ovule survit de un à trois jours ; quant à l'espérance de vie d'un spermatozoïde dans le vagin, elle peut atteindre deux à sept jours. En d'autres termes, il est possible, en cas de rapports sexuels avant l'ovulation, qu'à l'instant où l'ovule sort d'une trompe de Fallope, un spermatozoïde passe justement dans le secteur.

Pour éviter une grossesse, il faudrait donc prévoir neuf jours d'abstinence ou d'emploi d'une barrière mécanique (voir plus loin), soit cinq jours avant l'ovulation, le jour où elle a lieu et les trois suivants.

Les dix-neuf autres jours du cycle sont théoriquement sans risques. Mais on ne sait jamais avec certitude à quel moment spermatozoïdes et ovules fricotent exactement…

Bref historique de la contraception

L'époque à laquelle nos ancêtres commencèrent à chercher comment dissocier acte sexuel et reproduction ne date pas d'hier. Dès 1850 avant notre ère, les Égyptiens expérimentaient déjà toutes sortes de *spermicides* (substances destinées à éliminer les spermatozoïdes) : miel, carbonate de soude ou excréments de crocodile, pour n'en citer que quelques-uns. (Après cela, osez vous lamenter sur les inconvénients des techniques modernes !)

Les antiques homologues du planning familial réussirent, à la longue, à se passer de la collaboration involontaire du crocodile : vers 1550 av. J.-C., les Égyptiennes avaient recours à des tampons en charpie de coton, imprégnés d'extraits d'acacia fermentés. C'était le progrès.

Je n'invente rien : en Égypte ancienne, on plaçait la recette de ces moyens contraceptifs dans les sépultures afin d'éviter aux défuntes de tomber enceintes dans l'au-delà. C'est ainsi que ces méthodes sont parvenues jusqu'à nous. (À quand les distributeurs de préservatifs dans les cimetières ?)

Au cours de l'histoire, d'autres peuples ont cherché à prévenir les grossesses par l'introduction d'objets divers dans le vagin : disques de cire d'abeille, papier huilé ou algues, par exemple. Au XVIIIe siècle, le célèbre Casanova semble avoir rencontré un certain succès en plaçant dans l'utérus des moitiés de citrons évidées. Il s'agissait là des ancêtres de nos modernes diaphragmes – en plus acide.

Ces dispositifs mécaniques étaient désignés sous le nom de *pessaires*. Des chercheurs britanniques en ont répertorié plus de 120, employés dans leur pays et dans ses colonies au XIXe siècle. Le soleil avait beau ne jamais se coucher sur l'empire de Sa Gracieuse Majesté, cela n'empêchait apparemment pas ses sujets de s'amuser.

La première méthode contraceptive ne reposant pas sur une barrière chimique ou mécanique fut inventée dans le désert. On suppose, en effet, que les chameliers plaçaient des cailloux dans l'utérus de leurs bêtes pour éviter qu'elles ne soient fécondées pendant la traversée du Sahara. À la fin du XIXe siècle, les Britanniques perfectionnèrent cette technique, créant ainsi le *stérilet*.

En France, la contraception orale fut légalisée en 1967. Pour la première fois, la femme maîtrisait sa fécondabilité (ainsi que son cycle menstruel) à l'aide d'un simple comprimé absorbé quotidiennement, et ne vivait plus dans la crainte de grossesses à répétition.

N'oublions pas la composante mâle de la population, qui dispose, comme principal moyen de contraception, du préservatif, également baptisé capote ou condom. Cette dernière appellation proviendrait du nom d'un certain docteur Condom, médecin à la cour d'Angleterre au XVIIe siècle. Celui-ci proposait des préservatifs en boyaux de mouton parfumés. Mais le véritable inventeur de l'objet avait été, cent ans plus tôt, l'anatomiste italien Fallope (qui identifia les trompes du même nom). Son objectif principal n'était pas tant d'éviter les grossesses que de prévenir les maladies vénériennes ; d'après les documents qu'il laissa, il y serait parvenu de façon tout à fait remarquable. Aujourd'hui, le préservatif sert toujours de protection contre la plupart des maladies sexuellement transmissibles.

J'espère que c'est maintenant un réflexe chez vous, mais je vous rappelle toutefois que, risque de grossesse ou pas, la date des rapports n'influe en rien sur la contamination par une MST. À moins d'être sûre à 100 % de votre partenaire, utilisez un préservatif.

Méthode des températures

Pour déterminer si l'on est en période de fécondabilité, le thermomètre apporte un utile complément au calendrier.

En effet, la température de la femme augmente légèrement lors de l'ovulation. En prenant votre température à l'aide d'un thermomètre de haute précision avant de vous lever, vous pouvez repérer ainsi cette date (en supposant que cette montée de température ne résulte pas d'un autre facteur, une infection, par exemple).

Bien entendu, vous pouvez être fécondée par des spermatozoïdes déposés lors d'un rapport effectué avant cette date. La méthode des températures ne sert donc qu'à confirmer les informations obtenues en surveillant le cycle à l'aide du calendrier.

Lorsqu'on souhaite avoir un enfant, la méthode des températures offre un moyen de prédiction satisfaisant pour repérer les périodes les plus favorables.

Méthode de la glaire cervicale

Pour déterminer ou non si elle est en période d'ovulation, la femme a aussi la ressource d'examiner sa glaire cervicale qui, au moment de l'ovulation, devient transparente et filante (comme du blanc d'œuf) afin de faciliter la progression des spermatozoïdes. Elle s'épaissit ensuite. Cette technique n'étant pas facile à pratiquer, il vaut mieux demander conseil à votre gynécologue pour apprendre comment la dominer.

De même que la méthode des températures, celle-ci sert plutôt à indiquer leur date d'ovulation aux femmes désireuses d'avoir un enfant. L'examen de la glaire cervicale ne permet pas de savoir si l'on est sur le point d'ovuler et ne représente donc pas un moyen contraceptif efficace.

Par ailleurs, certaines personnes parviennent à identifier le moment de l'ovulation grâce à la sensation particulière que celle-ci procure. Normalement, seul l'un des deux ovaires à la fois libère un ovule. Ceci provoque une légère douleur dans la partie inférieure de l'abdomen, du côté concerné. Toutes les femmes ne ressentent ou ne reconnaissent pas ce symptôme, c'est pourquoi on évoque peu cette méthode.

Méthode sympto-thermique

L'association des méthodes du calendrier, des températures et de la glaire cervicale constitue un moyen relativement fiable pour déterminer les dates d'abstinence ou d'emploi d'une méthode contraceptive mécanique.

Théoriquement et dans le meilleur des cas, les méthodes dites « naturelles » donnent lieu à « seulement » trois grossesses sur cent rapports…

En effet, dans la pratique, divers facteurs extérieurs peuvent nuire à leur efficacité :

- Des insomnies entraînent parfois des hausses de température.
- Une infection vaginale passée inaperçue peut modifier la consistance de la glaire cervicale.
- Un ovaire peut tout bonnement décider d'éjecter un ovule, sans raison apparente.

Méthodes mécaniques et chimiques

Les méthodes mécaniques consistent à empêcher les spermatozoïdes d'accéder à l'ovule. La tactique et la logique veulent qu'on dresse une barrière à l'endroit le plus étroit, en l'occurrence, le col de l'utérus. Casanova serait le premier à avoir expérimenté cette technique, à l'aide de moitiés d'écorces de citron, aujourd'hui avantageusement remplacées par le latex.

Diaphragme et cape cervicale

Le diaphragme est un dôme de caoutchouc doté d'une bague flexible qui en permet l'insertion dans le vagin (voir la figure 5.1). Fermant totalement le fond de celui-ci, il bloque le passage du sperme par le col de l'utérus.

Les spermatozoïdes étant du genre tenace, il est préférable d'associer le diaphragme à une crème ou à un gel spermicide. Pour que celui-ci fasse effet, il est nécessaire de laisser le diaphragme en place pendant au moins huit heures après un rapport. Il faut le retirer dans un délai de vingt-quatre heures au maximum.

La cape cervicale fonctionne de façon similaire au diaphragme, sa seule différence résidant dans sa forme : plus petite, elle s'adapte de manière plus étroite au col de l'utérus. Les médecins la préconisent aux patientes dont les muscles pelviens ne sont pas assez forts pour maintenir un diaphragme en place. Mais, en raison de l'étroitesse de la cape, certaines femmes se plaignent de difficultés à la retirer.

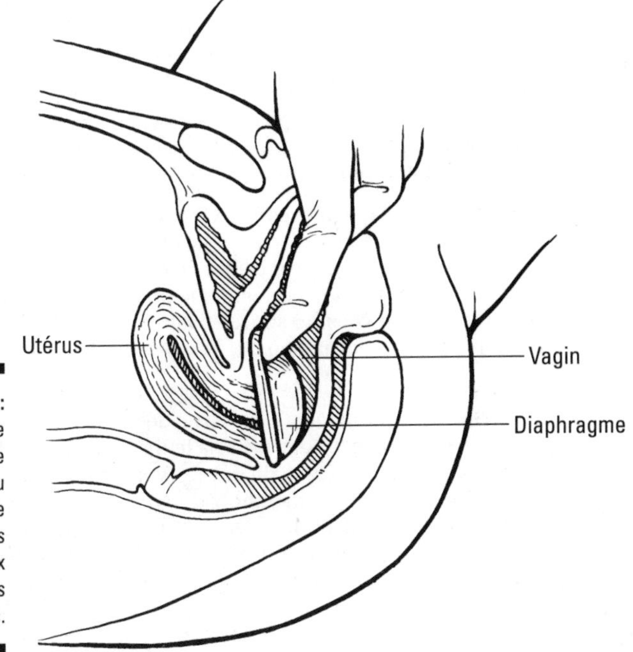

Figure 5.1 : La mauvaise mise en place du diaphragme est l'un des principaux facteurs d'échec.

Si ces deux moyens mécaniques ont l'avantage de ne produire aucun effet secondaire, ils présentent l'inconvénient de ne pas être pratiques à utiliser.

- Il faut non seulement les enduire de spermicide avant de les placer dans le vagin, mais aussi s'y prendre avec assez d'habileté pour les disposer correctement.
- Même s'il est possible de les insérer six heures avant les relations sexuelles (ce qui évite de s'interrompre au moment le plus chaud pour procéder aux opérations), il faut, sans les retirer, ajouter du spermicide en cas de nouveaux rapports.

Le diaphragme ne figure pas parmi les moyens contraceptifs les plus efficaces. Il offre toutefois une solution en cas de contre-indication médicale à d'autres méthodes, ou pour les femmes qui hésitent à recourir aux contraceptifs hormonaux.

Les spermicides employés en conjonction avec le diaphragme offrent une certaine protection contre le sida et les autres MST, mais pas dans une mesure suffisante. Pour éviter un risque éventuel, utilisez un préservatif.

Il convient de choisir le type de diaphragme ou de cape cervicale qui s'adapte le mieux à votre conformation ; c'est au médecin de vous conseiller à ce sujet.

Diaphragme ou cape peuvent servir pendant plusieurs années. Il faut les examiner à contre-jour de façon régulière pour détecter toute perforation ou trace d'usure. En outre, à la suite d'une grossesse ou bien après une perte ou une prise de poids importante, le gynécologue doit vous prescrire un autre dispositif, plus adapté à votre nouvelle conformation.

Stérilet

Le stérilet est le descendant moderne des cailloux que les nomades employaient pour éviter à leurs chamelles d'être fécondées en cours de traversée du désert (voir l'encart plus haut dans ce chapitre). Il s'agit d'un petit objet de plastique contenant une hormone ou un élément de cuivre, et que l'on insère dans l'utérus. Son action contraceptive consiste à empêcher soit la fécondation de l'œuf, soit son implantation, une fois fécondé, dans la paroi utérine.

Placer un diaphragme sans casser l'ambiance

Vous n'aviez pas prévu de placer votre diaphragme à l'avance et vous craignez que cette manipulation refroidisse vos ébats ? Pourquoi ne pas l'intégrer à vos préliminaires ?

Cette suggestion vous rebute peut-être, car l'obligation d'insérer cet objet dans votre corps vous déplaît déjà en soi. Autant dire que l'idée de le faire face à un public, même limité à un spectateur, ne vous enthousiasme guère.

C'est oublier que les hommes sont des créatures extrêmement portées sur le visuel. La contemplation des parties les plus intimes de votre corps les excite au plus haut point. Alors, croyez-moi, si la mise en place d'un diaphragme sous les yeux de votre partenaire vous coupe vos effets, ce n'est certainement pas le cas pour lui.

Vous en doutez ? Essayez ! Si cela finit par vous exciter aussi, la lubrification vaginale qui s'ensuivra ne fera que faciliter l'opération.

Le stérilet a fait l'objet de controverses, notamment aux États-Unis. Il est pourtant reconnu comme l'une des méthodes de contraception les plus sûres et les plus efficaces par de nombreuses autorités médicales.

Installé dans l'utérus par les voies naturelles au moment des règles, le stérilet se remplace tous les quatre à cinq ans.

Le stérilet est équipé d'un cordon qui dépasse légèrement du col de l'utérus. Il arrive que le dispositif quitte son emplacement sans que la femme ne s'en aperçoive et n'assure donc plus sa fonction. C'est pourquoi il est important de vérifier régulièrement que le cordon reste en place.

Mis à part ce contrôle, le stérilet présente l'avantage de se faire oublier. Il n'a aucune influence sur les niveaux d'hormones ni sur la quantité de cuivre présente dans l'organisme.

Dans les premiers temps, le dispositif peut provoquer des crampes abdominales ou des règles plus abondantes. Il entraîne parfois des infections utérines ou, plus rarement encore, d'autres problèmes médicaux. Mais il demeure plus sûr que la plupart des autres méthodes et, de toute façon, c'est toujours mieux que rien. En revanche, pas plus que la pilule, il ne protège de la contamination par MST.

Préservatif

L'avènement de la pilule a eu vite fait de jeter le pauvre préservatif aux oubliettes. Puis le sida est arrivé et, avec lui, le retour en grâce de la « capote », car elle évite la contamination.

Je me doute que la plupart de mes lecteurs âgés de plus de dix ans savent bien ce dont il s'agit mais, par souci du détail, je ne négligerai point la description de cette nouvelle star des médias.

Le préservatif est un fourreau que l'on place sur le pénis et qui a pour fonction d'empêcher le sperme de se répandre dans le vagin. Traditionnellement, il était fabriqué en tissu animal mais, aujourd'hui, il est la plupart du temps en latex. Il en existe aussi en polyuréthane, plus chers mais plus fins. Ils présentent de nombreux avantages : en plus d'être imperméables à tous les virus (y compris le VIH), ils sont hypoallergéniques, s'emploient sans danger avec des produits à base de corps gras et leur matière est conductrice de chaleur, favorisant ainsi les sensations.

Il est facile de se procurer des préservatifs en pharmacie, dans les supermarchés ou au moyen des distributeurs installés dans de nombreux lieux publics. Chaque condom se présente roulé dans un emballage individuel. On le place tout d'abord à l'extrémité de la verge puis on le déroule en s'assurant de laisser un vide au bout de l'objet, en guise de réservoir pour le sperme. (Vous avez une mémoire visuelle ? Observez la figure 5.2.) Veillez à expulser les éventuelles bulles d'air.

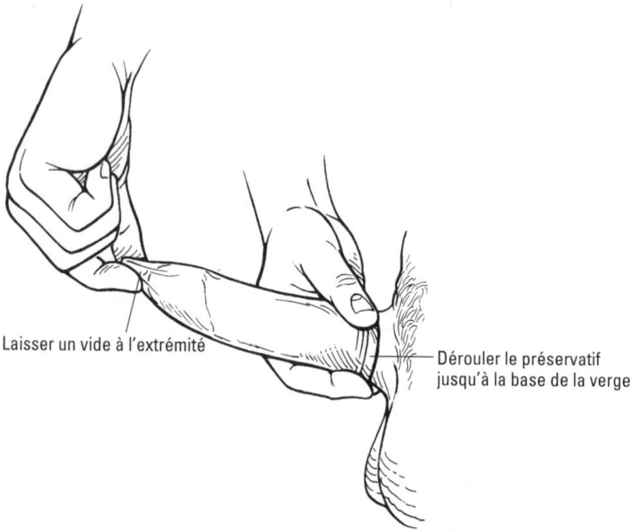

Figure 5.2 : Le mode d'emploi du préservatif est moins évident qu'il n'y paraît : de nombreux utilisateurs paient cher une connaissance insuffisante en la matière.

L'époque des préservatifs tristounets est révolue : aujourd'hui, ils se vendent en différents coloris et sous les emballages les plus engageants. On peut même, désormais, en commander sur Internet. Certains sont lubrifiés (voire parfumés !) ; à cette lubrification s'ajoute parfois un spermicide.

En général, les modèles proposés sont « taille unique ». Mais il importe que les hommes aux proportions supérieures ou inférieures à la moyenne recherchent celui qui leur convient le mieux. En effet, un préservatif trop grand risque de glisser pendant le rapport et, trop petit, de se déchirer.

Si vous associez un préservatif à un lubrifiant, assurez-vous que ce dernier soit à base d'eau. En effet, les produits à base de corps gras rendent le latex poreux et peuvent entraîner rapidement des déchirures. Ils sont donc à proscrire pour cet usage.

Comment l'enlever ?

Le moment le plus délicat, dans l'utilisation du préservatif, c'est son retrait. Il faut faire très attention à éviter toute fuite, car la moindre goutte de sperme pourrait pénétrer dans le vagin et produire l'effet que vous souhaitiez justement prévenir.

- Quand l'homme se retire du vagin, il faut que l'un des partenaires maintienne la base du préservatif.
- Pour éviter les fuites, il est nécessaire d'ôter le préservatif avant la fin de l'érection.

Le préservatif n'est pas parfait

Si le préservatif ne présente pas d'inconvénients pour l'homme (sauf en cas d'allergie au latex), il ne constitue pas la solution idéale pour prévenir les grossesses. Son taux d'échec se situerait entre 5 et 20 %. La protection assurée est proportionnelle aux précautions respectées. Mais, bien entendu, la première erreur consisterait à ne pas recourir à la précieuse capote.

Que vous optiez pour le préservatif pour éviter les grossesses ou les MST, vous devez l'utiliser à chaque rapport.

Et le plaisir ?

De nombreuses femmes saluent le retour du préservatif, car il oblige les hommes à assumer une responsabilité longtemps abandonnée à la gent féminine. Les hommes, en revanche, ont un reproche à lui adresser : ils se plaignent souvent qu'il réduit leurs sensations.

Pour ceux qui ont des problèmes d'éjaculation précoce, ceci peut être un avantage. Je comprends que, pour les autres, ce soit un inconvénient.

Si je savais qu'en claquant des doigts j'aiderais sida et autres MST à disparaître, ma vie se transformerait en un perpétuel flamenco. Mais la triste vérité, c'est qu'il n'existe pas encore de traitement radical, ni de vaccin contre le sida, et qu'il n'y a donc pas d'autre choix, pour éviter la contagion, que d'utiliser les condoms. Pour l'homme, c'est d'autant plus frustrant que sa partenaire emploie un moyen de contraception. Quand leur relation se prolonge, il a toutefois la possibilité de se débarrasser de ces maudits bouts de caoutchouc.

Les capotes ne sont pas éternelles

En parlant de se débarrasser des préservatifs... S'en munir au cas où, c'est bien, mais si le « cas où » tarde à survenir, il faut songer à les jeter et à les remplacer. En effet, un préservatif se ne conserve pas éternellement, quel que soit l'endroit où on le range (portefeuille, boîte à gants, etc.). Je préfère ne pas vous indiquer de délai précis, car cela dépend de divers facteurs, notamment des températures extrêmes et de la dimension de votre organe. Sachez néanmoins qu'il ne faut pas attendre un an pour vous défaire de vos stocks, et ce, même si vous vivez sous un climat tempéré et n'avez pas de raison de pavoiser dans les vestiaires.

Préservatif féminin

Les hommes n'étant pas toujours faciles à convaincre de recourir au latex, les femmes disposent aujourd'hui, pour se protéger contre les maladies sexuellement transmissibles, d'un préservatif conçu à leur intention. La forme de cette poche, fermée à son extrémité, s'adapte à leur anatomie. Elle se place dans le vagin en prévision d'un rapport, après lubrification de la partie fermée. L'homme introduit sa verge par l'ouverture, qui reste à l'extérieur du conduit vaginal.

Le préservatif féminin présente cependant des inconvénients. Il peut causer des irritations du vagin, de la vulve ou du pénis. D'autre part, il arrive qu'il glisse à l'intérieur du vagin pendant le coït. Certains couples lui reprochent de réduire leurs sensations et de faire du bruit.

Le préservatif féminin est plus onéreux que son homologue masculin. Pour la liberté qu'il offre aux femmes de s'auto-protéger, il me semble que c'est un modeste prix à payer.

Spermicides

Les spermicides se présentent sous de nombreuses formes : mousses, crèmes ou gels. Ils offrent l'avantage de ne pas nécessiter d'ordonnance. Ils se placent dans le vagin à l'aide d'un applicateur, au moins dix minutes avant un rapport sexuel (ce qui peut s'intégrer aux jeux amoureux). Il faut répéter l'opération à chaque nouveau coït.

Les spermicides ont peu d'effets secondaires, à part d'éventuelles et temporaires allergies chez l'homme ou chez la femme. Utilisés seuls, ils sont assez inefficaces en tant que contraceptifs. Leur action contre les virus VIH et autres MST n'est pas suffisante non plus pour se passer d'une autre protection.

Il existe, en outre, des éponges imprégnées de spermicides, présentant des avantages similaires.

Une méthode hormonale : la pilule

Les Anciens pensaient que notre tempérament, ainsi que nos fonctions organiques, étaient régis par quatre *humeurs* : sang, flegme, bile et bile noire. Ils n'avaient pas tort, pour le principe.

Le corps humain secrète près de cinquante hormones, produites par le système endocrinien. Il s'agit de substances chimiques qui, acheminées par le sang vers les organes, en commandent le fonctionnement. Elles sont absolument indispensables à celui de l'appareil sexuel et reproductif. En agissant sur les hormones, il est possible désormais de contrôler avec précision notre capacité de reproduction. C'est le principe de la pilule contraceptive.

La pilule est une méthode contraceptive très efficace, à condition que la femme la prenne de façon régulière et sans oubli. Éliminant presque tout risque de grossesse, elle a contribué au déclenchement de la révolution sexuelle des années 60, époque à laquelle l'emploi des contraceptifs oraux s'est généralisé.

Depuis lors, la pilule a connu bien des changements. Ses composants actifs sont, pour l'essentiel, les mêmes hormones que celles qui, secrétées par la femme, régulent naturellement le cycle menstruel (œstrogène et progestérone). Mais, à l'origine, leur dosage important entraînait de nombreux effets secondaires. Aujourd'hui, ceux-ci sont considérablement réduits.

À l'heure actuelle, il existe deux types de pilules :

- Les pilules œstroprogestatives, qui associent des œstrogènes et de la progestérone pour bloquer l'ovulation.
- Les pilules progestatives, qui ne contiennent que de la progestérone. Elles perturbent l'ovulation mais c'est surtout en épaississant la glaire cervicale, qui devient ainsi imperméable aux spermatozoïdes, qu'elles préviennent la fécondation. De plus, elles rendent la muqueuse utérine moins propre à la nidation.

Il est important de penser à prendre sa pilule chaque jour, de préférence à la même heure, tous les matins, par exemple. Dans le cas des contraceptifs œstroprogestatifs, on interrompt la prise pendant sept jours, ce qui déclenche le flux menstruel. De nombreuses marques de pilules proposent toutefois des plaques contenant 28 pilules, dont 7 comprimés sans effet actif, pour que la femme ne perde pas l'habitude de les prendre.

Les échecs de la contraception hormonale sont étroitement liés à des erreurs dans la prise de la pilule. Il importe donc de bien respecter les indications du médecin.

En plus d'éviter les grossesses, la pilule présente plusieurs avantages :

- Elle assure une régularité de la menstruation.
- Elle limite :

- l'abondance du flux menstruel ;
- les douleurs abdominales ;
- les anémies dues aux carences en fer ;
- les grossesses extra-utérines ;
- les métrites ;
- l'acné ;
- la tension prémenstruelle ;
- l'arthrite rhumatoïde ;
- la formation de kystes des ovaires.

- Elle protège contre les cancers de l'endomètre et des ovaires, qui figurent parmi les plus fréquents chez la femme.

Précisons qu'au début de petits saignements surviennent parfois entre les règles.

Certaines femmes pensent que la pilule est cause de cancers du sein ou de l'utérus, car des recherches sur les animaux ont établi un rapport entre les hormones utilisées et ces maladies. Aux doses actuellement pratiquées, il n'existe aucune preuve scientifique de l'existence d'un risque. En fait, la pilule réduit même l'éventualité d'un cancer des ovaires ou de l'endomètre.

Toute femme en âge de procréer est à même d'adopter ce moyen de contraception, sauf si elle fume et a plus de trente-cinq ans. Dans ce cas, la pilule présente des risques pour le système cardiovasculaire. De récentes études semblent indiquer que ces risques sont plus élevés que ce que l'on pensait auparavant, mais on n'est pas encore parvenu à les définir exactement. D'autres affections, diabète ou caillots de sang, par exemple, sont aussi une contre-indication à la prise de la pilule.

C'est en raison de ces risques qu'il est indispensable de consulter un médecin pour se faire prescrire la pilule. Le gynécologue, informé des incessantes évolutions en la matière, saura vous indiquer le choix qui vous convient le mieux.

Je souligne une fois de plus que la pilule n'offre absolument aucune protection contre le sida, ni contre aucune autre maladie sexuellement transmissible. Pour éviter toute contamination, il est donc nécessaire d'employer aussi un préservatif.

Si votre médecin vous prescrit un traitement (antibiotique, notamment), assurez-vous auprès de lui que les médicaments en question ne présentent pas de contre-indication avec votre contraception. Dans de nombreux cas, il vous conseillera une méthode supplémentaire de protection pour la durée du traitement.

Par ailleurs, il existe, à l'intention des femmes craignant d'oublier leur comprimé quotidien, des méthodes d'injections ou d'implants libérant des produits contraceptifs, plus rarement employées.

À l'horizon...

Si un bon génie m'accordait trois vœux, je lui demanderais sans aucun doute l'invention d'une méthode de contrôle des naissances parfaite, car aucune de celles qui existent pour le moment n'est exempte d'inconvénients.

Mais je ne crois pas aux génies et souhaiterais surtout qu'on investisse beaucoup plus dans les recherches à ce sujet. Voici tout de même quelques nouveautés :

L'anneau vaginal

L'*anneau vaginal* s'insère de la même façon que le diaphragme mais, au lieu de jouer un rôle de barrière, il sert à diffuser des hormones semblables à celles contenues dans une pilule. On le garde en place pendant trois semaines puis on le retire pendant une autre, au moment des règles. Chaque anneau contient suffisamment d'hormones pour trois cycles et doit être changé ensuite.

Ses effets secondaires sont moins marqués que ceux entraînés par la pilule car, disposé juste à côté du col de l'utérus, il requiert une dose d'hormones moins importante, tout en offrant la même protection.

La « pilule pour hommes »

Les recherches se poursuivent sur un équivalent masculin de la contraception orale. Comme la pilule pour femmes, celle-ci repose sur un apport hormonal. Il s'agit d'une synthèse de la testostérone, l'hormone mâle, qui entraîne une baisse temporaire de la production de spermatozoïdes. Étant donné qu'elle présente des risques pour le foie, elle ne s'administre pas sous la forme d'une pilule mais d'une injection. Encore à l'étude, il est probable qu'elle ne soit pas disponible avant des années.

Stérilisation

Dans le monde, la stérilisation est la méthode de contrôle des naissances la plus répandue. En France, la stérilisation volontaire à visée contraceptive n'est qu'actuellement en cours de légalisation, pour l'homme comme pour la femme.

Il existe deux techniques de base en matière de stérilisation : l'une pour la femme (*ligature des trompes*), l'autre pour l'homme (*vasec-*

tomie). L'une comme l'autre présentent certains avantages par rapport à d'autres méthodes :

- Une intervention suffit.
- Elles sont très efficaces.
- Elles n'entraînent pas d'effets secondaires.
- Elles n'affectent pas la vie sexuelle.

Le principal inconvénient de la stérilisation, c'est qu'elle est quasiment – voire totalement, dans de nombreux cas – irréversible. Elle se distingue en cela de la contraception, temporaire par définition.

Je conseille rarement ce moyen de contrôle des naissances en raison de son caractère définitif. Il convient surtout aux personnes qui, ayant atteint un certain âge, trouvent qu'elles ont déjà assez d'enfants. Mais l'intervention entraîne parfois des complications : problèmes d'anesthésie, hémorragies, infections, lésions sur d'autres organes. Il existe aussi un risque d'échec.

Ligature des trompes

Les trompes en question sont les trompes de Fallope, organes où se produit la fertilisation de l'ovule par le spermatozoïde. L'opération consistant à les ligaturer puis à les sectionner a pour effet d'interdire toute rencontre entre les deux gamètes (voir la figure 5.3). Il arrive que les trompes se reconstituent et que la femme redevienne fécondable, mais il s'agit de cas rares.

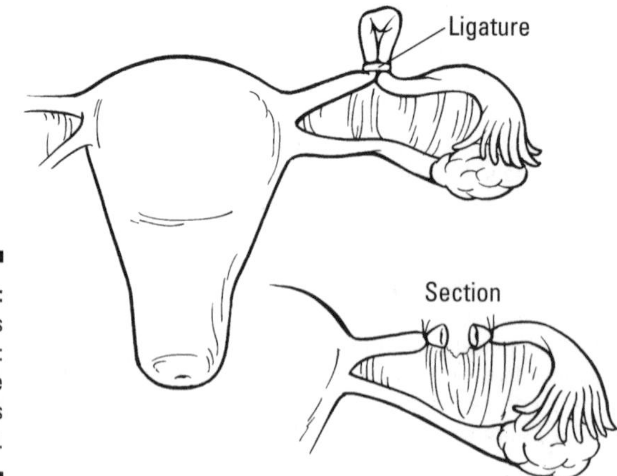

Figure 5.3 : Ligature des trompes : difficile de faire plus radical.

Bien entendu, la ligature des trompes est une intervention chirurgicale. Il existe différentes méthodes, entre lesquelles on choisit en fonction du dossier médical. L'une des plus courantes s'effectue selon la technique de la *cœlioscopie* :

- On injecte d'abord un gaz inoffensif (gaz carbonique) dans l'abdomen pour le faire gonfler, afin de mieux distinguer les organes.
- Le chirurgien introduit un instrument de forme allongée, le cœlioscope, par une petite incision. Celui-ci est équipé d'une micro-caméra et d'une lampe pour mieux localiser les trompes.
- On noue puis on incise les trompes. L'intervention est rapide et les complications sont rares.

Il existe aussi une procédure suivant laquelle on pratique l'incision dans le vagin. Quel que soit le type d'intervention, la femme continue ensuite à ovuler, son fonctionnement hormonal demeure le même et elle a toujours ses règles. L'ovule inutilisé se dissout comme toute autre cellule en fin de vie. (Sa libération dans l'organisme ne présente aucun danger car il est de taille microscopique.)

La vie sexuelle ne connaît pas non plus de perturbations. Au contraire, elle en est parfois améliorée, parce que la femme ne s'inquiète plus à l'idée d'être enceinte. En revanche, elle doit bien prendre conscience du fait qu'elle ne pourra plus avoir d'enfants.

Vasectomie

La version masculine de la stérilisation, appelée *vasectomie*, est elle aussi un acte chirurgical. Elle consiste à sectionner après ligature les *canaux déférents*, qui servent à conduire les spermatozoïdes (voir la figure 5.4). De façon exceptionnelle, il arrive que les canaux se reconstituent et que l'homme redevienne fécond.

Après l'opération, il existe encore une certaine quantité de spermatozoïdes dans l'appareil génital masculin. C'est pourquoi il faut employer une méthode de contraception pour couvrir les vingt à trente premières éjaculations. L'absence complète de risque se détecte à l'aide d'un examen simple. Votre médecin vous renseignera plus en détails.

Certains s'imaginent que la vasectomie entraîne une baisse des capacités sexuelles. Cette crainte est infondée : l'intervention n'empêche en rien l'érection, pas plus que l'éjaculation.

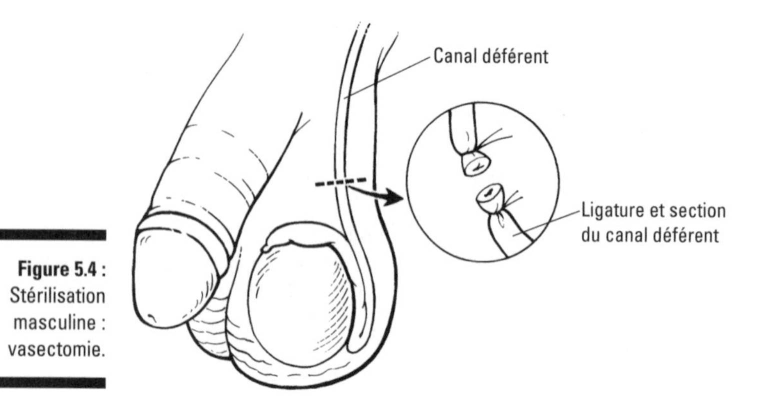

Figure 5.4 : Stérilisation masculine : vasectomie.

La seule différence, c'est que le sperme ne contient plus de spermatozoïdes. Ceux-ci ne constituant que 5 à 10 % de l'éjaculat, cette baisse passe inaperçue. Le fonctionnement hormonal n'est pas affecté non plus. Les testicules produisent toujours des gamètes mais ceux-ci sont absorbés par l'organisme.

Votre médecin vous renseignera sur les derniers progrès des recherches et de la législation relatives à la vasectomie.

Les idées reçues ont encore frappé

Maintenant que j'ai accompli mon devoir d'information sur les principaux moyens d'éviter une grossesse, je souhaiterais dissiper toutes les idées reçues qui, par ailleurs, pourraient encore flotter dans votre esprit, car celles-ci sont responsables de graves problèmes.

La douche vaginale

La première de ces sornettes concerne la pratique de la douche vaginale, aussi inutile du point de vue de l'hygiène que de la contraception.

La méthode consistant à effectuer un lavage interne dans le but d'évacuer les spermatozoïdes avant qu'ils effectuent leur progression dans l'utérus remonte au moins à l'époque de l'Égypte ancienne (il y a des mythes qui ont la vie dure). Certes, les ingrédients employés changent avec le temps : dans ma jeunesse, on avait recours au vinaigre. De nos jours, il semblerait que le Coca-Cola soit à la mode.

Quoi qu'il en soit, le temps que s'achève le rapport sexuel et qu'on procède au lavage, de nombreux spermatozoïdes ont le loisir d'évoluer en direction de l'ovule.

Sans aller jusqu'à leur attribuer des vertus contraceptives, les publicitaires persistent à vanter les mérites des produits d'hygiène intime. Pourtant, les spécialistes déconseillent l'emploi de ces produits, car ils n'apportent pas d'effet bénéfique et, en outre, détruisent une flore bactérienne utile. Mieux vaut, par conséquent, dépenser votre argent à autre chose.

La première fois aussi

De même que les recettes de bonne femme sur le lavage interne, de tenaces légendes prétendent qu'il est impossible de se trouver enceinte à la suite de ses premiers rapports sexuels.

Sachez pourtant que le léger saignement qui se produit souvent lors de la déchirure de l'hymen n'empêche en rien la rencontre des gamètes mâle et femelle. Il est donc vivement recommandé aux débutantes de prendre tout autant de précautions que les autres.

Orgasme et grossesse

D'aucuns racontent qu'en l'absence d'orgasme chez la femme, la fécondation n'est pas possible. Il est vrai que les contractions vaginales qui se produisent au moment de la jouissance sexuelle ont pour effet de mettre le col de l'utérus en contact avec le sperme déposé au fond du vagin. Mais, que la femme connaisse des orgasmes multiples ou pas d'orgasme du tout, une partie des spermatozoïdes parviendra d'une façon ou d'une autre à franchir le col de l'utérus.

Pour ma part, je vous conseillerais plutôt d'adopter le principe inverse à cette idée reçue : adopter d'abord un moyen contraceptif fiable, puis vous en donner à cœur joie… en ayant autant d'orgasmes que possible !

Debout, les spermatozoïdes !

Selon un autre mythe courant, les spermatozoïdes seraient incapables de défier la loi de la gravité. Autrement dit, en faisant l'amour debout, on éviterait les grossesses.

Faux, encore une fois ! Ces petits êtres, excellents nageurs, évoluent avec aisance et rapidité dans tous les sens. Y compris la tête en bas.

Et pendant les règles ?

Beaucoup de gens s'imaginent que la femme n'est pas fécondable pendant ses règles.

Certes, les chances de se trouver enceinte à cette période sont limitées, mais pas nulles. De plus, il arrive qu'un saignement intempestif soit confondu avec les règles. Mal interprété, il peut anéantir votre stratégie anticonceptionnelle.

Et si l'homme se retire ?

Abordons maintenant l'une des erreurs les plus dangereuses, car elle a conduit à elle seule à plus de grossesses que toutes les autres : celle de croire en l'efficacité du retrait (méthode du *coït interrompu*).

Depuis des lustres, des millions d'hommes se vantent auprès de leur partenaire de maîtriser parfaitement leur éjaculation. Ils leur assurent que, dès qu'ils sentent l'orgasme venir, ils sont à même de retirer leur verge du vagin.

Voilà une théorie qui présente bien des lacunes :

- Nos héros ne réussissent pas aussi souvent qu'ils le prétendent à se retenir jusqu'à la sortie…
- Certains, dans l'intensité du moment, oublient même carrément de se retirer.

- Même lorsque l'homme se retire avant éjaculation, il est déjà trop tard. En effet, le liquide pré-éjaculatoire émis par les glandes de Cowper contient des spermatozoïdes, qui auront entamé leur ascension en direction de l'utérus bien avant que leurs petits camarades se répandent sur le ventre ou sur les cuisses de madame.

Admettons, la méthode du *coitus interruptus* (pour l'appeler par son nom latin), c'est peut-être mieux que rien ; mais guère mieux. En plus, elle ne prévient pas tellement la transmission de maladies.

Ça n'a pas marché...

Pour un couple qui désire un enfant, l'annonce d'une grossesse est un bonheur incomparable. À l'inverse, apprendre qu'on est enceinte alors qu'on ne le voulait pas et qu'on est célibataire est l'une des expériences les plus solitaires et angoissantes de l'existence.

Je n'ai certainement pas à indiquer aux femmes concernées ce qu'elles doivent faire en pareilles circonstances, mais peux au moins les informer des choix possibles.

Garder l'enfant

L'une des options consiste à mener la grossesse à terme et à garder le bébé. Les femmes seules sont de plus en plus nombreuses à faire ce choix.

Pour certaines, il s'agit d'une sorte de rite de passage à l'âge adulte, souvent sur les traces de leur mère. Je suis fermement opposée à cette attitude, car un enfant qui grandit dans un foyer monoparental est privé, en général, du rôle du père dans son éducation et, souvent, de son soutien matériel. (Sachez néanmoins que le père, que vous soyez mariés ou non, se trouve dans l'obligation légale de vous apporter une aide pécuniaire pour élever l'enfant et qu'il faut absolument faire respecter ce droit.) Il vaudrait mieux, pour les femmes correspondant à ce modèle, qu'elles mûrissent elles-mêmes plutôt que de se sortir par ce moyen de leur propre enfance.

D'autres femmes, financièrement aptes à assumer l'éducation d'un enfant, décident de devenir mères célibataires parce qu'elles n'ont pas trouvé de compagnon qui leur convienne, mais refusent de se priver pour autant des joies de la maternité.

Celles qui y réussissent, et parfois fort bien, constituent des exceptions. Il serait trompeur d'idéaliser leur cas, car la plupart des mères isolées n'ont pas les moyens matériels d'élever leur enfant.

Le grand nombre de femmes qui font des bébés toutes seules a au moins entraîné une conséquence indubitable : l'opprobre dont les « filles-mères » étaient autrefois victimes est bel et bien dépassé. Les gens continuent à s'étonner, mais ne jettent plus la pierre.

Vous avez décidé de garder le bébé ? Je vous souhaite sincèrement bonne chance. J'ai fait l'expérience des difficultés que cela implique en même temps que celle des satisfactions immenses de la maternité, car j'ai élevé seule mon premier enfant. Je sais donc que vous connaîtrez de nombreux moments de bonheur, mais aussi que vous devrez faire face à plus de problèmes que celles qui vivent à deux.

Bien entendu, vous pouvez vous mettre en couple avec le père. Mais je vous conseille de ne le faire que si vous éprouvez un véritable amour l'un pour l'autre et souhaitez fonder une famille ensemble. Il arrive qu'une grossesse imprévue soit à l'origine d'un couple uni pour longtemps, mais ce n'est tout de même pas un point de départ idéal.

Laisser d'autres parents s'occuper de l'enfant

En abandonnant un enfant, on permet à un couple qui ne peut en avoir de lui procurer de merveilleux parents. Il faut, pour procéder à cette démarche, prendre conseil auprès de l'assistante sociale du lieu de naissance.

Il est loin d'être facile de se séparer de son bébé. La mère qui le sent grandir dans son ventre ne peut s'empêcher de s'y attacher et, une fois qu'elle l'a vu, c'est un crève-cœur encore pire de renoncer à l'élever. La difficulté de cette situation est l'une des raisons principales pour lesquelles je me bats pour qu'on comprenne combien il importe d'éviter les grossesses non désirées.

L'interruption volontaire de grossesse (IVG)

Enfin, certaines femmes optent pour l'*interruption volontaire de grossesse* (IVG), qui consiste à provoquer l'expulsion du fœtus avant qu'il ne soit viable, c'est-à-dire apte à survivre en dehors de l'utérus.

Cet avortement artificiellement déclenché se réalise actuellement en France dans un délai de dix semaines après le début de la grossesse, qui devrait passer prochainement à douze semaines. L'embryon ou le fœtus est alors à peine visible ou très peu développé. La méthode habituellement pratiquée est l'IVG par aspiration. Sous anesthésie, elle s'effectue à l'aide d'une canule étroite, introduite par le col de l'utérus. Normalement, cette intervention ne dure que quelques minutes, la femme sort le jour même de l'établissement médical et les complications sont rares.

En cas d'urgence

Il faut, pour y recourir, consulter le médecin, qui administre une dose importance d'œstrogènes et de progestérone. Celle-ci a pour effet de provoquer l'expulsion de l'embryon par l'utérus. Dite *pilule du lendemain*, cette dose d'hormones peut se prendre, en fait, jusqu'à soixante-douze heures après le rapport sexuel.

Il convient de ne pas la confondre avec l'IVG médicamenteuse. Créée en France, celle-ci est désignée sous le nom de RU 486.

Le RU 486 a pour effet de bloquer l'action de la progestérone, qui joue un rôle essentiel dans le maintien de la grossesse. Deux jours après l'administration de ce médicament, la femme reçoit une dose de prostaglandine. Dans les quatre heures suivantes, il se produit un saignement accompagné de l'expulsion de l'œuf. On pratique cette technique jusqu'à 7 semaines après le début des dernières règles.

Un droit pour les femmes

L'IVG demeure sujet à de nombreuses polémiques car bien des gens, pour des raisons religieuses ou morales, assimilent l'embryon ou le fœtus à un bébé et refusent donc l'idée de sa destruction. En France, la loi Veil de 1975 accorde pourtant le droit aux femmes de décider de l'usage de leur corps. Elle n'a toutefois pas eu d'influence sur la position des militants anti-avortement.

L'avortement me choque, mais ce qui se produisait avant sa légalisation me semblait bien plus intolérable. À l'époque, seules les personnes qui en avaient les moyens pouvaient bénéficier d'une IVG en se rendant dans un pays où elle était autorisée. Les autres étaient contraintes de s'y soumettre de façon illégale et pratiquée dans des conditions déplorables, qui entraînaient souvent de graves complications, voire la mort.

L'IVG, selon moi, ne devrait jamais se substituer à une méthode ou une autre de contrôle des naissances. Celles qui existent à l'heure actuelle, sans être parfaites, offrent néanmoins des solutions très efficaces et beaucoup plus satisfaisantes. Des accidents se produisent cependant, même si la femme prend le maximum de précautions. Celle-ci peut aussi être victime d'un viol. Pour ces raisons, qui échappent à sa volonté, je demeure convaincue de la nécessité de préserver le droit à l'IVG.

Un choix difficile

Définir les différentes options ci-dessus est bien plus facile que d'en choisir une le jour où il faut faire face à une grossesse non désirée. C'est encore pire quand la femme est isolée, sans l'appui du père de l'enfant.

Je vous conseille de ne pas prendre cette décision seule. Il vaut mieux, selon moi, s'adresser à quelqu'un qui, si possible, a déjà apporté son aide à d'autres femmes dans les mêmes circonstances. Les membres de votre famille risquent d'avoir une réaction trop émotionnelle pour vous soutenir efficacement.

Les agents des Centres du planning familial (j'en ai fait partie) possèdent cette compétence. Bien formés et expérimentés, ils procurent le meilleur conseil aux femmes confrontées à ce genre de décisions.

Je recommande souvent aux personnes en difficultés de se tourner vers un représentant de leur religion quand elles ont besoin de conseils. Mais sur la question de l'interruption volontaire de grossesse, le point de vue d'un membre du clergé ne peut être que subjectif, bien évidemment.

Sachez enfin que, quelle que soit la personne à qui vous demandez un avis, la décision finale ne dépend que de vous.

Troisième partie

Enfin, de l'action !

« Avec Arthur, nous avons conclu un marché : il renonce à aller au club de bym deux fois par semaine et je me débrouille pour qu'il brûle quand même ses *trois cents* calories. »

Dans cette partie...

Tout est question d'apprentissage. Pour devenir un as du multimédia, il faut s'exercer au maniement de la souris. Pour se transformer en star du rock, il vaut mieux savoir tenir une guitare. Et, pour jouer les experts en amour, encore faut-il dominer les notions que j'expose dans les chapitres suivants. Il importe de les lire jusqu'au bout : l'« après » compte autant que le « pendant ».

Chapitre 6

Pour une première fois…

Dans ce chapitre :

- Un point de vue différent sur la première fois
- Pour une première fois… c'est réussi
- Lui faire comprendre que c'est le moment
- Passer à l'action
- Recommencer avec un autre

Ce qui est génial avec le sexe, c'est qu'une fois qu'on a sauté le pas, qu'on a connu ces sensations impossibles à éprouver par d'autres moyens, on est parti pour « remettre ça » à des milliers d'occasions tout au long d'une vie. Imaginez un « jouet extraordinaire » avec lequel on puisse s'amuser pendant des années et des années… sans jamais changer les piles !

Malgré des similarités, cette expérience peut se vivre d'une fois sur l'autre de façon différente. La passion et l'humeur du moment procurent des orgasmes plus ou moins explosifs. Mais, s'il est un rapport sexuel absolument incomparable aux autres, c'est bien le premier.

Une ressource non renouvelable

De nombreux jeunes gens ont une perception erronée de la première fois. Dans leur esprit, il s'agit d'une frontière qu'il convient de franchir le plus tôt possible pour atteindre l'âge adulte. La virginité leur paraît une forme de handicap qui suscite rires et moqueries, comme si cela se voyait sur leur visage. Quel que soit leur sentiment profond sur la question, ils subissent l'influence de la société et de l'entourage, illustrée par tous ces films dont les héros sont des surmâles à qui il suffit d'un regard pour tomber les filles.

Même la famille exerce des pressions. On a toujours une grand-tante bien intentionnée et avide d'apprendre l'existence d'un(e) petit(e) ami(e). Certaines mères prennent l'initiative d'un rendez-vous chez le gynécologue en vue d'une contraception pour leur fille qui, n'étant absolument pas prête à sortir avec un garçon, subit cette expédition comme une épreuve. Voilà qui rappelle l'attitude des pères qui, jadis, emmenaient leurs fils au bordel pour les confirmer dans leur virilité.

Pourquoi se presser ?

Où est l'urgence, dans ce domaine ? D'accord, plus tôt on commence et plus on aura d'occasions de faire l'amour. Mais, lorsqu'on n'est pas prêt ou qu'on fait ses débuts avec le mauvais partenaire, on risque de s'avérer par la suite un amant ou une maîtresse médiocre et de ne jamais connaître une sexualité vraiment satisfaisante. Il arrive même que certains, déçus par des expériences précoces, finissent par s'en dégoûter.

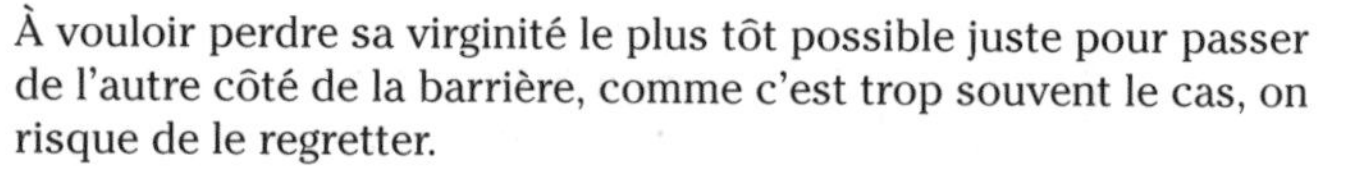

À vouloir perdre sa virginité le plus tôt possible juste pour passer de l'autre côté de la barrière, comme c'est trop souvent le cas, on risque de le regretter.

Rares sont aujourd'hui les jeunes gens qui ont recours, pour se débarrasser de ce fameux pucelage, aux services d'une prostituée. En revanche, ils sont nombreux à rechercher celle qui, autour d'eux, a une réputation de « fille facile ». Il s'agit souvent d'une jeune femme pour qui l'attention d'autrui, et notamment des hommes, est indispensable. C'est, en général, quelqu'un qui a une piètre estime de soi, parce qu'elle ne peut compter sur son physique pour séduire ou parce qu'elle a été victime d'abus, étant enfant. Dans le quartier ou la localité où elle habite, chacun la sait incapable de dire non. Les garçons vont jusqu'à se « refiler la combine »... Vous parlez d'une expérience !

L'arrière d'une voiture sert fréquemment de cadre aux premiers rapports sexuels. Les jeunes se déshabillent à peine, craignent d'être vus, peuvent difficilement se mouvoir dans cet espace exigu et n'ont qu'une envie : que cela se termine le plus vite possible.

Un souvenir ému

Les scénarios que je viens d'évoquer me paraissent profondément regrettables. À moins d'avoir été sous l'emprise de l'alcool (ce qui n'améliore pas le tableau), on n'oubliera jamais quand, où et avec qui on a perdu sa virginité. Peut-être était-ce avec quelqu'un d'indifférent, qu'on n'a plus jamais revu par la suite, ou avec une personne qui comptait pour vous, partageait vos sentiments et dont le souvenir fait encore chaud au cœur. Peu importe que vous vous soyez quittés il y a belle lurette : à l'époque, le courant passait vraiment entre vous.

Sans aller jusqu'à vous conseiller d'être sûr d'avoir trouvé l'homme ou la femme de votre vie pour avoir vos premiers rapports sexuels, je souhaiterais que vous ne gâchiez pas ce moment, que vous lui accordiez l'importance qu'il mérite. Ainsi, vous aurez toujours plaisir à vous le remémorer. N'en faites pas un de ces souvenirs qu'on voudrait évacuer mais qui sont aussi sordides qu'ancrés dans la mémoire.

Le grand pied ?

Reconnaissons, comme je l'indique ailleurs dans cet ouvrage, que la première fois n'est pas forcément inoubliable d'un point de vue purement sexuel. La plupart des femmes ne connaissent pas l'orgasme à cette occasion. Et, pour de très nombreux hommes, cela se passe tellement vite qu'ils ne sont même pas sûrs que la chose ait eu lieu... Dans ce cas, pourquoi vouloir en faire un événement exceptionnel ? Voici quelques réponses à cette question.

Transformez votre essai

Faire l'amour, cela ne se limite pas à atteindre une jouissance. Il s'agit d'une forme de communication avec l'autre, d'un échange de sensations procurées par le toucher, le baiser, les caresses et, seulement enfin, par l'orgasme. Deux personnes qui ressentent un amour profond l'une pour l'autre ne se contentent pas de cet objectif : elles cherchent à se fondre l'une en l'autre, pour ne faire plus qu'un. Difficile à réaliser en compagnie de quelqu'un qui se prostitue ou papillonne d'aventure en aventure.

Même sans rester dans les annales du film X, une première expérience peut se dérouler de façon très jouissive. Voici les moyens de vous aider à transformer votre essai :

- Cette première fois aura d'éventuelles conséquences sur toutes les expériences sexuelles qui s'ensuivront. Il importe donc que les deux partenaires éprouvent un sentiment réciproque, au lieu de chercher uniquement à soulager une frustration sexuelle.

- En découvrant l'amour avec quelqu'un dont on partage les sentiments, on s'épargne de se trouver dans une situation particulièrement embarrassante avec un quasi-inconnu.
- On ne sait pas bien comment s'y prendre. Le garçon tâtonne un peu avant d'introduire sa verge dans le vagin. Pour la jeune fille, la déchirure de l'hymen s'avère parfois un peu douloureuse. Dans ces conditions, ne vaut-il pas mieux vivre l'expérience avec un être qu'on apprécie et qui souhaite vous mettre aussi à l'aise que possible ? C'est tout de même mieux que de perdre sa virginité avec quelqu'un qui se moque éperdument de vous et de vos réactions.

- Un argument de plus pour vous inciter à éviter un premier rapport sexuel avec une personne à partenaires multiples : il y a plus de risques qu'elle soit porteuse du sida ou d'autres maladies sexuellement transmissibles.

Tous les autres sont déjà passés par là !

« Mais, Dr Ruth, vous entends-je gémir, tous mes copains sont déjà passés par là ! Je ne veux pas rester puceau toute ma vie ! »

Si c'est juste votre virginité qui vous tracasse, je vous suggère un petit mensonge.

La prochaine fois que vos camarades vous « charrient » à ce sujet, affirmez-leur que vous n'êtes plus vierge. Inutile d'en dire plus, prenez juste un air entendu. La plupart d'entre eux exagérant sans doute leurs propres exploits, ils ne vous poseront pas trop de questions.

Soit dit en passant, il est curieux d'observer que ce qui, jadis, était considéré comme une vertu – la virginité – passe aujourd'hui pour un déshonneur. Ou du moins, en apparence car, dans le fond, je pense que bien des hommes ou des femmes l'idéalisent encore.

Bien entendu, rares sont ceux qui, aujourd'hui, attendent le mariage. La généralisation des contraceptifs a amplement contribué à cette évolution. Ce n'est vraiment pas une raison pour faire l'amour avec le premier venu.

Les funestes vapeurs de l'alcool

Avant de passer aux questions pratiques, je désire encore évoquer un problème : celui de l'alcool et des stupéfiants. Quantité de jeunes perdent involontairement leur virginité sous l'effet de telles substances, trop ivres ou trop « défoncés » pour maîtriser le cours des événements.

Les fêtes du samedi soir se terminent souvent dans d'incontrôlables beuveries. Je ne critique pas la consommation d'alcool en soi. Mais je dénonce l'abus, encouragé sous la pression d'un groupe.

Par conséquent, si cela vous fait plaisir de vous soûler de temps en temps, ne vous gênez pas pour moi. Toutefois, je vous enjoins d'éviter de le faire dans des situations où vous risqueriez de le regretter. Bien entendu, c'est hors de question quand vous devez prendre le volant. En outre, et surtout si vous êtes une jeune femme, abstenez-vous quand vous vous trouvez dans un lieu privé en compagnie d'individus du sexe opposé aussi nombreux qu'imbibés. J'ai rencontré trop de cas de jeunes filles qui avaient perdu leur virginité lors de fêtes arrosées à l'excès.

Feu vert !

La première étape à franchir lorsqu'on se sent prêt à faire l'amour, c'est de le faire savoir à l'autre. Même pour un couple de plus de vingt ans, ce n'est pas toujours facile. (Supposons, par exemple, qu'elle essaie de nouveaux vêtements en présence de son mari. La voyant s'habiller et se déshabiller, celui-ci ne demanderait pas mieux que de passer à l'action, tandis que sa femme ne songe pas à autre chose qu'à assortir sa robe à son sac...) Alors, la première fois, vous pensez !

Si, en particulier, vous répondez « non » à votre petit copain ou petite copine depuis des semaines, ne comptez pas trop sur son intuition pour lui indiquer que vous êtes maintenant d'accord. De plus, il vous faut un minimum de préparation à l'un comme à l'autre ; raison de plus pour ne pas vous jeter sur votre chéri(e) à la dernière minute.

Indispensables précautions

J'examine en détail au chapitre 6 la question du test du sida et la façon la plus adéquate d'aborder le sujet. Je me limiterai donc à souligner ici que cette démarche nécessite de s'y prendre à l'avance, de même que le choix d'une contraception. On est assez nerveux, la première fois, pour ne pas s'angoisser à l'idée d'attraper une MST ou de se trouver enceinte, par-dessus le marché.

Ne croyez pas à la légende selon laquelle une jeune femme ne peut être fécondée lors de ses premiers rapports, c'est absolument faux. (Je m'emploie à déboulonner ce mythe, entre autres idées reçues sur la grossesse, au chapitre 5.)

- Sachez que la pilule ne protège pas contre les maladies sexuellement transmissibles. Il n'est pas inutile de se munir de préservatifs. (Supposez que celui que votre petit ami conserve précieusement dans son portefeuille soit périmé depuis des mois…)
- Si vous avez opté pour une autre méthode, le diaphragme, par exemple, sachez que seul un médecin peut vous prescrire le plus adapté à votre anatomie.

Les préservatifs étant très faciles à trouver dans le commerce, les hommes ne rencontrent pas trop de problèmes pour se protéger, à moins de ne pas oser faire ce genre d'achat. Je me demande souvent si leurs réticences à l'égard du condom proviennent de l'amoindrissement qu'il entraîne sur leurs sensations, ou de la responsabilité de se les procurer… Je pense toutefois que les lecteurs de ce livre ne connaissent aucune hésitation à ce sujet, convaincus qu'ils sont de l'importance de ces accessoires.

Préparez le terrain

En fonction des paramètres suivants, vous adopterez une tactique différente pour faire connaître vos bonnes dispositions à votre futur partenaire :

- Cette personne est-elle vierge ou, à l'inverse, très expérimentée ? Dans ce dernier cas, on a l'avantage de se sentir plus « aidé ». Mais, avec quelqu'un d'aussi novice que vous, vous serez peut-être plus à l'aise, car vos éventuelles maladresses passeront inaperçues à ses yeux.
- Jusqu'où êtes-vous déjà allés ensemble ? Si vous avez échangé plus que de chastes baisers, voire des caresses approfondies, vous êtes sans doute déjà débarrassé d'une partie de vos inhibitions.
- Disposez-vous d'un coin secret, d'un semblant d'intimité ? La première fois, il importe plus que jamais d'être sûrs de ne pas être dérangés : voilà une cause d'anxiété en moins.

Comment lui faire comprendre ?

Maintenant que vous avez pris vos précautions en matière de contraception et de prévention des MST, devez-vous annoncer à votre futur partenaire que le grand soir va bientôt arriver, ou attendre d'être dans ses bras pour le placer devant l'évidence ? Je sais que bien des gens préfèrent éviter de réfléchir aux sujets délicats et foncer tête baissée. C'est une méthode qui fait parfois ses preuves mais, à mon avis, pas dans le domaine qui nous intéresse.

Bien que ce ne soit pas une garantie de réussite totale, il est préférable de se préparer mentalement, et de faire en sorte que le partenaire en fasse autant. Si, comme à d'autres occasions, vous êtes en train de vous caresser, à moitié dévêtus, et que vous lui donniez soudainement le feu vert pour passer à l'étape suivante, il est probable que sa réaction soit aussi vive que la vôtre (« C'est parti ! Suffisait de demander ! »). Évidemment, excité comme il est...

Mais vous, peut-être souhaiteriez-vous procéder plus en douceur. Je trouve donc préférable de lui en parler à l'avance, alors que vous n'êtes pas encore sur le lieu de l'action. Dites-lui que c'est bientôt le moment, que cela vous angoisse quelque peu, et que vous aimeriez ne pas brusquer les choses. Ainsi préparés, vous pourrez l'un comme l'autre tirer plus de plaisir de cette découverte.

La première fois pour elle

Bien certaine que tout se passera pour le mieux pour vous, je me dois cependant de vous informer de deux points à ne pas ignorer : la rupture de l'hymen et les éventuels problèmes de vaginisme.

La rupture de l'hymen

L'hymen est une membrane cutanée qui couvre l'entrée du vagin (voir le chapitre 2) chez la jeune fille. Normalement, lors des premiers rapports, il se déchire, ce qui peut provoquer saignements et douleurs. Celles-ci sont très brèves et, dans l'excitation du moment, vite oubliées. Il est à remarquer que l'hymen d'une jeune femme vierge n'est pas toujours intact. En effet, il arrive fréquemment qu'il se rompe lors de la pratique de sports (équitation ou cyclisme, notamment) ou du fait de l'utilisation de tampons hygiéniques.

Trop étroite ?

Le *vaginisme* est une contraction des muscles vaginaux qui empêche la pénétration ou rend le coït douloureux pour la femme. Ses causes sont nerveuses. Il peut donc survenir chez une jeune fille inquiète par la perspective de faire l'amour pour la première fois. Je vous évoque ce problème pour que vous sachiez qu'il existe. N'imaginez surtout pas que cela doive vous arriver, et de façon permanente, par-dessus le marché : vous risqueriez juste de vous contracter à cette idée.

Certaines femmes m'écrivent pour se plaindre que leur constitution trop étroite les empêche d'avoir des relations sexuelles. Souvent, elles souffrent de vaginisme sans le savoir. Sachez qu'un vagin, c'est élastique. La preuve, c'est par là que naissent les bébés. Autant dire qu'un pénis ne devrait normalement trouver aucune difficulté à s'y introduire.

Comment savoir si votre ami a du mal à vous pénétrer en raison de contractions vaginales ou parce qu'il s'y prend mal ? Tout d'abord, la femme ressent une tension anormale de ses muscles. Elle peut aussi le vérifier en plaçant un doigt dans son vagin. Même si elle ne l'a jamais fait, c'est, normalement, très facile. Dans le cas contraire, il s'agit sans doute de vaginisme. Que faire ?

- Accordez-vous autant de préliminaires que possible (vous en découvrirez davantage à ce propos au chapitre suivant). En effet, l'excitation contribue à remédier au problème. Si votre partenaire n'a pas consacré assez de temps aux préludes, recommencez du début.
- L'excitation entraîne une lubrification naturelle. Si celle-ci s'avère insuffisante, vous avez toujours la possibilité de recourir à un produit lubrifiant.

La vaseline, de même que les autres produits à base de corps gras, endommagent très rapidement le latex des préservatifs. Si votre partenaire en utilise, veillez à n'employer que des lubrifiants à base d'eau.

- Détendez-vous. Le pire serait de vous forcer. Ce n'est pas parce que vous n'avez pu avoir un rapport aujourd'hui que ce sera impossible demain. Les cas de vaginisme assez graves pour requérir un traitement sont très rares. Laissez du temps au temps, et je suis sûre que les choses s'arrangeront.

- Je vous conseille de vous placer un oreiller sous les fesses. En modifiant ainsi l'angle de pénétration du pénis, vous rendrez votre première expérience plus facile.

- Chez certaines femmes, dont l'entrée du vagin demeure constamment trop étroite, on utilise une série de *dilatateurs* de plus en plus larges. Avec cette méthode, les rapports sexuels, qui leur étaient extrêmement douloureux, deviennent possibles.

Parfois, le vaginisme a des causes plus graves qu'une nervosité passagère. Pour le surmonter, il faut que la femme en identifie d'abord les origines profondes. Il peut s'agir d'une crainte des relations sexuelles due, par exemple, à un viol subi dans l'enfance. Dans ce cas, il convient de consulter un spécialiste.

Le gros lot du premier coup ?

En ce qui concerne le plaisir, il importe de savoir une chose : pour la plupart des femmes, le coït ne suffit pas pour atteindre l'orgasme. Certaines apprennent, avec l'expérience, comment y parvenir. D'autres n'y réussissent jamais. N'espérez pas trop connaître l'extase dès vos premiers rapports par la simple pénétration. En revanche, votre partenaire peut vous faire jouir à l'aide des doigts, de la langue ou du gros orteil.

La première fois pour lui

La première expérience sexuelle d'un homme est souvent parsemée de pièges ; mais, dans l'immense majorité des cas, l'intéressé réussit à les surmonter.

Maîtriser son érection

L'anxiété peut perturber l'érection – et qui ne se sent pas un peu nerveux dans un moment pareil ? Chez certains, celle-ci ne survient pas avant le tout début des opérations. Chez d'autres, les difficultés qu'ils éprouvent à introduire leur verge dans le vagin font retomber l'excitation. Même si votre érection ne prend pas complètement la poudre d'escampette, vos projets immédiats s'avèrent compromis.

Dans ce genre de situations, je vous souhaite d'avoir suivi mon conseil : trouver une partenaire pour qui vous représentiez plus qu'un amant de passage. Celle-ci se montrera beaucoup plus encline à attendre une minute ou deux que votre calme se rétablisse et à vous remettre « en forme » par ses caresses ou par contact buccal. Vous n'aurez plus alors qu'à essayer de poursuivre.

La jeune femme peut aussi écarter les lèvres de son vagin pour faciliter la pénétration. Le cas échéant, recourez à un lubrifiant. (Avec des préservatifs en latex, utilisez un produit aqueux, le mieux étant de se procurer des préservatifs pré-lubrifiés.)

Éjaculation précoce

Le problème qui perturbe le plus souvent un premier rapport est l'éjaculation précoce. La plupart du temps, celle-ci survient en cours de coït, l'acte sexuel se terminant plus vite que souhaité. Si cela se produit, vous aurez au moins réalisé votre objectif : perdre votre virginité. Mais il arrive aussi que l'homme s'excite tellement qu'il jouit avant de pénétrer la femme. L'érection retombe alors et le rapport devient impossible.

La situation est-elle embarrassante ? C'est le moins qu'on puisse dire ! Est-ce la fin du monde ? Non, quand même pas !

En général, les hommes qui souffrent d'éjaculation précoce (dont je décris le traitement au chapitre 16) ne « débandent » pas avant la pénétration. Si cela vous arrive, il est probable que le deuxième essai sera le bon. En revanche, ceux qui sont victimes du phénomène à plusieurs reprises peuvent essayer les exercices que je recommande au chapitre 16. En cas d'échec, il faudra consulter un spécialiste, un sexologue, par exemple.

Que faire ?

La plupart du temps, l'absence d'érection et l'inaptitude à maîtriser ses éjaculations ont une origine psychologique et non physique. Si les causes physiques de l'impuissance sont difficiles à traiter, il est, en général, possible de résoudre les problèmes d'ordre psychique. Il ne faut donc pas perdre espoir.

Qu'on soit homme ou femme, ce qu'il importe de savoir, c'est que la première fois n'est qu'une étape vers l'épanouissement physique. Je suis certaine qu'il suffit de sortir de son « analphabétisme sexuel » – en lisant attentivement cet ouvrage – pour devenir, dans de brefs délais, un expert en amour.

Les « premières fois » suivantes

Même avec l'expérience, quand on est sur le point de coucher avec un nouveau partenaire, on connaît quelques appréhensions. Pour certains, d'ailleurs, la sensation émoustillante procurée par la nouveauté devient une sorte de drogue, ce qui explique qu'ils recherchent éternellement des amours sans lendemain. Mais de nombreux autres connaissent chaque fois des problèmes identiques, voire supplémentaires, à ceux rencontrés lors de leur première expérience.

Un novice a l'avantage de n'avoir pas accumulé d'expériences négatives, ni acquis d'habitudes. Pour lui, tout est possible.

Mais, surtout quand on a fréquenté longtemps une même personne, il est moins aisé qu'il y paraît d'entamer une relation sexuelle avec une autre. Si on ne doute plus de ses propres capacités, on ne peut s'empêcher, en revanche, d'établir des comparaisons.

Faites votre maximum pour repousser cette tentation. Toute personne étant unique, le sexe avec un nouveau partenaire est toujours différent. Votre compagnon précédent est sorti de votre vie, alors, à quoi bon s'en servir d'étalon (c'est le cas de le dire) pour juger le nouveau ? Si celui-ci n'est pas très habile mais que vous lui trouviez assez d'attraits par ailleurs pour rester avec lui, montrez-lui comment améliorer vos relations physiques. La question n'est pas de l'amener à reproduire les prouesses de l'autre, ne serait-ce que pour éviter de vous remémorer de vieux souvenirs. Ce que vous avez de mieux à faire, c'est d'aider chacun(e) de vos partenaires à devenir le meilleur amant ou la meilleure maîtresse possible.

Un nouvel amour peut, en outre, être entaché par de précédentes expériences défavorables. Après une relation tourmentée, en particulier si on a subi un quelconque abus de la part de l'autre, il est compréhensible qu'on craigne de se relancer dans l'aventure. Il faut que votre nouveau partenaire sache qu'il doit procéder avec vous avec tact et délicatesse. Un traumatisme moral met souvent plus de temps à se guérir qu'une blessure physique. Mais une rencontre adéquate contribue amplement à accélérer le processus de cicatrisation.

Dans le cas où on sort d'une relation très prolongée, après des décennies de mariage, par exemple, une difficulté s'ajoute. Il faut, en effet, s'adapter à l'arrivée d'une nouvelle personne dans sa vie alors qu'on a vieilli, physiquement et mentalement. Les transformations du corps (à moins de s'appeler Jane Fonda) constituent une source supplémentaire d'appréhensions. Il importe, je pense, de surmonter cet obstacle dans les plus brefs délais.

Si votre nouvelle conquête est prête à faire l'amour avec vous, c'est bien qu'elle vous trouve une forme de séduction. Par conséquent, à quoi bon essayer de cacher votre corps ? Adoptez au contraire la philosophie des nudistes, selon laquelle on se sent plus libre nu qu'habillé, parce qu'on renonce à se dissimuler. Au lieu de vous glisser en un éclair sous les draps, faites étalage de votre physique. Si votre partenaire prend la fuite, c'est que cela devait se terminer ainsi un peu plus tard. Mais je parierais que vous ne connaîtrez pas pareil épilogue.

J'espère que vos précédentes expériences vous ont servi à connaître votre fonctionnement physique. N'hésitez pas à indiquer à un nouveau partenaire ce qui favorise votre plaisir. Ainsi, même à supposer que, par ailleurs, vos relations passées ne vous aient apporté que des déboires, vous en aurez au moins tiré, sur le plan sexuel, un enseignement très important.

Chapitre 7

Allumer le feu : les préliminaires

Dans ce chapitre :

- Créer un climat toujours propice
- Prendre son temps
- Cartographie sexuelle

Dans l'esprit des gens, le terme de « préliminaires » est sans doute l'un des moins clairs du vocabulaire sexuel. C'est à se demander si certains hommes en connaissent seulement le sens ! Lentement mais sûrement, la gent masculine commence tout de même à reconnaître l'importance des préludes amoureux.

Pour le lecteur qui n'en aurait jamais entendu parler, précisons que les préliminaires sont les caresses et autres contacts qui précèdent immédiatement l'acte sexuel en soi. Ces jeux favorisent chez l'un comme chez l'autre l'excitation nécessaire pour parvenir à la plénitude.

D'incessants préliminaires

Selon moi, il convient non seulement de prolonger autant que possible les préliminaires mais, après chaque acte sexuel, de préparer le suivant, que celui-ci ait lieu un moment ou une semaine plus tard.

Quiconque prétend devenir expert en amour devrait, au moindre échange avec son partenaire, faire son maximum pour lui procurer du plaisir.

J'en entends déjà certains m'interrompre : « Autrement dit, Dr Ruth, vous voudriez que chaque fois que je demande à ma femme de me passer le sel, je me débrouille pour qu'elle prenne son pied ? »

En quelque sorte, oui ! Au lieu de vous contenter de lui dire : « Passe-moi le sel » ; ajoutez un ou deux mots tendres, « mon amour », par exemple, ou son prénom, tout simplement. Plus vous vous montrerez attentionnés l'un envers l'autre, plus votre vie sexuelle en sera épanouie.

Vous n'êtes toujours pas convaincu ? Imaginez la situation inverse. Quand on vous traite de nul, par exemple, est-ce que cela vous excite, au sens sexuel du terme ? Cela déclenche-t-il en vous une bouffée de testostérone ou une montée d'adrénaline ?

Bien évidemment, pareil mépris ne peut vous inciter à l'amour, surtout s'il se reproduit régulièrement. Conclusion : de la même façon que l'absence de respect entretient la colère, la tendresse nourrit les feux de l'amour...

En marquant vos paroles ou vos gestes les plus quotidiens de douceur et de gentillesse, vous préparerez le terrain pour que les moments où il ne s'agit plus de se passer le sel soient plus savoureux que jamais !

Affectif et physique, même combat

Afin d'établir clairement la différence entre les préliminaires au sens où on les entend habituellement, et ma version personnelle, je distinguerai leurs effets selon qu'ils sont d'ordre affectif ou physique. J'examinerai, en particulier, leur rôle sur le désir féminin.

Dans l'esprit des gens, les préludes amoureux ne reposent que sur un mécanisme de cause à effet. Selon eux, ils ont pour unique fonction de préparer le terrain sur le plan physique :

- Pour que copulation il y ait, il faut bien que la verge soit en érection.
- La lubrification due aux secrétions vaginales facilite le rapport.

Les préliminaires ont effectivement pour rôle fondamental d'exciter les partenaires de façon que ces manifestations se produisent.

Pour un jeune homme, que la seule idée d'être sur le point de faire l'amour excite déjà, quelques pas dans la chambre en guise de préambule peuvent suffire. Avec l'âge, cela changera. Mais les jeunes hommes, qui ignorent en général ce que l'avenir réserve à leurs capacités érectiles – peu leur chaut, à vrai dire –, sont souvent impatients d'arriver à l'« essentiel » en passant outre des étapes superflues, selon eux.

D'aucuns vous ont peut-être raconté qu'une femme n'atteint son apogée sexuelle qu'à partir de trente ans. Il n'existe aucune raison physique étayant cette théorie et, dans bien des cas, elle est tout à fait fausse. Il est vrai que certaines femmes connaissent une sexualité plus satisfaisante avec le temps. Je crois que cela ne tient pas à leur âge, mais à leurs partenaires.

En effet, les hommes commencent souvent à n'apprécier l'intérêt des préliminaires qu'une fois la trentaine arrivée. Pas étonnant, dans ces conditions, que leurs compagnes attendent cet âge pour s'épanouir. Trouvant plus de plaisir aux rapports sexuels, il est logique qu'elles en demandent plus qu'avant…

Le cycle de réaction sexuelle

Mes confrères sexologues et moi-même devons en partie notre existence aux docteurs William Masters et Virginia Johnson, ainsi qu'à leurs recherches, poursuivies de la fin des années 50 au début des années 60 sur le cycle de réaction sexuelle.

Ces études consistaient à observer en laboratoire plus de 10 000 actes sexuels. Après 1 000 séances, il est probable que le voyeur le plus consciencieux en aurait été dégoûté. Cela laisse présumer du sérieux de leur travail scientifique.

Je dis bien « scientifique » car il s'agissait d'observer et non seulement de regarder. Leurs « cobayes » humains agissaient sous le contrôle d'appareils de mesure visant à définir exactement tout ce qui leur arrivait. Les docteurs Masters et Johnson évaluèrent ainsi, entre autres, la quantité de secrétions émises dans le vagin pour lubrifier celui-ci ou le volume exact d'un éjaculat.

Leurs études ont débouché sur la définition d'un cycle de réaction sexuelle divisé en quatre phases. Par la suite, le docteur Helen Singer Kaplan, à qui je dois ma formation, s'est inspirée d'éléments de ce modèle pour créer le sien.

Pour établir un diagnostic, il est essentiel que le sexologue examine le cycle de réaction sexuelle du patient. Pour vous aider à progresser dans votre propre épanouissement, je vous en indique ci-dessous les différentes phases :

- **Désir sexuel.** Ce qu'on appelle aussi la *libido* préexiste à toute stimulation physique ou psychologique. Seule Helen Singer Kaplan l'a intégrée à son modèle. Il semblerait que certaines substances chimiques secrétées par l'organisme (en particulier la *testostérone*, hormone mâle également présente chez la femme) soient à l'origine de cet état de désir latent, qui sert de base à l'excitation sexuelle.

Le docteur Kaplan a défini cette phase car ses travaux thérapeutiques lui ont révélé que, chez certaines personnes, l'appétit sexuel était tellement limité qu'elles n'accédaient jamais, ou presque, aux autres phases du cycle. Ce n'est qu'en étudiant celle-ci qu'on pouvait donc découvrir la cause de leurs difficultés.

- **Excitation.** Celle-ci coïncide avec la *vasocongestion* des organes génitaux, c'est-à-dire leur gonflement dû à un afflux de sang dans les tissus.

  Chez l'homme, cet état provoque l'érection. Chez la femme, le clitoris et les lèvres gonflent ainsi que les seins ; les mamelons se redressent ; les secrétions vaginales augmentent. L'excitation se manifeste, en outre, par une accélération des rythmes cardiaque et respiratoire et par une élévation de la tension artérielle. Souvent, les muscles des membres sont plus tendus. Certaines personnes ressentent une bouffée de chaleur au niveau de l'abdomen supérieur, qui s'étend parfois jusqu'à la poitrine.

  L'état d'excitation résulte d'un ou de plusieurs *stimuli* physiques (visuels ou autres) ou psychologiques, causés par la personne elle-même ou par le partenaire.

- **Plateau.** Certains aspects de la phase d'excitation s'accentuent.

Pendant cette phase, Masters et Johnson décrivent chez l'homme les deux manifestations physiques suivantes :

- La verge émet quelques gouttes de liquide, destinées à faciliter le passage des spermatozoïdes. (Ces gouttes contiennent elles aussi des gamètes, ce qui explique que la technique du *coitus interruptus* soit à ce point risquée. Le chapitre 5 apporte plus de détails sur l'inefficacité du retrait comme méthode pour éviter les grossesses.)
- Les testicules se gonflent et se rapprochent du corps.

Le docteur Kaplan intègre ces réactions à la phase d'excitation. En effet, l'individu ne faisant aucune différence entre cette phase et celle du plateau, elle considère ces subtilités sans valeur du point de vue thérapeutique.

- **Orgasme.** Chez les deux sexes se produit une série de spasmes musculaires. Le visage s'anime, les rythmes cardiaque et respiratoire augmentent encore, de même que la tension. Les organes génitaux se contractent fortement.

Chez l'homme survient une contraction supplémentaire, qui accompagne l'éjaculation. Celle-ci s'effectue en deux étapes : la sensation de non-retour (sur laquelle je reviendrai au chapitre 16), immédiatement suivie par l'éjaculation elle-même.

- **Résolution.** Lors de cette phase finale (identifiée par Masters et Johnson uniquement), l'organisme revient lentement à son état normal, c'est-à-dire à la situation existant avant la phase d'excitation. Cette étape dure beaucoup plus longtemps chez la femme que chez l'homme, d'où l'intérêt de prolonger les jeux amoureux.

  L'homme connaît une *période réfractaire* pendant laquelle, après l'orgasme, il ne peut réagir à de nouvelles stimulations sexuelles ni, de ce fait, entrer en érection. Souvent limitée à quelques minutes chez l'individu jeune, elle s'étend avec l'âge.

L'homme atteint la phase d'excitation beaucoup plus vite que la femme qui, en revanche, connaît une phase de résolution plus longue. Pour compenser, je vous suggère d'élargir autant que possible le concept de préliminaires.

Lui offrir des fleurs ? Là, maintenant ?

Vous, les hommes, avez-vous déjà songé qu'offrir un bouquet de fleurs à votre partenaire stimulait autant son appétit sexuel que des gestes plus directs ?

Ce cadeau fait sans doute partie de votre arsenal de moyens de séduction. Pour vous, c'est un moyen de prouver vos sentiments, mais vous ne lui aviez jamais attribué de rôle sexuel… Pourtant, le fait de se voir offrir des fleurs par son amant contribue souvent à augmenter le désir chez la femme. Il suffit parfois à déclencher l'augmentation des secrétions vaginales.

La femme mettant plus de temps à atteindre un niveau d'excitation maximal, plus tôt vous lui présenterez votre bouquet, plus longtemps elle en ressentira les effets positifs. Au lieu de rentrer chez vous vos fleurs à la main, je vous conseille donc de les lui envoyer à l'avance. Avec un peu de chance, quand vous franchirez le seuil de la maison, il ne vous restera plus grand-chose à faire pour émoustiller votre bien-aimée.

Bien que je sois tout à fait favorable à la spontanéité et à l'improvisation (et ne voie donc aucun inconvénient à ce que, à l'occasion, vous bondissiez sur le lit sans autre forme de préliminaires), je vous assure que, plus on consacre de temps aux « amuse-gueule », plus le festin qui s'ensuit promet d'être succulent !

Des avantages de la préméditation

Les préliminaires ne servent pas uniquement à favoriser le plaisir de votre partenaire. Il s'agit aussi d'un bon moyen d'anticiper et de se préparer soi-même à l'acte d'amour. D'où l'intérêt de prévoir à quel moment vous allez vous y consacrer.

Votre partenaire et vous n'habitez pas ensemble ? Vous devez vous retrouver ce soir ? Pendant quelques instants dans la journée, visualisez ces perspectives de retrouvailles. De même, si vous vivez en couple, organisez de temps en temps de tels rendez-vous : vous pourrez ainsi fantasmer à l'avance.

Faites-vous beau/belle pour l'occasion

Il existe toutes sortes de messages à adresser à l'autre pour lui indiquer qu'il y a du sexe au programme. Sans aucun doute possible, l'habillement en est un. Supposons, par exemple, qu'en vous préparant le matin pour aller travailler, vous enfiliez en sa présence vos dessous les plus sexy. Avec un peu de chance, il comprendra que la cible de ces manœuvres de séduction, c'est lui ! Et, l'un comme l'autre, vous pourrez saliver dans la journée sur le menu du soir.

Pourquoi ne pas lui adresser, en outre, des signes moins explicites que la transparence de vos froufrous ? Suggérez-lui de porter tel accessoire vestimentaire que vous lui avez offert pour l'anniversaire de votre rencontre. Cet indice devrait faire « tilt » dans son esprit.

Soulignons toutefois que, dans certains cas, l'habillement produit un effet négatif. Imaginez qu'alors que vous vous sentez en pleine forme pour une nuit torride, vous revêtiez tout de même votre vieux pyjama de flanelle… Vous risquez de transmettre le message exactement inverse à celui qu'il conviendrait de faire passer. Si vous êtes du genre frileux, c'est pourtant l'occasion ou jamais de trouver un moyen plus érotique pour vous réchauffer !

Les petits dîners aux chandelles

Les tête-à-tête romantiques sont des introductions idéales à l'amour. Inutile pour cela d'épuiser votre compte en banque. Bien entendu, un dîner fin, servi dans un cadre de rêve par un personnel aux petits soins, contribue à créer une atmosphère propice. Mais vous obtiendrez le même résultat en vous faisant livrer à domicile vos plats chinois favoris.

En effet, ce qui compte c'est de vous accorder l'un à l'autre toute votre attention. Il arrive trop souvent qu'un couple se querelle en sortant du restaurant : à force de chipoter, elle l'a rendu de mauvaise humeur ; en reluquant ostensiblement les jolies femmes des tables voisines, il l'a mise hors d'elle. En outre, les excès de nourriture ou de boisson sont ennemis des performances sexuelles.

L'important, ce n'est donc ni l'environnement, ni la qualité de la gastronomie, mais l'intimité de ces moments passés les yeux dans les yeux, sans se soucier du reste du monde. Autrement dit, le principal ingrédient du festin, c'est la communication entre les deux amants, par le regard, le toucher et la parole.

Il n'est donc pas forcément plus mal de rester à la maison ! Vous aurez moins de motifs pour laisser votre esprit s'égarer. Encore faut-il éviter de gâcher le romantisme de la soirée en laissant l'autre préparer le dîner et faire la vaisselle. Supposons aussi que votre petit dernier vous énerve en s'évertuant à faire ingurgiter ses épinards par le chien... À vous de choisir le cadre qui vous convient le mieux.

Embrassez-vous !

Il existe un tableau de Corrège, peintre de la Renaissance italienne, qui représente Jupiter, transformé en nuage et donnant un baiser à Io. Cette peinture illustre une façon délicieuse, selon moi, d'embrasser : tellement légère et du bout des lèvres qu'on croirait effleurer un nuage. Quand on pense qu'il existe quantités d'autres formes de baisers, fougueux ou délicats, bouche ouverte ou fermée, avec la langue ou non ! C'est un véritable don que nous ont fait les dieux.

Pour la plupart d'entre nous, le baiser va de soi. Mais pas pour tout le monde. Je reçois régulièrement des courriers de femmes qui se plaignent que leur compagnon ne les embrasse pas assez, ou sans conviction, ou pas du tout.

Mon premier conseil est de vérifier votre haleine. Non pas que ce soit toujours l'origine de cet inconvénient mais, au moins, voilà une cause facile à éliminer. Demandez à votre partenaire de vous rassurer à ce sujet ou, si cela vous gêne vraiment, posez la question à votre dentiste ou à un proche.

Si c'est chez l'autre que se produit le problème, je crois qu'il vaut mieux le lui dire carrément – enfin, pas au milieu d'un baiser langoureux, tout de même. Procurez-vous un produit d'hygiène buccale et faites-lui comprendre avec tact qu'il en aurait besoin. Pour lui montrer combien vous préférez son haleine quand elle est parfumée à la menthe, gratifiez-le d'un long baiser.

Par ailleurs, n'oubliez pas que certaines personnes ont du mal à respirer par le nez. Difficile, dans ces conditions, de prolonger des embrassades à bouche que veux-tu ! Il existe dans bien des cas une solution médicale.

Bien entendu, on peut s'embrasser ailleurs que sur la bouche. Partout sur le corps, même ! Les deux partenaires doivent y éprouver du plaisir. Certaines femmes répugnent à pratiquer la fellation, craignant les « débordements » qui en résultent. Peut-être oseront-elles cependant déposer de légers baisers sur le sexe de leur compagnon, sachant qu'il est rare que ces *stimuli* suffisent à déclencher une éjaculation. Le partenaire saura ainsi que ce n'est pas cette partie de son anatomie en soi qui les rebute, mais qu'elles préfèrent tout simplement d'autres pratiques.

L'art du massage

J'ai évoqué plus haut le rôle du toucher comme moyen de communication. Certes, dans un endroit public comme un restaurant, cela se limite le plus souvent à se tenir la main ou à se faire du pied.

Les petits coquins, sous couvert de la nappe, en profitent pour aller plus loin. Ils risquent de se trouver dans l'embarras quand ils comprendront qu'ils attirent les regards : l'un des plaisirs du restaurant n'est-il pas d'observer les autres convives ?

À mon avis, il vaut mieux attendre d'être rentrés à la maison pour s'en donner à cœur joie. Si vous avez envie de faire durer le plaisir, un massage réciproque représentera une entrée en matière aussi sensuelle que relaxante :

- Baissez la lumière ou n'allumez que des bougies.
- Utilisez des huiles aromatiques.
- Ne précipitez surtout pas les choses ; faites votre maximum pour ressentir le plaisir de l'autre.
- Alternez palpations vigoureuses et caresses délicates. Les terminaisons nerveuses situées au bout de vos doigts vous permettront de découvrir votre partenaire sous un nouveau jour.

L'eau est un milieu particulièrement propice pour prolonger vos jeux amoureux. Rien n'est plus sensuel et délassant que de partager un bain, voire, si on en a les moyens, un jacuzzi doucement éclairé par en dessous.

Un bain bien chaud, c'est idéal pour un câlin, mais cela peut être dangereux pour faire l'amour. En effet, une température élevée a tendance à accroître la tension artérielle et le rythme cardiaque, déjà augmentés par l'excitation sexuelle. Sans vous dissuader de poursuivre vos ébats dans la baignoire, je vous conseille toutefois de la réserver aux préliminaires.

À défaut de baignoire, prenez votre douche ensemble. Vous vous rendrez réciproquement service en vous frottant le dos et ce sera une occasion agréable de vous découvrir l'un l'autre.

Pour les maniaques de l'hygiène, se laver ensemble permet à l'une de vérifier, par exemple, la netteté du pénis de l'autre. Ce conseil peut faire rire ; pourtant, il existe des personnes chez qui ce genre de réticences existe, de même que les craintes relatives aux odeurs corporelles. Je l'ai donné à de nombreux couples avec des résultats positifs.

La carte du Tendre directement relevée sur le terrain

De même qu'on dessina jadis une carte du Tendre qui répertoriait les diverses émotions amoureuses, pourquoi ne pas dresser la cartographie physique de votre partenaire… En effet, le massage vous a permis de lui procurer d'érotiques sensations, mais il vous reste à identifier les parties de son corps les plus réceptives à vos caresses : poitrine, poignets, cuisses, etc.

Cet art de l'exploration n'est pas à limiter à l'autre : vous pouvez l'expérimenter sur vous-même. Vos plus fortes sensations dépendent non seulement des endroits caressés, mais aussi de la façon de s'y prendre. Nul autre que vous ne peut savoir ce qui vous procure le plus de plaisir : un contact léger, plus énergique, continu ou non ? C'est pourquoi il est intéressant d'essayer sur vous comme sur votre partenaire.

La découverte du continent corporel ne doit pas se limiter à une expédition : même si vous connaissez l'autre, ses points sensibles et la meilleure manière de les stimuler, vous trouverez tout au long de votre relation de nouvelles sensations en reproduisant cette cartographie amoureuse. Cette pratique n'est pas qu'un simple prélude : c'est une façon d'élaborer une véritable « base de données », que vous consulterez sans cesse lors de vos futurs rapports.

À cartographier en priorité : les zones érogènes

Les zones érogènes sont les parties du corps qui, caractérisées par une plus grande concentration de terminaisons nerveuses, sont plus sensibles aux stimulations que les autres.

Certaines d'entre elles sont quasiment universelles. Rares sont les femmes qui n'apprécient pas que l'homme « examine » leur poitrine et celui-ci, en général, ne se fait pas prier. N'oubliez tout de même pas, messieurs, les conseils que je viens de vous prodiguer : la manière importe autant que la localisation des caresses.

N'oubliez pas non plus que les préliminaires servant à éveiller votre désir réciproque, vous devez faire ce qui excite votre partenaire. Certes, si cela vous procure une inénarrable jouissance, il ne faut pas vous priver de lui lécher le bout des seins, au motif qu'il ne s'agit pas de sa principale zone érogène. Mais si ce qui lui fait le plus d'effet, c'est une légère caresse du doigt sur le mamelon, tenez compte de ses goûts aussi.

Toute partie du corps peut être érogène, mais voici les plus « populaires » :

- les fesses ;
- le périnée (zone située entre l'anus et les parties génitales) ;
- l'arrière des genoux ;
- la nuque ;
- et, bien entendu, les organes sexuels.

Vous pensez ne pas être « comme les autres » à cet égard ? Quelle importance ! Vous adorez qu'on vous lèche le lobe de l'oreille, incitez votre partenaire à le faire. Tout comme nos empreintes digitales, nos zones érogènes sont uniques. Il n'y a aucun mal à se faire du bien à l'endroit le plus sensible. Le jeu de la cartographie corporelle sert justement à trouver chez l'autre ceux auxquels vous n'auriez jamais songé auparavant.

Suivez la carte

À quoi bon se munir d'une carte si on ne s'en sert pas ? Une fois identifiés les coins et recoins que votre partenaire aime qu'on lui embrasse, lèche, suce, mordille, titille, masse, pétrisse, caresse des mains ou du souffle, frotte du nez ou d'autre chose, enduise d'huile de massage, etc., il convient de passer du repérage à l'action sur le terrain. Vous êtes même autorisé à recourir à tout gadget érotique susceptible d'accroître l'effet recherché – qu'il soit prévu pour ou non. Vibromasseurs et godemichés sont les bienvenus, comme tout autre accessoire improvisé, vos cheveux, une plume, un manche de brosse, par exemple. Je vous en voudrais toutefois de confondre vibromasseur et tournevis électrique.

Zone interdite

Du jour au lendemain, il arrive qu'une zone érogène devienne secteur à éviter. J'ignore les causes de cette inversion de pôles, mais il survient à un moment ou à un autre chez la plupart des gens. Par conséquent, ne vous vexez pas si, soudain, on vous dit « bas les pattes » là où vous aviez l'habitude de laisser traîner vos mains (il serait plus préoccupant que votre partenaire craigne systématiquement les chatouilles, quelles qu'elles soient). Vous serez sans doute autorisé à y revenir la prochaine fois.

À l'assaut des points stratégiques

Quand bien même vous prolongeriez à l'extrême les aspects les plus romantiques de vos jeux amoureux, il est à supposer que vous aborderez tôt ou tard des réalités plus concrètes, disons, vos sexes respectifs. N'oublions point que l'objectif final des préliminaires est de préparer les deux protagonistes à l'orgasme. Un homme dans la force de l'âge n'en a guère besoin mais, pour la femme, c'est presque toujours indispensable. Ceci s'explique par des raisons physiques et psychologiques.

Le mieux pour elle

La raison physique pour laquelle la femme nécessite, en général, plus de temps pour atteindre l'orgasme que l'homme, c'est que sa principale zone érogène est le clitoris.

La plupart des femmes ne peuvent jouir qu'à l'aide d'un contact physique sur cet organe érectile. Les va-et-vient de la verge dans le vagin n'offrent pour une majorité d'entre elles qu'une stimulation insuffisante, le sexe masculin ne touchant pas le clitoris. L'une des façons de résoudre le problème consiste pour le partenaire à stimuler celui-ci au préalable ; c'est l'une des fonctions essentielles des préliminaires.

Chez certaines femmes, ce *stimulus* est assez excitant pour qu'elles atteignent l'orgasme pendant la pénétration sans autre contact direct avec le clitoris. D'autres ne peuvent se passer de cette stimulation ; elles jouissent donc soit avant, soit après le rapport vaginal. Ou bien elles adoptent une position qui permet de toucher le clitoris pendant l'acte sexuel. Je traite cette question au chapitre 10.

Stimulation du clitoris

Pour l'homme, « contenter » un clitoris n'est pas une mince affaire.

Ledit clitoris se caractérise par son extrême sensibilité ; c'est justement pourquoi on peut provoquer un orgasme en le stimulant. Mais du fait de cette sensibilité, le contact peut aussi s'avérer douloureux. Une seule solution : procéder en douceur et dans le dialogue.

Aucune femme n'est pareille à une autre ; votre compagne est donc seule à savoir ce qui lui convient.

La femme doit indiquer à son amant la méthode à suivre pour la satisfaire. Il n'est cependant pas obligatoire de s'exprimer par les mots : si cela vous gêne, guidez plutôt sa main avec la vôtre. Faites-lui comprendre avec quelle intensité il doit vous caresser, si vous voulez qu'il touche le clitoris lui-même ou seulement la zone qui l'entoure. Aidez-le à trouver le rythme et, le cas échéant, les variations de vitesse qui vous conviennent.

Avec l'expérience et à condition qu'il se montre attentif, votre compagnon saura de lui-même répondre à vos attentes.

Les doigts et autres accessoires

Comme je le mentionne plus haut, un clitoris peut se stimuler du doigt, de la langue ou du gros orteil. Reconnaissons que l'emploi de ce dernier n'est pas le plus commun. De ce que je m'entends dire dans le cadre de mes consultations, il ressort que les doigts restent en *pole position*, suivis par la langue et, en troisième lieu, par un accessoire livré en option sur le corps humain : le *vibromasseur.*

Dans l'esprit des gens, cet objet sert uniquement au plaisir solitaire. Pourtant, lorsque, dans un couple, la femme a besoin d'un puissant stimulus, que son partenaire est d'un âge avancé ou que ses capacités physiques lui interdisent pareil exercice, il n'y a aucune raison de s'en priver. (J'indique au chapitre 14 les précautions à prendre pour utiliser l'objet en question.) Mais, dans la plupart des cas, l'intervention d'un système mécanique n'est pas utile.

Un détail : les doigts se terminent par des ongles, parfois coupants. La plupart des hommes les portent courts mais il vaut quand même mieux s'assurer d'élaguer à l'avance tout angle aigu.

Le contact manuel présente un avantage : il permet la lubrification du clitoris. Les secrétions vaginales suffisent en général. L'homme n'a donc qu'à insérer ses doigts de temps en temps dans le sexe de sa partenaire afin que la zone clitoridienne demeure humide. La salive sert aussi de lubrifiant. Enfin, au cas où la femme présenterait une sécheresse vaginale du fait de son âge ou pour une autre raison, il existe toutes sortes de produits destinés à y remédier.

L'homme ne doit pas se limiter à stimuler le clitoris : la vulve entière est une zone sensible (voir le chapitre 2) ; de plus, de nombreuses femmes apprécient que leur partenaire introduise dans leur vagin un ou plusieurs doigts, d'une main ou des deux.

L'homme peut poursuivre son exploration jusqu'à l'anus, également zone érogène. Il faut savoir toutefois qu'il risque ensuite d'introduire des microbes dans le vagin, où leur prolifération est cause d'infections. Il est donc fortement recommandé au partenaire masculin d'éviter de placer ses doigts dans le conduit vaginal après avoir touché la région anale.

Une experte : la langue

La langue a été parfaitement conçue non seulement pour le baiser, mais aussi pour les préliminaires.

- La salive lui assure une lubrification constante.
- Elle est plus douce que les doigts et ne comporte, contrairement à eux, aucun élément acéré.
- Elle permet des contacts de toutes sortes, des petites touches aux longs coups de langue appuyés.

Il n'est pas surprenant qu'un grand nombre de femmes considèrent un homme maître dans l'art du *cunnilingus* ou *cunnilinctus* (contact bucco-génital) comme un amant particulièrement appréciable.

Cependant, toutes n'aiment pas cette pratique, pour diverses raisons :

- Certaines préfèrent voir le visage de leur compagnon.
- D'autres sont influencées par leur éducation religieuse.
- D'autres encore, répugnant à la fellation, n'osent accepter cet hommage de peur de devoir rendre l'équivalent.

Quels que soient les motifs de leurs réticences, l'homme doit les respecter. Si votre partenaire féminine se refuse aux pratiques buccales, renoncez-y, au moins pour le moment.

Le mieux pour lui

Chez les adolescents, l'érection survient à tout moment, et parfois dans des circonstances très gênantes, quand le professeur les appelle au tableau, par exemple. (Non pas que la perspective de tracer une équation devant leurs camarades soit particulièrement excitante. Mais le fait de se lever brusquement alors qu'on était assis depuis longtemps a pour effet d'accélérer le flux sanguin. Une partie de ce flux vient gonfler la verge. Alors, pour peu que le jeune homme en question lorgne depuis un moment la jolie fille assise devant lui…)

Avec l'âge, l'érection à caractère *psychogène* (autrement dit, spontanée) survient plus rarement, puis disparaît. L'homme a alors besoin de stimulations physiques pour entrer en érection (je décris cette évolution au chapitre 16). Ces stimulations, nécessaires ou non, figurent parmi les préludes de l'acte amoureux.

La plupart du temps, le partenaire masculin a une idée précise des caresses les plus adéquates qu'il convient de lui prodiguer pour inciter sa verge à sortir de sa torpeur. Mais certains hommes, surtout ceux qui se masturbent souvent, n'arrivent à l'érection que selon un schéma qui leur est propre et qu'ils sont seuls à pouvoir reproduire. Il leur faut alors effectuer eux-mêmes ces prémices. Une fois l'érection obtenue, la femme peut prendre le relais.

Fellation

La pratique bucco-génitale appelée *fellation* peut se réaliser selon différents degrés d'aboutissement.

Les femmes doivent savoir que la partie la plus sensible du pénis se trouve à sa partie inférieure, juste en dessous du gland. Inutile, dans ces conditions, d'avaler quasiment l'objet en question pour procurer à son compagnon un plaisir intense.

La partenaire peut déclencher de très agréables sensations à l'homme en se contentant de lui lécher la verge sans pour autant la placer dans sa bouche. À mes patientes qui me confient leurs difficultés à pratiquer la fellation, je suggère d'imaginer qu'elles dégustent une glace.

À cette étape préalable, le but de l'opération n'est pas d'aboutir à une éjaculation. La verge ne produit, pour le moment, que des secrétions pré-éjaculatoires. Pour éviter d'aller trop loin, la femme peut s'interrompre de temps en temps afin de demander à son amant où il en est dans sa progression vers le plaisir. S'il lui indique être proche de l'orgasme et que les partenaires souhaitent poursuivre par une pénétration, il est temps de s'en tenir là pour ce qui est de la stimulation buccale.

Ce conseil vaut, d'ailleurs, pour tous les jeux préliminaires, surtout quand l'homme connaît des problèmes d'éjaculation précoce. Comme je l'explique au chapitre 16, il est relativement facile pour la gent masculine d'apprendre à détecter l'imminence du point de non-retour. Tout homme devrait y parvenir afin d'éviter d'éjaculer soit pendant les préliminaires, soit trop tôt en cours de coït.

Une bonne communication, par les mots ou par le geste, fait partie intégrante de tout échange sexuel. Chaque partenaire ne devrait donc pas hésiter à dire à l'autre d'arrêter telle ou telle action, parce qu'elle le met mal à l'aise ou, au contraire, parce qu'elle lui fait trop d'effet.

Autres zones érogènes

Le pénis n'est pas le seul instrument auquel la femme peut recourir pour exciter son partenaire. Voici quelques autres parties du corps masculin (la liste n'est pas limitative) qui ne demandent qu'à participer :

- Les testicules sont une zone tout ce qu'il y a de plus érogène. Les dames sont néanmoins priées de les manipuler avec délicatesse ; un mouvement déplacé, et il faut tout recommencer du début.
- De nombreux hommes adorent qu'on leur caresse ou qu'on leur suce les bouts de sein.
- L'anus est également un lieu privilégié. Mais, chez l'homme aussi, il importe de ne pas répandre de bactéries de cette région aux organes génitaux.

Un ingrédient indispensable : la variété

De façon générale, l'ennui est ennemi de l'épanouissement sexuel. Il n'empêche que certaines personnes ont besoin de respecter un certain rituel pour atteindre leur meilleur niveau d'excitation. Telle femme, par exemple, ne connaîtra d'orgasme que si, pendant les préliminaires, son mari s'est appliqué à lui lécher le clitoris sans discontinuer pendant quelques minutes. Pour éviter à vos petites habitudes de se transformer en routine, je vous conseille d'arriver à l'objectif visé par des chemins différents d'une fois sur l'autre. Les préliminaires gagnent à être variés et inventifs.

Les préliminaires ont une fin

Comment savoir quand chaque partenaire a eu sa dose de préparation ? C'est impossible autrement qu'en se le disant, d'où l'importance cruciale du dialogue. Lorsque l'un des deux sent qu'il approche de l'orgasme, par exemple, il faut qu'il indique à l'autre qu'il est prêt. Prêt à quoi ? Bonne question.

Pour la femme qui sait pouvoir jouir pendant le coït, cela consiste à faire comprendre à l'homme, par le geste ou par la parole, qu'il est temps de la pénétrer. En revanche, celle qui ne peut atteindre le plaisir de cette façon l'incitera à continuer la stimulation clitoridienne jusqu'au bout.

Vous constatez qu'il n'existe pas de réponse universelle à la question qui nous intéresse. Ce qui importe, c'est que le couple se concentre sur ce qui réussit le mieux à l'un comme à l'autre, afin que les deux protagonistes s'en trouvent satisfaits. Chaque couple étant différent, il lui incombe de trouver la fin du scénario. Dès lors que les deux partenaires poursuivent un but identique, ils en ressortiront toujours gagnants.

Chapitre 8

Variations érotiques

Dans ce chapitre :

- La position du missionnaire
- La femme en position de supériorité
- Une portée de levrettes
- Avec la bouche
- Des voies impénétrables ?
- Jeux de mains à deux
- Et pendant la grossesse ?

Maintenant que nous avons fait le tour des préliminaires, hors-d'œuvre érotiques destinés à éveiller les sens des partenaires, il est temps d'aborder le plat de résistance. J'entends par là le coït, l'accouplement, la copulation, bref, l'acte sexuel réduit à sa plus simple expression, de la pénétration du pénis dans le vagin à l'éjaculation. Mais il convient d'ajouter à ce mets de choix toutes sortes d'accompagnements : masturbation mutuelle, fellation, sodomie. En fait, toutes les activités qui, poursuivies par deux personnes consentantes, aboutissent à l'orgasme, pour l'homme et pour la femme. (J'étudierai la question de l'orgasme au chapitre suivant.)

Les charmes du voyage

Bien des voyages présentent, en soi, autant d'agrément que leur destination. En ce qui concerne l'expédition qui nous intéresse, c'est surtout le trajet précédant l'orgasme qui offre les paysages les plus variés.

Je précise que ce livre n'est pas une nouvelle édition du *Kama Sutra*. Je n'y décrirai donc pas toutes les positions imaginables, ne serait-ce que parce que je ne prends pas mes lecteurs pour des acrobates. Je m'attacherai, en revanche, à vous indiquer les plus courantes ainsi que leurs avantages respectifs. Il ne s'agit pas ici de prêchi-prêcha sur la normalité ou l'acceptabilité de telle ou telle pratique. Mon but est simplement de souligner que, s'il existe des positions plus appréciées que d'autres, ce n'est pas par hasard.

Selon mon avocat, il convient en outre qu'en début de ce chapitre, je me dégage de toute responsabilité concernant les éventuels aléas liés à leur pratique. Par conséquent, je vous conseille de faire attention, en particulier si vous avez un point faible, un dos fragile, par exemple.

Ne vous étonnez pas si les pages qui suivent vous émoustillent. En fait, il serait plutôt alarmant que la lecture de ce chapitre ne vous fasse rien ressentir du tout, quelque part entre la poitrine et les genoux.

Cette bonne vieille position du missionnaire

Dans la position du missionnaire (voir la figure 8.1), particulièrement classique, l'homme se trouve sur la femme.

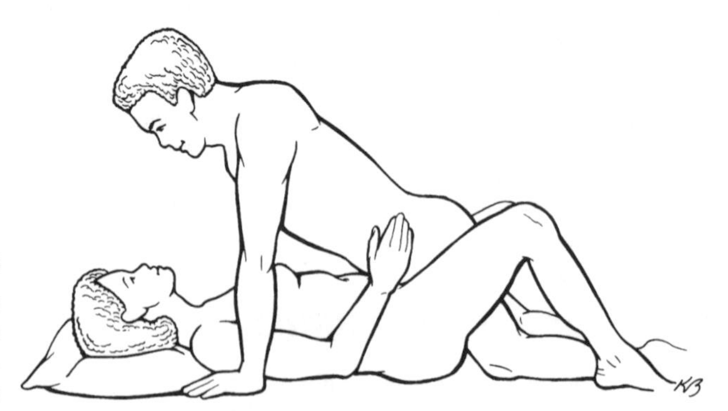

Figure 8.1 : Position du missionnaire.

Vous vous demandez sans doute pourquoi elle s'appelle ainsi, car on peut supposer que l'homme des cavernes la connaissait déjà. Selon un anthropologue polonais, Bronislaw Malinowski, ce sont les indigènes du Pacifique Sud qui la baptisèrent ainsi. Les peuples locaux ne se limitaient pas à cette position, ce qui, pour les missionnaires récemment arrivés pour les christianiser, constituait un péché. Les braves prosélytes s'employèrent donc à les convaincre non seulement d'adopter leur religion, mais aussi de reconnaître la supériorité de cette posture sur les autres. D'où son nom.

L'intérêt du face-à-face

Vous savez sans doute, pour avoir observé l'accouplement d'autres espèces animales, que la position du missionnaire est particulière à l'être humain. Il faut dire que bien des animaux auraient du mal à la pratiquer – imaginez des tortues ou des girafes dans pareille posture...

C'est peut-être pour nous différencier des animaux que nous privilégions souvent cette position. À moins qu'il ne s'agisse d'une manière, pour l'homme, d'affirmer sa domination sur la femme (pourtant, le lion qui serre de ses crocs le cou de sa femelle en la couvrant ne peut craindre de passer pour un minet dominé).

Mais, pour la plupart des spécialistes, c'est en raison du rôle primordial de la communication chez les humains, que ce soit par la parole, par le regard ou par le toucher, que nos congénères préfèrent souvent faire l'amour face à face. Par ailleurs, dans nos froides contrées, le fait de pouvoir rester tous les deux sous les couvertures n'est pas, à mon avis, un facteur à négliger.

Moins immuable qu'il n'y paraît, la position du missionnaire peut donner lieu à quelques variantes. La partenaire n'est pas obligée de rester complètement étendue. La plupart des femmes plient légèrement les genoux et placent leurs jambes de diverses manières, autour du corps de l'homme, par exemple.

Pour l'homme, la position du missionnaire offre encore moins de champ de manœuvre que pour la femme. Il a toutefois la ressource de se tenir de façon plus verticale, posture plus stimulante pour sa compagne, car son os pubien peut ainsi exercer un frottement sur le clitoris.

Inconvénients

Bien que largement mis en pratique, l'héritage des missionnaires ne présente pas que des avantages.

- L'inconvénient le plus manifeste de cette position est que le va-et-vient du pénis dans le vagin ne procure souvent qu'une stimulation insuffisante du clitoris, ce qui empêche la femme d'atteindre l'orgasme.

- L'homme, s'appuyant sur ses bras, ne peut pas stimuler manuellement le clitoris.
- La femme ne dispose que d'une faible liberté de mouvements ; elle ne peut que suivre ceux du partenaire.
- Quand l'acte se prolonge ou que l'homme n'est pas en très bonne forme, cette position devient fatigante.
- La tension musculaire nécessaire à l'homme pour maintenir sa position aggrave les problèmes d'éjaculation précoce, le partenaire ayant encore moins de maîtrise sur celle-ci que dans d'autres postures.

Certains patients me demandent parfois pourquoi les femmes, pour qui il est facile d'atteindre leur clitoris dans cette position, ne se stimulent pas elles-mêmes. Sans pouvoir leur apporter une réponse certaine, je pense que cela s'explique par les mêmes raisons psychologiques que celles qui empêchent nombre d'entre elles de se masturber. Dans notre société, il est mal vu qu'une femme touche ses organes sexuels (traditionnellement, il en va de même pour les hommes mais rares sont ceux qui s'en abstiennent pour autant).

De plus, il semble que les femmes préfèrent être caressées par leur compagnon. Que cela vous plaise ou non – en général, la gent masculine n'a rien contre –, l'orgasme féminin demeure donc souvent entre les mains de l'homme (sa langue et son gros orteil constituent aussi d'excellents jokers…).

Variante plus jouissive

Il existe une variante de la position du missionnaire, dans laquelle la femme est couchée au bord du lit, sur une table (ou tout autre support, libre à vous d'imaginer), tandis que l'homme a les pieds sur le sol. Ce qui compte, c'est que la hauteur du meuble garantisse une pénétration confortable pour l'un comme pour l'autre. Le poids de son corps reposant moins sur ses bras, le partenaire peut en profiter pour stimuler le clitoris. Dans Le couple et la grossesse, mon coauteur et moi-même avons baptisé une variante de cette position de nos noms, Ruth et Amos (après tout, les astronomes donnent bien le leur à des étoiles). Celle-ci consiste, pour la femme, qui a le dos sur le lit, à poser le ou les pied(s) sur une ou deux chaise(s). De cette manière, elle dispose d'une plus grande liberté de mouvement et son compagnon ne pèse pas sur son ventre.

Cette variante fait partie des diverses positions qui permettent à l'homme d'atteindre le clitoris et donc à la femme de jouir pendant le coït. La solution, pour cela, consiste donc à opter pour une position différente de celle du missionnaire.

De plus, l'orgasme simultané des deux partenaires devient possible, quoique cet objectif demeure toujours délicat à accomplir. En effet, la femme prenant plus de temps à atteindre la jouissance, l'homme doit s'efforcer de maintenir son érection tout en se retenant d'éjaculer. Il lui faut surveiller étroitement la progression du plaisir de sa compagne pour ne passer lui-même à la vitesse supérieure qu'à cet instant. Il risque d'être victime d'un petit démon psychologique bien connu des sexologues, qui consiste à se distancier de l'acte sexuel en se plaçant dans un rôle de spectateur (spectatoring) : trop soucieux du bon déroulement des opérations, on en oublie de se détendre et de profiter de l'instant présent.

Quand la femme prend le dessus

En pleine évolution vers l'égalité des sexes, il n'est pas logique qu'au lit, les hommes gardent toujours le dessus. D'ailleurs, la position dans laquelle la femme chevauche son partenaire n'est pas une nouveauté ; suivant les époques, elle a été plus ou moins en faveur. Aujourd'hui, nous savons qu'elle est plus prisée qu'il y a dix ou vingt ans.

Il est surprenant qu'elle ne soit pas aussi populaire que celle du missionnaire, car elle présente de considérables avantages.

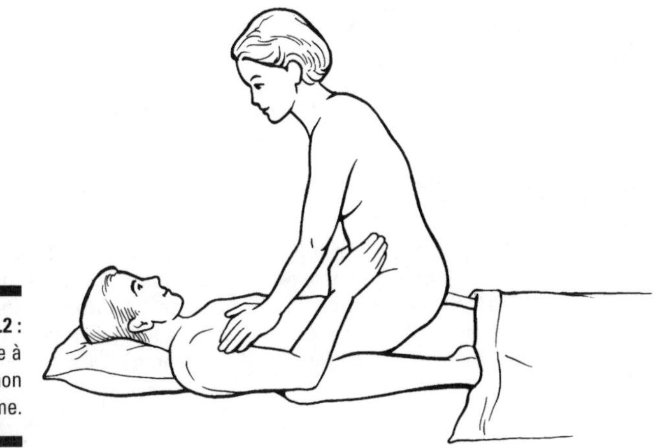

Figure 8.2 : La femme à califourchon sur l'homme.

- Le principal intérêt du chevauchement de face (dit « position d'Andromaque »), c'est qu'il permet à l'homme de toucher le clitoris de la femme.
- L'homme voit les seins de sa compagne et peut les caresser ; pour lui, c'est plus excitant car il est particulièrement sensible aux *stimuli* visuels.
- Les hommes avouent « tenir » plus longtemps dans cette position.
- La femme maîtrise la profondeur de la pénétration et le rythme des mouvements. Elle peut ainsi influencer le cours du rapport dans un sens plus favorable à son plaisir.

Côté inconvénients, cette position peut s'avérer plus fatigante pour la partenaire, surtout s'il lui faut du temps pour arriver à l'orgasme. Elle risque, en s'interrogeant sur ses difficultés à y parvenir et donc en adoptant un rôle de spectatrice (voir la section précédente), d'accentuer celles-ci. Enfin, certaines femmes trouvent cette façon de procéder un peu trop sportive à leur goût ; il serait dommage qu'elles ne s'y essaient tout de même pas de temps en temps.

Sachez, en outre, que rien n'oblige les deux amants à se regarder les yeux dans les yeux. La femme peut aussi bien chevaucher l'homme dans l'autre sens (position de l'Arétin), ou jouer les toupies si cela lui chante. L'intérêt de tourner le dos à son partenaire est qu'on peut plus facilement lui caresser les testicules, ce que les hommes adorent. Il vaut quand même mieux éviter d'y aller trop fort : on touche là des parties sensibles ; la moindre douleur « couperait » rapidement les effets du monsieur.

Pour que la position qui nous intéresse procure les meilleurs résultats, une très forte érection est nécessaire. Si cela s'avère difficile le soir, essayez le matin, moment plus propice.

À quatre pattes

La position illustrée par la figure 8.3 consiste pour l'homme à pénétrer la femme à quatre pattes, à l'instar des autres mammifères (il s'agit d'un coït vaginal et non anal). L'intromission de la verge est peut-être moins facile que dans les méthodes vues ci-dessus, mais c'est une question d'entraînement.

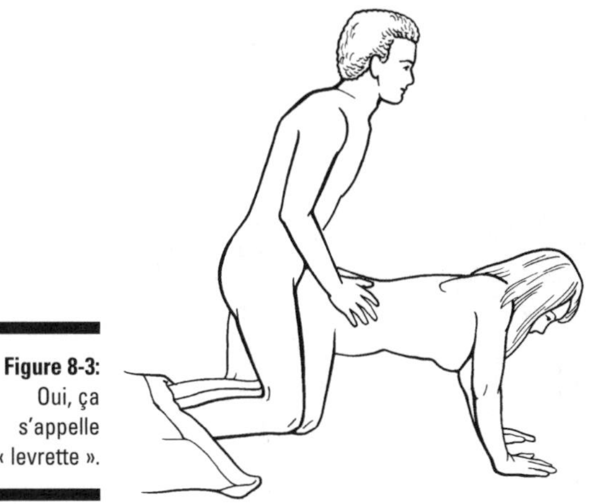

Figure 8-3: Oui, ça s'appelle « levrette ».

La position souvent intitulée « levrette » permet à l'homme de stimuler le clitoris de sa compagne ; en outre, elle procure à cet être visuel un point de vue sur une région éminemment excitante de l'anatomie féminine. Quant à sa compagne, elle risque juste d'avoir un peu mal aux genoux, mais c'est l'unique inconvénient de cette posture. Celle-ci demeure pourtant moins répandue que les autres, sans doute, entre autres raisons, parce qu'elle n'offre que peu de perspectives visuelles à la femme – à moins de faire l'amour face à un miroir ou à son poster favori.

Par-derrière, le pénis peut pénétrer plus profondément. Il faut donc éviter de meurtrir la partenaire : chez elle, certains organes sont aussi sensibles à la douleur que les testicules.

Certaines personnes aiment qu'on leur introduise un doigt dans l'anus quand leur excitation atteint son maximum. Voilà un souhait facile à exaucer dans la position de la levrette. Il faut toutefois veiller à ne pas mettre le doigt dans le vagin ensuite, à cause des risques d'infection.

Par-derrière, pieds au sol

Si la stature respective des deux amants l'autorise, une variante de la levrette est possible : les partenaires ont tous deux les pieds au sol ; la femme est penchée en avant et prend appui sur une chaise ou un autre meuble (voir la figure 8.4).

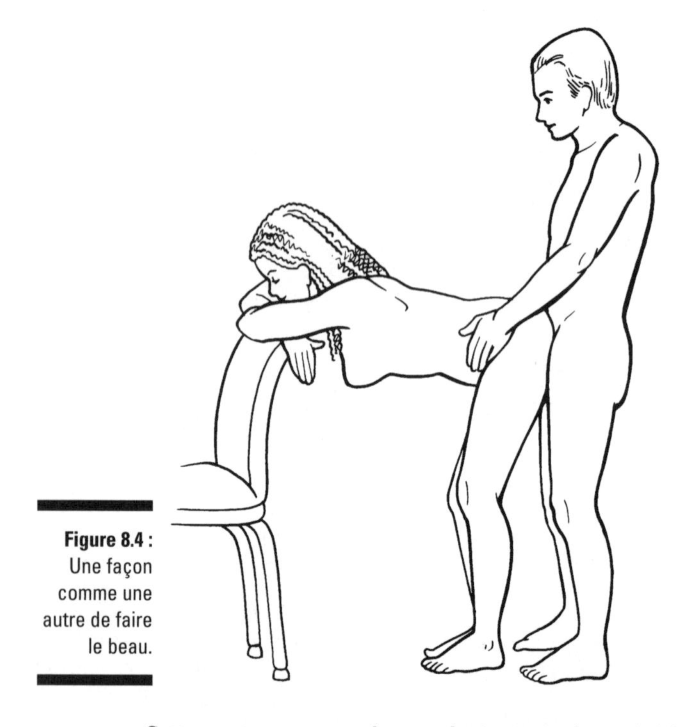

Figure 8.4 : Une façon comme une autre de faire le beau.

Cette posture un peu plus acrobatique que les précédentes contribue à varier les plaisirs et à éviter la routine. Certains lui reprochent de nuire à leur excitation, obligés qu'ils sont de veiller à leur équilibre.

Pour vous la rendre plus confortable, je vous suggère de corriger vos différences de stature : l'homme n'aura pas à plier les genoux si la femme monte sur un annuaire, par exemple, en guise de marchepied. Moi qui suis haute comme trois pommes, je grimpe toujours sur une grosse boîte lors de mes conférences, sans quoi je n'atteindrais pas le micro. (Vous n'imaginiez tout de même pas que j'allais vous décrire mes galipettes, non ?)

Entre les deux

Il existe une position intermédiaire, dites « cuissade », entre celle du missionnaire et la levrette (et, à mon avis, un tantinet bâtarde mais je ne voudrais pas que vous m'accusiez de passer outre votre préférée).

Figure 8.5 : Voilà ce qui s'appelle adopter une position intermédiaire (cuissade).

Les cuillères

Dans cette variante de la levrette, en beaucoup plus confortable, l'homme pénètre la femme par-derrière mais celle-ci, au lieu d'être à quatre pattes, est couchée sur le côté. Elle est familière à de nombreux couples, qui dorment dans la même position.

Figure 8.6 : Les cuillères.

Les ciseaux

Dans la position dite « des ciseaux » (voir la figure 8.7), les deux partenaires sont couchés l'un contre l'autre ; l'homme fait pivoter son bassin et entrelace les jambes de la femme avec les siennes de sorte de la pénétrer depuis le côté. Vous n'êtes pas doué en macramé ? Vous risquez de vous embrouiller au départ, mais poursuivez vos efforts, cette méthode en vaut la peine.

Figure 8.7 : Les ciseaux.

Cette position est, elle aussi, favorable à la stimulation du clitoris par l'homme pendant l'acte sexuel. De plus, les partenaires peuvent se caresser réciproquement la poitrine, contempler leurs visages respectifs et, si le fond de l'air est frais ou s'ils sont très pudiques, se cacher tous les deux sous la couette. C'est à se demander pourquoi certains persistent à se limiter à la position du missionnaire, à moins que celui-ci n'ait adopté les coutumes des tribus océaniennes.

Assis !

Il semblerait – vous pensez bien que je ne fréquente pas ces lieux de perdition – que la posture assise face à face (voir la figure 8.8) soit particulièrement appréciée dans certaines boîtes à strip-tease. À cette différence que le monsieur reste alors habillé, ce qui limite quelque peu les ébats.

Figure 8.8 : Confortablement assis, les yeux dans les yeux.

Lorsqu'on ne l'expérimente pas dans un lieu public, cette position consiste pour l'homme à être assis avec la femme sur les genoux de sorte de pouvoir introduire sa verge dans son vagin. Le partenaire ne dispose pas d'une grande marge de manœuvre. Quant à la femme, elle maîtrise moins, si elle lui fait face, l'amplitude et la rapidité des va-et-vient que quand elle est à califourchon sur l'homme. En revanche, quand elle lui tourne le dos, elle garde les pieds à terre et peut donc effectuer des mouvements de bas en haut.

Accroupi

Avant que les missionnaires n'arrivent pour les évangéliser, à quelles pratiques les habitants du Pacifique Sud pouvaient-ils bien s'adonner ? L'une d'elles, en position accroupie (voir la figure 8.9) est sans doute irréalisable pour la plupart de nos contemporains occidentaux. En effet, les peuples indigènes, dépourvus de chaises, pouvaient rester longtemps dans cette position. Il ne leur était pas difficile d'en faire autant pendant leurs rapports sexuels, la femme restant, elle, couchée avec les jambes étendues. On peut supposer que les hommes pouvaient tenir de façon prolongée dans cette posture. Dans nos pays, je doute qu'ils soient nombreux à être capables de pareille performance.

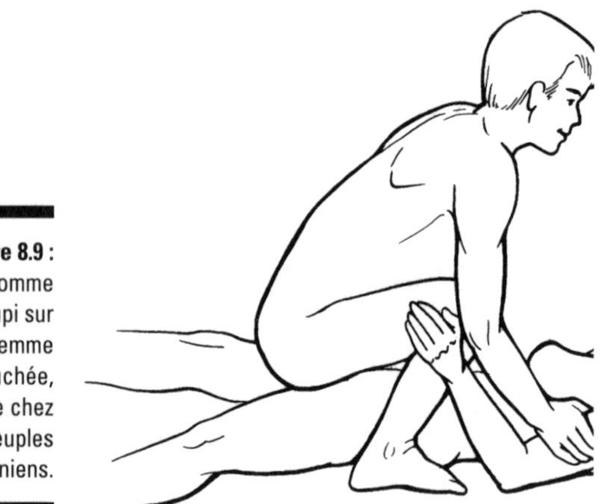

Figure 8.9 : L'homme accroupi sur la femme couchée, comme chez les peuples océaniens.

Debout, maintenant !

À moins d'être de taille et de proportions identiques, faire l'amour debout (voir la figure 8.10) pose quelques problèmes. Si l'homme est d'une force suffisante, il peut toujours tenir sa compagne à sa hauteur mais cet exercice risque de lui gâcher quelque peu le plaisir.

Figure 8.10 : Position debout.

Il me semble que la position debout se pratique beaucoup plus souvent dans les films porno que dans les chambres matrimoniales. Mais il est rare qu'on m'invite sur le terrain et peut-être existe-t-il donc plus d'athlètes que je le pensais en dehors des studios de cinéma.

Les films érotiques représentent parfois des couples faisant l'amour sous la douche. Cela paraît très excitant mais sachez que la salle de bains est le lieu de moult accidents… Votre goût pour les acrobaties risque de vous conduire à l'hôpital.

L'emploi d'une chaise facilite les rapports sexuels à la verticale : celle-ci contribue à l'équilibre et évite bien des lumbagos, en plaçant la partenaire à une hauteur qui dispense l'homme de jouer les gros bras.

Autant j'approuve gaîté et inventivité dans les rapports sexuels, autant je trouve regrettable qu'on transforme ceux-ci en compétition sportive, comme si les prouesses amoureuses se récompensaient par des médailles. L'orgasme en soi est la plus magnifique des gratifications et, si on y arrive sans se rompre le cou, pourquoi courir après l'exploit ? Il est vrai que si les ambiances extrêmes vous procurent un plaisir particulier, je ne vais pas vous en dégoûter. Essayez tout de même de réaliser vos performances en toute sécurité !

Bouche que veux-tu !

Nous avons évoqué, au chapitre 7, le rôle que jouent dans les préliminaires le *cunnilingus* et la fellation. Bien entendu, chaque partenaire a la possibilité d'amener l'autre jusqu'à l'orgasme en se servant de sa bouche et de sa langue.

Il est vrai que l'éjaculation en cours de rapport bucco-génital gêne certaines femmes. Rien n'empêche celles-ci d'expérimenter cette pratique sans garder le pénis dans leur bouche jusqu'à la fin, en adoptant l'une des méthodes suivantes :

- L'homme prévient sa compagne qu'il est près de jouir ; celle-ci peut ainsi poursuivre de la main.
- Avec l'habitude, la partenaire apprend à détecter certains signes, un durcissement de l'érection, notamment, qui indiquent l'approche de l'orgasme. Elle peut ainsi changer de méthode sans nuire à la concentration de son compagnon.
- Au cas où celui-ci éjaculerait quand même dans sa bouche, elle garde un linge ou un mouchoir en papier à portée de main afin de cracher le sperme au lieu de l'avaler. Notez bien que l'absorption de sperme ne peut lui faire grand mal ; certaines femmes en apprécient même le goût.

Examinons maintenant les positions dans lesquelles effectuer les pratiques bucco-génitales. En fait, toutes sont bonnes, dès lors qu'elles vous conviennent. Mais il en est une qui présente l'avantage de permettre fellation et *cunnilinctus* simultanés, puisque les deux partenaires sont couchés tête-bêche. Elle porte à juste titre le nom de « 69 », qui évoque la position de leurs corps respectifs. Chacun peut être soit dessous, soit dessus, mais cette dernière option est plus confortable pour l'homme, car elle lui évite de trop forte tensions du cou (à cet effet, il est utile de lui placer un oreiller sous la tête).

Le *cunnilingus* gagne à s'accompagner de l'insertion d'un ou deux doigts dans le vagin, la plupart des femmes aimant cette sensation qui rappelle celle procurée par le pénis. C'est cette stimulation à la fois clitoridienne et vaginale qui contribue au succès des contacts bucco-génitaux parmi la gent féminine.

Pénétration anale : oui, mais avec prudence

L'anus possède de nombreuses terminaisons nerveuses qui en font une zone érogène pour l'homme comme pour la femme, bien que, chez cette dernière, la pénétration anale doive s'accompagner d'une autre forme de stimulation.

Voici quelques lignes directrices à suivre pour pratiquer la sodomie sans danger :

- Être aussi propre que possible. De par sa fonction d'excrétion, l'anus abrite bien évidemment une quantité de bactéries. Pour en faire disparaître autant que possible, il faut se laver soigneusement, sans se contenter de s'essuyer avec du papier.
- Étant donné la quantité de replis qui tapissent l'anus, le lavement le plus agressif ne suffirait à le nettoyer parfaitement. Ne serait-ce que pour cette raison, il est absolument indispensable de recourir au préservatif lors de toute pénétration anale.
- L'anus n'a pas vraiment été conçu pour la pénétration. Afin d'éviter toute déchirure, il faut donc utiliser un lubrifiant.
- Bien entendu, il est absolument exclu d'introduire son pénis dans le vagin après une sodomie sans enlever (ou remplacer) d'abord le préservatif.

Si, au sein d'un couple hétérosexuel, c'est l'individu mâle qui souhaite connaître les sensations procurées par la pénétration anale, la femme peut se servir pour cela de ses doigts, d'un godemiché (il en existe de faible grosseur, spécialement prévus à cet effet) ou d'un petit vibromasseur (voir le chapitre 14).

Le flirt poussé

La révolution sexuelle a permis aux jeunes gens de dépasser largement le stade du flirt poussé. Évidemment, jadis, les amoureux – qui ressentaient exactement les mêmes appétits que ceux d'aujourd'hui – recourraient massivement au pelotage et autres tripotages, vu que les mœurs ne les autorisaient pas à aller plus loin avant le mariage.

Les jeunes d'aujourd'hui ne sont plus soumis aux mêmes obligations morales ou religieuses mais, par peur du sida, nombreux sont ceux qui reviennent aux bonnes vieilles pratiques des générations précédentes.

Poussé jusqu'où ?

Pour un garçon, passer le bras autour des épaules de sa dulcinée assise auprès de lui au cinéma était, il y a quelques décennies, un véritable exploit. S'il parvenait à lui toucher les seins, il pouvait crier victoire.

L'étape suivante, dont se contentent bien des jeunes à l'heure actuelle, consiste à se prodiguer caresses et autres frotti-frotta, nudité et profondeur des explorations atteignant des degrés divers.

N'oubliez pas que certaines maladies sexuellement transmissibles, comme l'herpès ou le condylome, peuvent se transmettre même en l'absence de pénétration. En pratiquant caresses et autres contacts complètement nus, vous risquez donc de contracter ou de disséminer une affection vénérienne. (Le chapitre 15 étudie ces maladies et les moyens de réduire les risques de contamination.)

Surveillez votre langue !

Je conseille souvent de fuire la monotonie. Voici quelques expressions fort évocatrices, extraites du bon vieux répertoire argotique, qui devraient vous changer d'une terminologie aussi médicale que rébarbative.

Monsieur, pour complaire à madame, dont la boîte à ouvrage mérite une visite, est prié de lui sucer le berlingot ou la praline, de lui brouter le cresson, de lui faire minette ou, de façon alternative, de faire une descente au barbu.

Madame, prompte à lui rendre un service équivalent, s'intéressera à son cigare à moustaches. Elle lui broutera la tige, lui fera Cléopâtre, lui soufflera dans le poireau, lui pompera le dard, lui taillera soit une pipe, soit une plume, bref, lui prodiguera une turlute ou un classique pompier.

Monsieur sera alors prêt à se tremper le biscuit et les deux partenaires ne demanderont plus qu'à calcer, tringler, triquer, faire zizi-panpan, enfin, s'envoyer en l'air et prendre leur taf. Rien ne les empêchera, un peu plus tard, de se polir le chinois mutuellement puis de remettre le couvert.

Par consentement mutuel seulement

Les caresses poussées et amplement dévêtues présentent un autre inconvénient : il est facile d'aller trop loin et de les transformer en rapport sexuel complet. Les deux partenaires ne sont pas toujours aussi consentants l'un que l'autre pour aller jusque-là. J'ai des réserves à émettre sur cette situation, qui se rapproche d'une forme de viol.

Bien entendu, une jeune femme qui se refuserait à son compagnon alors qu'elle est nue dans un lit avec lui jouerait dangereusement avec le feu. Il ne s'agit pas là de chercher des circonstances atténuantes à l'homme, mais de reconnaître la part de responsabilité de la femme.

Solo à deux (au moins, on évite les MST)

J'ai évoqué à de nombreuses reprises dans les pages qui précèdent les risques de contagion par maladies sexuellement transmissibles. En la matière, la sécurité absolue n'existe pas : les préservatifs se déchirent parfois et les contacts bucco-génitaux ne sont pas tout à fait exempts de danger.

La masturbation présente un énorme avantage : elle supprime toute possibilité de contagion. Elle se pratique seul ou avec un partenaire qui se masturbe également. Tant que les deux personnes n'ont aucun contact l'une avec l'autre, elles ne peuvent s'échanger leurs fluides corporels ni, par conséquent, d'éventuelles maladies. Il est impossible, en outre, de s'auto-contaminer.

Il fut un temps où l'auto-mastubation à deux serait passée pour une pratique un tantinet perverse. Évidemment, elle est moins satisfaisante que les autres méthodes, même si elle n'empêche pas la tendresse. C'est une autre façon de prendre du plaisir et cela répond à un besoin pour les personnes particulièrement concernées par les MST.

Et pendant la grossesse ?

N'oublions pas que l'acte sexuel, outre qu'il procure du plaisir, sert aussi à faire des enfants de temps en temps. Cela ne veut pas dire que la femme enceinte soit condamnée à mettre sa sexualité entre parenthèses pendant neuf mois.

Oui, mais avec quelques précautions

Certaines ressentent même une excitation plus marquée au cours de cette période, car l'afflux de sang qui se produit alors dans la zone génitale est proche du phénomène de vasocongestion qui accompagne la montée du désir sexuel. Pour assouvir celui-ci, les femmes doivent toutefois adopter quelques mesures de précaution.

De nombreuses futures mamans se demandent si l'orgasme présente un danger quelconque pour le fœtus. La réponse est négative.

Les contractions qu'entraîne tout orgasme, notamment dans la région de l'utérus, sont différentes de celles de l'accouchement et ne peuvent en rien les provoquer. Une femme enceinte est donc tout à fait à même de connaître le plaisir sexuel jusqu'à la fin de la grossesse. Selon certains obstétriciens, l'effet relaxant d'un rapport sexuel, lorsque l'accouchement tarde à se déclencher, pourrait même favoriser celui-ci.

Exit le missionnaire

Le tour de taille augmentant, certaines positions deviennent moins confortables, voire dangereuses. Ainsi, il vaut mieux renoncer à celle du missionnaire à partir du quatrième mois car, lorsque la partenaire reste trop longtemps sur le dos, et sous le poids d'un compagnon par-dessus le marché, l'afflux sanguin s'effectue mal dans certains vaisseaux.

Cette restriction ne privera pas le couple des plaisirs du sexe, car les autres positions précédemment décrites, que la femme soit sur l'homme ou couchée sur le côté, sont tout à fait autorisées.

Certaines femmes, gênées par l'aspect proéminent de leur ventre, n'osent plus se placer à califourchon sur leur conjoint. Pourtant, elles ne devraient pas avoir honte de ce qu'ils ont créé ensemble (je sais, c'est facile à dire). Pour aider sa compagne à surmonter cette perception négative, le futur père doit la rassurer, lui montrer que la vue de ses formes rebondies ne lui déplaît pas le moins du monde. Au contraire, bien des hommes apprécient particulièrement les rondeurs voluptueuses de la femme enceinte. Alors exprimez-vous, les gars, dites-lui combien vous l'aimez ainsi.

La femme n'a toutefois aucune obligation de se montrer nue si, par exemple, sa peau est marquée de vergetures (nombreuses sont celles que cela dérange). Dans ce cas, pourquoi ne pas revêtir une nuisette ?

Préservatif, le retour

Certains médecins préconisent l'emploi du préservatif pendant la grossesse car des substances hormonales présentes dans le sperme pourraient déclencher des contractions utérines ou entraîner des infections. Votre obstétricien vous indiquera quoi faire dans votre cas.

Avec ou sans pénétration ?

Il arrive qu'un couple n'ose plus avoir de rapports sexuels complets en cours de grossesse, craignant que les poussées de la verge nuisent au fœtus. La plupart du temps, la pénétration n'est pas contre-indiquée, sauf circonstances particulières dont le médecin informe la femme après échographie. Bien entendu, en cas de douleur ou autre symptôme constaté à la suite d'un acte sexuel, il convient de consulter, en s'abstenant de tout rapport intra-vaginal dans l'intervalle. Quel que soit le motif qui oblige le couple à éviter le coït, il ne s'agit que de limiter son activité sexuelle, et non d'empêcher la femme d'atteindre le plaisir.

Les contacts manuels, pratiqués par le partenaire ou par la femme elle-même, doivent donner lieu à des précautions supplémentaires. En effet, pendant la grossesse, l'afflux de sang dans la région vaginale est supérieur à la normale ; cette zone devient donc plus sensible aux moindres égratignures et irritations causées par les ongles ou d'éventuelles callosités. Le cas échéant, il vaut mieux ne pas lésiner sur les produits lubrifiants.

T'en fais pas, papa

On croit parfois que la pénétration anale est moins dangereuse pour le bébé que la pénétration vaginale. C'est inexact : en fait, un rapport anal a pour effet de pousser le rectum contre le vagin, d'où un risque accru d'infection. Par conséquent, il est préférable de s'en tenir au coït vaginal.

C'est souvent l'homme qui incite à un tel changement de pratique, par souci pour l'enfant. Cette attitude participe d'un comportement général des pères qui commencent à traiter leur compagne davantage comme une mère que comme une épouse et ressentent alors une moindre appétence sexuelle envers elle. Il s'agit là d'une réaction non seulement inutile, mais aussi pernicieuse car la future maman risque de croire qu'elle n'est plus désirable ou n'inspire plus d'amour à son compagnon. Bien que la grossesse oblige à quelques précautions, la relation du couple ne doit surtout pas devenir asexuelle.

Et le bébé ? Les rapports physiques de ses parents peuvent-ils le déranger d'une façon ou d'une autre ? L'activité sexuelle a pour avantage de l'éveiller et de le faire remuer, ce qui est bon signe. Il se peut qu'il manifeste d'autres réactions, une accélération du rythme cardiaque, par exemple, mais il ne souffre en aucun cas. Papa et maman n'ont pas à s'inquiéter pour lui.

Attendez-vous à des changements physiques

Les deux conjoints doivent se préparer à observer chez la femme enceinte une modification de la poitrine. Les seins et les mamelons gonflent, tandis que les aréoles (cercles de peau à pigmentation plus marquée qui entourent les mamelons) s'élargissent et prennent une couleur plus foncée. Les mamelons eux-mêmes brunissent et pointent davantage. Le couple n'a pas à se sentir mal à l'aise du fait de ces changements, tout aussi normaux que l'augmentation du tour de taille. Il se peut simplement qu'il doive changer ses habitudes érotiques touchant à cette partie du corps.

Chez la femme enceinte, la stimulation des mamelons peut provoquer la sécrétion d'une hormone, elle-même cause de contractions utérines. S'il n'existe pas de preuve avérée que cette hormone déclenche véritablement l'accouchement, les médecins recommandent toutefois de limiter autant que possible cette forme de stimulation.

Par ailleurs, il faut savoir que la grossesse modifie les odeurs intimes de la femme. Pendant cette période, le vagin produit des *lactobacilles*, « bonnes » bactéries qui contribuent à protéger le bébé. Elles ont pour effet d'accroître l'acidité du milieu vaginal et donc d'en changer l'odeur. Il n'y a absolument pas à s'en inquiéter ni à hésiter à poursuivre pour autant des contacts bucco-génitaux.

En parlant de rapports bucco-génitaux : certaines personnes croient que, si une femme enceinte qui pratique une fellation avale du sperme, cela peut entraîner des contractions. N'écoutez pas ces vieux racontars.

Si la fellation fait partie du répertoire amoureux du couple, que la femme avale ou non le sperme de l'homme, il n'y a aucune raison pour interrompre cette habitude pendant la grossesse. En fait, les rapports bucco-génitaux constituent même un excellent substitut, au cas où le médecin déconseillerait la pénétration vaginale.

Dans l'autre sens, il est tout à fait indiqué aussi que le partenaire donne du plaisir à sa compagne par contact buccal. Mais il doit absolument s'abstenir de souffler dans le vagin. En accentuant la dilatation des vaisseaux sanguins, déjà supérieure à la normale chez la femme enceinte, ce petit jeu pourrait avoir des conséquences graves pour cette dernière.

Sexualité post-partum

Même après un accouchement sans problème, le couple ne peut avoir de rapports sexuels pendant environ quatre à six semaines.

En outre, la femme ne s'y sent pas toujours prête, alors même qu'il n'existe plus de raison médicale de s'en abstenir. Ceci s'explique en partie par des raisons physiques : il est épuisant de se lever plusieurs fois par nuit pour s'occuper d'un nouveau-né. De plus, la baisse soudaine des niveaux hormonaux qui survient après la naissance provoque souvent un état légèrement dépressif, appelé « baby blues ». S'y ajoute la difficulté psychologique de devenir mère, surtout la première fois.

Pendant cette période frustrante, le père doit prendre patience. Il est important de maintenir le dialogue entre les deux conjoints, la femme exprimant à l'homme ce qu'elle ressent et lui indiquant le moment où elle est prête à reprendre son activité sexuelle. Pour soulager ses tensions sexuelles, son compagnon doit se sentir libre de se masturber.

Je ne saurais vous conseiller le moment le plus adéquat pour revenir à votre sexualité habituelle, mais vous recommande une nouvelle fois de ne pas laisser votre couple s'installer dans une relation dénuée d'érotisme. Si vos retrouvailles amoureuses exigent quelques mesures pratiques, n'hésitez pas, par exemple, à faire appel à une baby-sitter pour vous évader quelques heures vers des lieux plus propices.

Il arrive qu'un couple se sépare parce que sa vie sexuelle n'a jamais repris son cours normal après une naissance. Veillez à ce que cela ne vous arrive pas.

Chapitre 9

Le big-bang

Dans ce chapitre :

- B.A.-BA de l'orgasme
- De la gym pour vagin ?
- À la recherche du point G
- Y arriver ensemble ?

Il ne faut pas trop en demander… Cette expression résume une attitude fréquente vis-à-vis de l'orgasme. Pourtant, sans lui, nous ne serions pas là. En effet, si nous nous reproduisons depuis l'aube de l'humanité, c'est motivés par la recherche de ce bref mais intense instant de plaisir. Celui-ci mérite donc un peu plus de considération.

D'abord, qu'est-ce que c'est un orgasme ?

Parmi mes patientes, un grand nombre se demandent si elles ont déjà eu des orgasmes. À ceux qui atteignent l'extase à chaque rapport sexuel, pareille question doit sembler ridicule. Pourtant, cette expérience demeure inconnue pour de nombreuses femmes. Pour certaines, il s'avère « incomplet » : en effet, toutes ses manifestations physiques surviennent mais la femme ne le ressent pas vraiment (j'y reviendrai au chapitre 17). Il n'est donc pas aussi étonnant qu'il y paraît que des millions de femmes (et quelques hommes) ne sachent pas en quoi il consiste.

L'orgasme est une sensation de plaisir physique extrême ressenti par l'être humain au summum de l'excitation sexuelle. Il se traduit par une respiration plus intense et plus rapide, une accélération du rythme cardiaque, une contraction des muscles de la zone génitale. Chez certains, cette tension s'étend jusqu'aux orteils. Chez l'homme, le phénomène s'accompagne presque toujours d'une *éjaculation*, puissante émission de sperme par le pénis, sans laquelle il n'y aurait pas de procréation. L'orgasme existe aussi chez la femme, bien qu'il ne soit pas indispensable à sa fécondation.

Comme tout mécanisme corporel, l'orgasme consiste en un processus beaucoup plus complexe qu'il n'y paraît :

- Chez l'homme, la prostate, puis les vésicules séminales et la partie supérieure du canal déférent, appelée ampoule, se contractent, exerçant ainsi une poussée sur les sécrétions qui constituent l'*éjaculat* ; puis les muscles qui entourent le pénis éjectent ce liquide. Les deux ou trois premières giclées, plus fortes, sont suivies de plusieurs autres, de moindre intensité.
- Chez la femme, ce sont l'utérus et le premier tiers du vagin qui, sous l'action des muscles pubo-coccygiens, sous-jacents, se contractent le plus lors de l'orgasme.

Mais, comme je le répète souvent, le principal organe sexuel ne se situe pas au niveau du bas-ventre mais entre les oreilles. Le plaisir que l'être humain ressent de façon générale est bien plus important qu'halètements, contractions et éjaculations. Et cela, il m'est impossible de le décrire, vous seul pouvez l'éprouver.

Un peu de musculation

Il existe une technique permettant de renforcer les muscles qui se contractent, chez la femme, au moment de l'orgasme. Il s'agit des exercices de Kegel, du nom du médecin qui les a mis au point. Ceux-ci étaient, à l'origine, destinés à renforcer les muscles distendus à la suite d'un accouchement pour permettre à la femme de retrouver la maîtrise de son appareil urinaire. Il s'avéra que la tonification procurée par cette gymnastique avait pour effet secondaire d'accroître le plaisir sexuel.

Voici comment effectuer ces exercices :

1. **Identifiez tout d'abord les muscles entourant votre vagin.**

   Il s'agit des muscles pubo-coccygiens, c'est-à-dire ceux qu'on utilise pour se retenir d'uriner.

2. **Entraînez-vous à contracter ces muscles.**

   Pour faciliter cet exercice, introduisez un doigt dans le vagin et serrez les muscles autour de celui-ci.

3. **Augmentez peu à peu le nombre des contractions et leur durée.**

   Comme toute gymnastique, l'augmentation de l'effort renforce les muscles concernés. Entraînez-vous de sorte d'arriver à faire trois à cinq séries de dix contractions par jour.

Les exercices de Kegel peuvent s'effectuer à tout moment (y compris en parlant au téléphone avec votre patron). Au bout de six semaines, vous devriez retrouver le contrôle de vos muscles de façon à pouvoir les contracter pendant l'acte sexuel, ce qui augmentera votre plaisir comme celui de votre partenaire.

Les hommes possèdent aussi des muscles pubo-coccygiens. Chez eux, les exercices de Kegel assurent, en les développant, une meilleure maîtrise de l'éjaculation.

Femme et orgasme : des rapports plutôt houleux

Comme chez l'homme, l'orgasme féminin est étroitement lié à l'appareil génital ; toutefois, il s'accompagne chez une majorité de femmes d'une sensation plus diffuse, étendue à tout le corps. Il se manifeste sous des formes plus variées que chez la gent masculine. C'est pour cette raison qu'il constitue une pomme de discorde toujours aussi vivace depuis Sigmund Freud et le début du XXe siècle.

Je résume ci-dessous l'évolution de la polémique mais, pour la suivre vraiment de près, il suffit de lire la presse. Il n'est pas de semaine où quelqu'un n'affirme avoir fait progresser la science dans ce domaine.

Merci Freud

Selon Sigmund Freud, inventeur autrichien de la psychanalyse, il existe deux types d'orgasmes : l'un, *inférieur* ou *infantile*, que la femme n'atteint que par stimulation clitoridienne et l'autre, *supérieur* ou *adulte*, parce que vaginal. Ce dernier est supposé plus intense. Cette théorie a incité les femmes à rechercher le plaisir exclusivement via le coït, ce qui, pour la plupart d'entre elles, est impossible.

Dans les années 60, Masters et Johnson, à qui l'on doit l'observation scientifique de plus de 10 000 actes sexuels (voir le chapitre 7), concluaient de leurs recherches que tout orgasme féminin résultait d'une stimulation clitoridienne, soit directe, soit indirecte. Enfin les femmes pouvaient trouver leur jouissance de la façon qui leur convenait. Pas pour longtemps, malheureusement.

Le point G, mythe ou réalité ?

Il y a une quarantaine d'années, un gynécologue, Ernest Gräfenberg, affirmait avoir découvert dans le vagin un point susceptible de procurer l'orgasme sans stimulation clitoridienne. En 1982, trois chercheurs consacrèrent un ouvrage à cette zone particulière, qu'ils baptisèrent « point Gräfenberg » ou « point G ». Depuis la publication de ce livre, je suis sans cesse interrogée à ce sujet par des femmes recherchant désespérément le leur.

Une éjaculation féminine ?

Les nombreux témoignages que je reçois de la part de femmes qui constatent chez elles une émission de liquide au moment de l'orgasme tendraient à confirmer l'existence d'un équivalent féminin de l'éjaculation, liée à celle du point G. Mon propos n'est pas de spéculer sur l'origine du phénomène ni sur la composition du fluide en question. Je n'évoque ce sujet ici que pour vous éviter, si cela vous arrive, d'en ressentir une gêne excessive : des quantités de femmes connaissant la même situation, il n'y a pas de raison pour que celle-ci vous gâche le plaisir.

Si elles accordent une telle importance à cette véritable quête du Graal, c'est parce que la jouissance obtenue grâce au point G est censée être beaucoup plus profonde qu'un simple orgasme clitoridien. Cet intense plaisir irait jusqu'à déclencher une forme d'éjaculation féminine. D'une certaine façon, l'orgasme assuré par le point G rappelle l'orgasme dit « supérieur » par Freud. En effet, ledit point se situant dans le vagin, le plaisir féminin résulterait du coït.

Je trouve étonnant qu'un aussi merveilleux stimulateur que le point G ne soit connu que depuis une époque aussi récente. J'ai interrogé à ce propos de nombreux gynécologues. Malgré les recherches poursuivies en la matière, rien ne m'a encore convaincue que le fameux point G était une réalité.

Ne vous méprenez pas, je n'en conteste pas l'intérêt. Que pourrais-je avoir à redire contre une source aussi merveilleuse de jouissance pour la femme ? J'observe simplement qu'aucune preuve scientifique et matérielle n'a démontré son existence. Il n'empêche que des millions de femmes persistent à le chercher.

Remarquons que son emplacement supposé, sur la paroi interne du vagin, ne facilite pas sa découverte par la femme elle-même. Elle n'a donc d'autre ressource que d'envoyer son partenaire en exploration dans ces parages difficiles d'accès. Celui-ci revenant bredouille, la tentation est grande de lui reprocher son incompétence. De là à ce que de tendres ébats se transforment en bataille rangée, et que la vie sexuelle du couple en soit tout entière compromise...

Pour moi, cette histoire de point G, c'est comme une loterie : rien n'empêche de tenter sa chance, à condition de ne pas investir au-delà du raisonnable. Si un couple décuple son plaisir en s'amusant à le chercher, tant mieux ! Dans le cas contraire, la question ne mérite vraiment pas qu'on s'y attarde.

L'orgasme pendant le coït

Dans le domaine du sexe, l'être humain ne s'est pas seulement donné le point G comme objectif difficile à atteindre. Pour les femmes, arriver à l'orgasme pendant le coït, et non avant ou après, ne va pas de soi. Statistiques à l'appui, on sait que rares sont celles auxquelles l'action du pénis dans le vagin procure une stimulation suffisante.

La position du missionnaire (l'homme sur la femme) étant la moins favorable pour obtenir pareil résultat, j'en suggère au chapitre 10 quelques autres, plus propices. Elles, au moins, permettent au partenaire de toucher le clitoris pendant l'acte sexuel.

Orgasme simultané

Encore une Arlésienne du sexe… Je conçois que deux amants souhaitent arriver à l'extase en même temps, car cette simultanéité symbolise un partage, comme lorsqu'on mange ensemble au restaurant. Imaginez qu'on apporte à un convive son plat alors que celui de l'autre est toujours en train de mijoter en cuisine. Le premier servi s'entend dire : « Ne m'attends pas, ça va refroidir ! ». Et, effectivement, il a le choix entre manger froid ou avec un arrière-goût de culpabilité.

Connaître la fusion d'un orgasme simultané, c'est magnifique. Mais ce n'est pas toujours possible. De plus, en déployant tous ses efforts pour y parvenir, on risque d'amoindrir son plaisir. Supposons que l'homme demande sans cesse à sa compagne : « Alors, ça vient ? »… Il ne faut pas s'étonner que celle-ci se déconcentre et que, de ce fait, sa jouissance en soit encore retardée. Il est fort probable qu'à la longue, le partenaire ne trouve plus beaucoup d'agrément à ce petit jeu. Résultat : en cherchant à améliorer leurs performances, les deux amants finissent par gâcher leur expérience sexuelle.

Le sexe, ce n'est pas de la voltige. Au trapèze, il suffit d'une fraction de seconde pour manquer son coup et se retrouver dans le filet. On n'a pas le choix. Mais, en amour, peu importe qu'on n'arrive pas au *timing* parfait. À trop vouloir jouir en même temps, on risque de nuire à sa relation au lieu de l'améliorer.

Orgasmes multiples

Deux orgasmes, est-ce mieux qu'un seul ? Et pourquoi pas trois, ou quatre, et ainsi de suite ?

La réponse la plus évidente n'est pas nécessairement la meilleure. Je crois qu'elle dépend de votre conception de l'orgasme. Si, pour vous, celui-ci prend la forme d'une décharge intense et extrême, qui vous procure une satisfaction complète, un seul suffit. Recourons de nouveau à la métaphore gastronomique : imaginons que vous veniez d'engloutir un succulent repas et qu'on place devant vous votre mets favori, en auriez-vous envie ? Probablement pas.

Il est vrai que la mode est aux « buffets à volonté » : au lieu d'un solide plat de résistance, on se fait un plaisir de déguster quantité de portions plus modestes, mais variées. La comparaison s'applique aussi aux orgasmes multiples. Chacun se savoure avec délectation, mais ne laisse pas le « consommateur » repu. Celui-ci en redemande donc jusqu'à satiété. Comment définir si cela vaut mieux qu'un orgasme puissant mais unique ? Chacun sait où va sa préférence.

Précisons que les femmes sont plus souvent sujettes que les hommes aux orgasmes multiples. D'aucuns vantent toutefois une méthode visant à les favoriser chez le mâle. Celle-ci consiste, en fait, à retarder la jouissance, notamment à l'aide des exercices employés pour tonifier les muscles pubo-coccygiens. Il s'agit, à la base, d'une technique destinée à prévenir l'éjaculation précoce (voir le chapitre 16). Avec de l'entraînement, l'homme réussit non seulement à retarder son orgasme, mais aussi à jouir sans émission de sperme. Sans nier que cela soit possible, je n'ai cependant jamais rencontré personne qui y soit parvenu. J'ignore donc dans quelle mesure cette technique est efficace et si elle est véritablement source de plaisir.

Par ailleurs, il existe un moyen d'atteindre l'orgasme autrement que par nos méthodes traditionnelles. Il s'agit de l'*éjaculation rétrograde*, ou *sèche*. Pratiquée par certains religieux en Inde, elle est assimilée, en Occident, à un dysfonctionnement sexuel. Au lieu d'être émis comme lors d'une éjaculation normale, le sperme est dirigé vers la vessie, dont il sera ensuite excrété avec l'urine. Selon la tradition indienne, cette pratique permet à l'homme de conserver sa semence et donc d'accroître sa force virile. D'un point de vue biologique, le sperme ne fait que quitter l'organisme un peu plus tard.

Si tous les orgasmes procurent leur dose de plaisir, ils ne sont pas identiques. Avec l'âge, ils tendent à perdre en intensité, surtout chez l'homme. Je vous en dirai plus au chapitre 12.

Laissez venir...

Dans le domaine sexuel, les êtres humains, lorsqu'ils se concentrent trop sur ce qu'ils font, perdent tous leurs moyens. Ce phénomène s'avère particulièrement vrai chez les hommes souffrant de problèmes d'érection. S'ils commencent à faire l'amour en se disant que cela ne va pas marcher, l'échec est quasiment garanti. Ceci se vérifie aussi chez les femmes qui éprouvent des difficultés à atteindre l'orgasme. Plus elles font d'efforts pour y parvenir, moins elles y arrivent. Dans un cas comme dans l'autre, la personne fait l'erreur de se poser en spectatrice de la scène.

De ce point de vue, le sexe ressemble au sport : parfois, c'est justement parce qu'il se donne trop de mal pour mettre le ballon dans le panier que le joueur échoue. Il faudrait, au contraire, laisser le corps prendre le commandement des opérations tout en plaçant son esprit au repos. Normalement, cette technique est efficace et permet aux deux partenaires d'atteindre le plaisir. En revanche, s'ils s'efforcent d'y parvenir simultanément et prêtent donc une attention excessive à leurs actes, ils en perdront paradoxalement la maîtrise. C'est pourquoi il est aussi aléatoire d'arriver à la jouissance ensemble.

Avec un peu de chance, cette expérience se produira d'elle-même de temps en temps, vous procurant ainsi un surcroît de satisfaction. Mais, si vous vous donnez trop de mal pour atteindre cet objectif, la chance se retournera contre vous.

Chapitre 10

La suite des réjouissances

Dans ce chapitre :

- Un câlin, c'est mieux que les bras de Morphée
- Jouer les prolongations
- Expliquer ses besoins à son partenaire
- Préparer la prochaine fois

Il existe un plaisir de l'après. Il est tellement facile à partager que vous n'avez aucune excuse pour vous en dispenser. Si autant de couples s'en privent, c'est par ignorance, et pas seulement de la part de l'homme. Souvent, la femme en ressent fortement le besoin mais ne connaît pas assez leurs fonctionnements physiques respectifs pour demander à son partenaire de satisfaire à sa demande. C'est pourquoi j'étudie, dans ce chapitre, la suite des réjouissances.

La sourde oreille

Trop souvent, une fois le rapport sexuel terminé, le partenaire masculin n'accorde pas la moindre importance à ce que ressent sa compagne. Celle-ci aurait bien envie de prolonger l'acte par un câlin, mais il fait la sourde oreille. Un peu comme quand elle lui demande de sortir le chien…

Vous tenez vraiment à décrocher votre diplôme de parfait amant ? Vous voulez sincèrement prouver votre amour à votre femme ? Dans ce cas, vous devez absolument savoir quoi faire après vos rapports sexuels.

Techniquement, c'est facile

Du point de vue technique, on ne vous demande pas la moindre prouesse. Il s'agit juste de prendre le temps d'enlacer votre compagne, une fois sa jouissance atteinte, de lui prodiguer des caresses, tant verbales que physiques. Vous voyez, ce n'est ni compliqué ni fatiguant. Pourtant, cette phase est la plus négligée de l'acte d'amour.

Il est vrai qu'en général, c'est l'homme qui passe outre les plaisirs de l'après. Pourtant, il importe que les lectrices examinent elles aussi ce chapitre. En effet, les femmes sont nombreuses à ignorer ce qu'elles attendent, au fond d'elles-mêmes. Il n'est donc pas étonnant qu'elles ne sachent pas comment le demander.

Restez au lit

Les travaux de Masters et Johnson apportent de précieuses indications sur les suites immédiates de l'acte sexuel. En effet, à l'aide de toutes sortes d'appareils, ces deux chercheurs ont mesuré les réactions de milliers de partenaires : rythme cardiaque, tension artérielle, transpiration.

Chez l'homme, outre que la verge se dégonfle comme un ballon de baudruche, toutes les manifestations physiques suivant l'orgasme (ralentissement du pouls, baisse de l'excitation, par exemple) surviennent rapidement. Mais les deux scientifiques américains ont observé que la femme mettait plus de temps que l'homme à redescendre des sommets de l'extase, de même qu'elle avait tardé davantage à y accéder...

Pour elle, il est donc très frustrant de franchir cette phase de résolution abandonnée par un amant qui ne songe qu'à lui tourner le dos pour s'endormir, alors qu'elle aurait bien besoin d'un petit câlin. Pire encore : certains hommes, non contents de rejoindre les bras de Morphée, partent en exploration dans le réfrigérateur ou s'installent devant la télé. D'autres, en s'empressant de prendre une douche (habitude peut-être acquise par la fréquentation des terrains de sport), infligent non seulement un sentiment d'abandon à leur compagne, mais aussi l'impression que l'amour avec elles, c'est salissant.

Enfin, certains vont jusqu'à quitter les lieux. Même s'ils habitent ailleurs, ils devraient s'abstenir de bondir dans leurs baskets et de foncer vers la porte à peine leur désir assouvi. (Admettons que cela s'impose dans le cas où les deux amants entendent le mari garer la voiture devant la maison.)

Il importe de comprendre que la femme doit profiter des retombées de son plaisir pour se sentir complètement satisfaite. Pour certaines, une ou deux minutes suffisent ; d'autres ont besoin de plus amples prolongations. Non pas que l'homme doive consacrer autant de temps à cette étape qu'aux préliminaires ou à l'acte sexuel en soi. Il faut juste qu'il respecte avec tendresse ce droit légitime de sa compagne.

Pas le moment de s'endormir (enfin, pas tout de suite)

J'en entends déjà un bon nombre me dire : « Mais, Dr Ruth, ce n'est pas de l'égoïsme de ma part. Je n'arrive pas à lutter contre le sommeil, c'est tout. »

Je ne répondrai que ceci : « N'importe quoi ! »

Pour éviter de sombrer dans le sommeil, il suffit d'un petit effort. D'accord, le sexe, ça consomme beaucoup d'énergie. Mais, après avoir disputé un match de foot, rentrez-vous vous écrouler immédiatement sur votre lit ? Avouez plutôt que vous fêtez la troisième mi-temps avec équipe et supporters au troquet du coin.

« Mais, me rétorquerez-vous, un orgasme, ce n'est pas seulement fatiguant, ça vous ramollit complètement. »

Je l'admets, et mon propos n'est pas de vous empêcher de piquer un somme. D'autant plus qu'on fait souvent l'amour le soir, à l'heure habituelle du coucher. Je ne vous demande pas de passer une nuit blanche, mais de tenir votre femme dans vos bras quelques instants afin de lui montrer combien elle compte pour vous.

Circonstances atténuantes

Si ladite compagne poursuit la conversation à n'en plus finir, je vous reconnais le droit à mettre fin à son discours. Lorsqu'on doit se lever tôt le lendemain, il est bien compréhensible qu'on lui dise : « Excuse-moi, chérie, mais il faut vraiment que je dorme, maintenant. » Elle l'acceptera sans difficulté, à condition que vous lui ayez consacré quelques tendres instants. C'est contre le fait que certains hommes se mettent systématiquement à ronfler dès qu'ils ont « tiré leur coup » que je m'élève !

J'ai un jour reçu une lettre d'un monsieur qui, patron d'une petite entreprise, était constamment surmené. À cause du stress, il avait du mal à s'endormir, sauf après avoir fait l'amour avec sa femme. Ces nuits-là, il avait son content de repos. Ne voulant pas être accusée de priver un pauvre homme de sommeil, je le dispensai de jouer les prolongations en semaine, contre la promesse qu'il redoublerait de caresses envers son épouse les soirs de week-end.

En fait, il n'existe pas de règle absolue en la matière : ce qui importe, c'est de satisfaire aussi souvent que possible les attentes féminines.

Comment lui faire comprendre ?

Si vous êtes une femme et que vous soyez victime du syndrome décrit ci-dessus, il faut exprimer votre problème. Mais attention : jamais au moment des rapports. Vous ne réussiriez qu'à provoquer une dispute qui vous gâcherait votre plaisir à tous deux.

Pour évoquer des questions d'ordre sexuel, cherchez toujours un moment de tranquillité pendant lequel vous pouvez espérer parler sans interruption et avec l'intimité nécessaire. Une promenade après un bon dîner, par exemple, offre une occasion propice. Expliquez à votre partenaire combien vous seriez heureuse qu'il ne s'endorme pas tout de suite après l'amour. Faites-lui savoir quel plaisir vous ressentiriez (et vous souhaiteriez qu'il ressente aussi) à ces « postludes ». Dites-lui bien que cela ne doit pas se transformer en obligation systématique pour autant.

N'abusez pas

Certaines femmes ont tendance à étendre les prolongations au-delà du moment de détente qui leur est nécessaire.

Autant je soutiens leurs revendications lorsqu'elles sont légitimes, autant je tiens à souligner qu'en abusant des attentions que leur prodigue leur compagnon, elles cherchent peut-être à compenser d'autres frustrations. Si vous accaparez votre partenaire dans ces moments-là, il risque de les esquiver par la suite.

Encore ?

Un homme qui se soucie de manifester sa tendresse à sa partenaire après l'acte sexuel en est doublement gratifié, car il contribue non seulement à son épanouissement à elle, mais aussi au sien. Selon moi, la conclusion harmonieuse d'un rapport joue un rôle de prélude au prochain épisode. Comme je l'ai déjà expliqué, plus on étend les préliminaires, plus on améliore sa vie sexuelle d'une fois sur l'autre. En commençant juste après l'amour, on évite ainsi de gaspiller de précieux instants !

Chapitre 11

Pimenter votre vie sexuelle

Dans ce chapitre :

- C'est mieux quand c'est varié
- Inventer l'aventure
- En quête de nouveauté

Dans un merveilleux film interprété par Marilyn Monroe et Tom Ewell et intitulé *Sept Ans de réflexion,* un époux, las de la routine conjugale, entreprend d'aller voir ailleurs. À sa sortie en 1955, cette histoire choqua quelque peu le public. Pourtant, elle illustrait une réalité qui s'est amplement accentuée depuis.

Tout d'abord, le taux de divorce a grimpé en flèche sans que les intéressés n'attendent, parfois, le cap des sept ans. Les conjoints se séparent avec une relative facilité aujourd'hui, même quand ils ont des enfants, traditionnel ciment du couple. J'ai rencontré quantité de personnes en détresse et, malgré mes efforts, ne suis pas toujours parvenue à recoller les morceaux.

Puis une nouvelle ère est arrivée, avec l'apparition du sida. L'herbe qui semblait si verte de l'autre côté de la clôture a pris des teintes peu engageantes. Des couples que leurs problèmes auraient conduits au divorce il y a encore une dizaine d'années, tentent davantage de rester ensemble et pas seulement « à cause du gosse ». Désormais, les gens ont peur d'entamer de nouvelles relations amoureuses, ce qui explique que, quand ils vivent avec quelqu'un, ils fassent plus d'efforts pour préserver leur union.

Voilà une raison suffisante pour apporter à votre vie sexuelle commune autant de piment que possible, afin de supprimer ainsi au moins une cause de lassitude.

Varier les plaisirs

Dîner dans le même restaurant tous les samedis soirs, c'est le meilleur moyen de s'ennuyer : la routine n'excite guère les papilles. En découvrant de nouvelles atmosphères, on goûte à des saveurs inconnues. Ceci présente au moins l'avantage d'offrir un nouveau sujet de conversation, même si le bouiboui testé ne vous laisse pas un souvenir aussi mémorable que votre cantine habituelle.

L'image s'applique, bien entendu, à la vie intime. Lorsqu'on fait l'amour tout le temps de la même façon, il n'est pas étonnant que l'intérêt se relâche. Certaines femmes en viennent même à appréhender les éternels et répétitifs tripotages de leur mari. Au lieu de se sentir uniques et désirées, elles ont l'impression d'être traitées comme de vieilles pantoufles.

Chouette, du nouveau !

Parmi ces messieurs, beaucoup déclareront justement préférer leurs antiques charentaises. Supposons, toutefois, que Cindy Crawford leur tombe dans les bras. Lui imposeraient-ils leurs sempiternelles recettes de papa ? Non, évidemment. Au contraire, ils feuilletteraient fébrilement le présent ouvrage pour y retrouver des positions oubliées et l'éblouir au mieux. Eh bien, ils devraient en faire autant avec leur partenaire habituelle. Elle n'a peut-être pas des allures de mannequin mais, s'ils lui prodiguaient les mêmes attentions qu'à leur copine imaginaire, ils ne pourraient qu'en bénéficier l'un comme l'autre.

Certes, chacune de vos expériences sexuelles ne peut prendre des airs de révolution. Bien souvent, vous êtes déjà contents de rassembler assez d'énergie pour faire l'amour sans, par-dessus le marché, donner dans la créativité débridée. Il n'empêche que, même si vous respectez vos chères habitudes neuf fois sur dix, il y en aura au moins une de différente. Inspirés par son souvenir, vous apporterez un peu de sel aux autres. Sinon, vous risqueriez de vous enfoncer de plus en plus dans la routine et de ne plus jamais réussir à vous en extirper.

La variété, cela peut consister, par exemple, à faire l'amour dans un endroit inédit, même si ce n'est que le carrelage de la cuisine ou la table de la salle à manger (vérifiez la solidité des pieds auparavant). Ou à des moments divers de la journée. L'habillement compte aussi : l'un des deux partenaires peut rester entièrement vêtu tandis que l'autre adopte la tenue d'Adam (ou d'Ève). Laissez voguer votre imagination, vous verrez bien où elle vous mène.

Mais, c'est carnaval !

Un jour où j'animais mon émission de radio, un auditeur m'appela et me fit part de ses projets de mariage. Depuis plusieurs années, il vivait avec son amie et ils étaient entièrement satisfaits de leur vie sexuelle, merci. Mais, pour le soir des noces, il aurait voulu la surprendre par une idée originale.

Après réflexion, je lui suggérai de profiter du moment où sa nouvelle épouse passerait à la salle de bains pour procéder à un strip-tease intégral, en ne conservant que son chapeau haut-de-forme. Il trouva le conseil fort à son goût, mais me demanda une précision : à quel endroit devait-il porter le couvre-chef en question ?

Il importe toutefois de ne jamais contraindre l'autre à des fantaisies dont il n'a pas envie. La créativité, c'est très bien, à condition d'y trouver tous les deux du plaisir.

Encore plus loin

Maintenant que vous avez fait un premier pas vers l'exotisme en transportant vos ébats dans la cuisine, pourquoi n'iriez-vous pas un peu plus loin ? Un week-end en amoureux apporterait du nouveau non seulement à vos rapports physiques, mais aussi à votre existence sentimentale et intellectuelle. Un changement de cadre a pour effet d'éveiller tous les sens – à moins que vous ne passiez ces deux jours enfermés dans votre chambre d'hôtel. Dans ce cas, à quoi bon quitter ses pénates ?

Votre escapade n'a pas à se dérouler nécessairement au soleil et à la plage, même si un séjour consacré au farniente et à la dégustation de cocktails multicolores sous des cieux plus cléments a un effet radical sur le train-train sexuel. Les destinations plus « culturelles » laissent, elles aussi, des souvenirs torrides, entre deux musées, pièces de théâtre ou ruines antiques… L'exploration d'une ville à l'atmosphère inconnue (je dis bien « exploration », pas « course contre la montre à bord d'un car de touristes ») vous imprègnera à tel point que vous commencerez à vous sentir transformés, à trouver un regain de piquant à vos personnalités respectives. N'excluez pas les climats nordiques : plus vous vous emmitouflerez, plus vous prolongerez le plaisir d'un effeuillage réciproque, de retour dans votre chambre.

Loin de moi l'idée de vous inciter à épuiser vos économies en week-ends sexy. Une simple expédition dans un quelconque hôtel du secteur ajoute aussi du piment à la vie quotidienne. Le cadre sera banal, peut-être, mais différent quand même et, au moins, vous ne serez pas dérangés. Et pourquoi ne pas refaire du camping, comme dans votre jeune temps ? Ou simplement vous mettre sur votre trente et un (ou enfiler vos maillots de bain) pour dîner à la maison. L'important, c'est de rompre la routine. J'approfondis la question dans un autre de mes livres : *Relancez votre couple pour les Nuls*.

Refusez d'être un « Nul » !

Vous n'êtes pas adepte de la paresse au travail ou à l'école, je suppose ? Alors, pourquoi vous montrer fainéant en amour ? Un amant paresseux fait un piètre amant. Plus vous consacrerez d'énergie à vos rapports sexuels, plus vous susciterez, au contraire, l'adulation de la gent féminine ou masculine, suivant le cas.

Par énergie, je n'entends pas nécessairement effort physique, bien que votre vie sexuelle mérite que, homme ou femme, vous renonciez à l'inertie. Il s'agit plutôt de dynamisme mental. En d'autres termes, plus vous mettrez de cœur à l'ouvrage, plus vous en tirerez de bénéfices communs. Pour une femme, il est facile de se laisser aller à la passivité ; si cela vous plaît de temps en temps, admettons, mais, quand cette attitude devient systématique, on risque de tomber dans un piège dangereux. Une vie de couple ne peut être satisfaisante lorsque l'initiative revient toujours au même partenaire, condamné à besogner une bûche.

Prenez votre existence sexuelle en charge, vous m'en direz des nouvelles.

Un peu d'audace

Comme la diversité, l'audace joue un rôle important. Soyons clairs : votre esprit d'aventure ne doit pas dépasser les limites du danger, notamment en ce qui concerne les MST. En revanche, vous ne risquez pas grand-chose à expérimenter de nouvelles positions (voir le chapitre 8), hormis quelques difficultés à maintenir votre équilibre, par exemple, ou à trouver le plaisir. Si vous n'atteignez pas l'orgasme dès la première fois, ce n'est pas bien grave. Par la suite, l'adoption de cette position jusque-là ignorée vous en procurera sans doute de nombreux autres.

Osez franchir le seuil d'un sex-shop

L'idée de mettre les pieds dans un sex-shop est, pour beaucoup de gens, tout bonnement abominable. Je n'y vois, pour ma part, aucun inconvénient. Pour manger, vous allez au supermarché, non ? Alors, pourquoi, lorsque votre vie sexuelle aurait bien besoin de diversité, n'iriez-vous pas faire vos courses dans un magasin spécialisé ?

« Et si je croise une connaissance ? », voilà le prétexte qu'on m'avance le plus souvent. Si vos voisins ou collègues traînent dans les parages, il y a fort à parier que votre présence au même endroit ne leur importe guère. Rien ne vous empêche de recourir au prétexte classique : vous cherchez un cadeau pour un ami qui enterre sa vie de garçon. Le plus simple serait tout de même de tenter l'expédition dans un sex-shop éloigné de votre lieu de résidence. D'ailleurs, il n'est pas indispensable d'y passer tous vos week-ends. Une fois dans votre vie, même sans rien acheter, suffira peut-être amplement.

Que trouve-t-on dans ces antres sataniques ? Quantité de films X, vaste choix d'accessoires (godemichés, vibromasseurs…), lingerie sexy ou articles en cuir. Certains de ces commerces visent un public particulier ; ils répondront mieux à votre demande en chaînes et en martinets, par exemple.

Envisagez votre visite dans ces lieux de perdition comme un amusement (sinon, vous risqueriez d'être déçu). Le sexe, c'est l'un des plaisirs de la vie, non ? Les petits gadgets que vous y découvrirez sont censés y contribuer.

Par correspondance ou via Internet

Si vous habitez loin de tout sex-shop ou n'osez pas y entrer, le mieux est de vous procurer un catalogue de vente par correspondance ou d'explorer les sites spécialisés sur le Web. Là, au moins, vous ne risquez pas de rencontrer vos voisins. Il va sans dire que les sociétés commercialisant des produits érotiques les envoient sous pli tout à fait discret – le facteur n'en saura rien.

Sachez néanmoins que les catalogues d'articles érotiques choquent certaines femmes (et une minorité d'hommes, sans doute). Peuplés de beautés aussi dévêtues que bien dotées par la nature, ils peuvent les mettre mal à l'aise. Pour elles, ils n'ont rien d'excitant, au contraire.

Chez une majorité de mâles, en revanche, la seule vue de ces publications suffit à recharger les batteries. Leurs compagnes ont donc intérêt à les leur laisser feuilleter (de plus, les mannequins masculins ne sont pas mal non plus). Même si le couple ne passe pas commande, cela mettra un peu de sel dans sa vie intime.

Par ailleurs, tous les films et ouvrages diffusés sur le marché ne se limitent pas à du porno de base. Certains présentent une teneur à caractère, disons, plus pédagogique. Voilà des nourritures intellectuelles plutôt affriolantes, non ?

Les catalogues virtuels offrent des possibilités encore plus vastes. Il est vrai qu'ils sont moins directement propices aux câlins que leurs homologues sur papier : ces derniers, au moins, on peut les examiner à deux, au lit et en cliquant sur autre chose que sur une souris d'ordinateur. Sachez aussi qu'en consultant un catalogue sur le Web, vous risquez fort de rencontrer des bannières publicitaires et autres liens vers des sites pornographiques aux images un peu trop explicites pour votre goût.

Vidéos pornos

L'avènement du magnétoscope a transformé le marché des films pornos. Ces produits jadis vendus sous le manteau sont désormais facilement accessibles et chacun peut en regarder autant qu'il le souhaite à domicile. Je reçois à ce propos de nombreuses questions, révélatrices d'un malaise au sein du couple.

L'homme étant plus sujet que la femme aux *stimuli* visuels, c'est à lui que s'adressent principalement ces vidéos. Celles-ci me paraissent un bon support à la masturbation, mais j'y suis moins favorable pour le couple. En effet, bien des femmes détestent les films X : pour certaines, ils offrent une représentation trop crue de la sexualité ; d'autres craignent de ne pouvoir soutenir la comparaison avec leurs voluptueuses protagonistes féminines.

Bien entendu, il est hors de question de forcer quelqu'un à regarder un film s'il n'en a pas envie. Il ne faut cependant pas prendre la pornographie trop au sérieux. Après tout, on voit sur nos écrans une pléthore de films d'action faisant de la violence et des déversements d'hémoglobine un véritable spectacle. Selon moi, c'est bien pire que de montrer des gens en train de faire des galipettes.

Il existe une minorité de productions X présentant un minimum de scénario et davantage destinées au public féminin (sans négliger pour autant la composante essentielle du marché : le spectateur de sexe mâle). Elles ne transformeront sans doute pas une femme réticente à ce genre d'amusements en accro du porno mais elles offrent au moins un compromis acceptable.

Les personnes qui me consultent me demandent souvent conseil en la matière. J'aimerais les satisfaire mais la qualité de ces œuvres est, dans l'ensemble, trop déplorable pour que j'aie envie d'engloutir des kilomètres de pellicule. Il est donc peu probable que je devienne critique de cinéma X.

Le Web apporte un moyen supplémentaire pour contempler de la vidéo « cochonne ». Tout dépend de la qualité de la connexion et de la rapidité de votre modem : à 56 Ko, il est probable que vous soyez endormis l'un comme l'autre bien avant la fin d'un téléchargement. De plus, il n'est pas certain qu'en installant votre ordinateur dans le lit conjugal, vous facilitiez vos ébats.

Que vous soyez abonné à Internet ou à une boutique de location de cassettes, évitez de regarder vos films en restant passivement vautré sur votre canapé. La scène représentée à l'écran vous donne des idées ? Appuyez sur « Stop » et passez à l'action. Vu la complexité de l'intrigue, il n'est pas nécessaire de suivre les vidéos pornos de bout en bout. Ces films ont pour fonction de pimenter vos soirées, pas de vous tenir planté devant la télé.

Par ailleurs, toutes les fictions, quelles qu'elles soient, sont source d'inspiration : pourquoi ne pas imiter tels personnages « vus à la télé » ? Jouez les classiques (prenez-vous pour Bogart et Lauren Bacall si cela vous chante) ou la dérision (le grand méchant loup et la petite brebis de Tex Avery, par exemple). Vous connaîtrez d'avance le dénouement de l'histoire – un happy end érotique – mais, en imaginant les péripéties qui précèdent, vous gagnerez en sensations.

Prenez votre vie sexuelle en main !

Il ne faut pas laisser l'épanouissement de sa vie sexuelle au hasard. Au contraire, c'est en y « travaillant » sans cesse qu'on récolte les meilleurs fruits. Vous vous épargnerez ainsi de tomber dans la routine : les feux de l'amour sont bien plus faciles à entretenir au jour le jour qu'à ranimer une fois moribonds !

Quatrième partie

Des goûts et des couleurs

« C'est jaloux, les piranhas ? »

Dans cette partie...

La routine est mère de l'ennui. Mais ne vous inquiétez pas, cette nouvelle partie joue la carte de la diversité. J'espère que les plats plus ou moins relevés que je vous y propose vous paraîtront assez épicés. Et des saveurs qui vous indiffèrent aujourd'hui pourraient bien vous faire saliver demain.

Chapitre 12

Le sexe à la retraite ?

Dans ce chapitre :

- Transformations féminines
- Transformations masculines
- Les privilèges de l'âge d'or

L'âge d'or du sexe… Cela peut sembler une façon optimiste de considérer une réalité plutôt négative. Certains s'efforcent, en effet, de toujours voir le bon côté des choses : « Mariage pluvieux, mariage heureux », « Malheureux au jeu, heureux en amour » (voire « Du pied gauche, ça porte bonheur »)… Pour d'autres, l'arrivée de la retraite est plutôt synonyme de « Ceinture ! », « On ferme ! » ou « Trop tard ! ».

Prétendre que le vieillissement n'a aucune répercussion négative sur le fonctionnement sexuel serait mentir. Les capacités physiques s'amenuisant en général avec l'âge, pourquoi celle-ci feraitelle exception ? Mais les ans n'apportent pas que des regrets. J'insiste : même nonagénaire, on peut faire l'amour.

Transformations au féminin

Nulle n'échappe à la ménopause. Bien que celle-ci survienne à des âges différents et donne lieu à des symptômes plus ou moins accentués (voir le chapitre 2), son résultat est identique pour toutes. Voici les changements qui se produisent à cette époque de l'existence féminine :

- La menstruation s'arrête.
- La grossesse devient impossible.
- La production des hormones sexuelles (œstrogène et progestérone) baisse considérablement.

Ces phénomènes ont un effet sur la sexualité. La lubrification vaginale diminue, quand elle ne disparaît pas complètement. Le vagin perd de son élasticité. Par conséquent, les rapports deviennent souvent douloureux, ce qui entraîne parfois l'arrêt de toute vie de couple. Pas très réjouissant, comme programme, non ? Pourtant, il existe une solution simple et très efficace : les lubrifiants.

En se substituant à la lubrification naturelle, les produits artificiels permettent de poursuivre une activité sexuelle normale. Malgré l'âge, le clitoris conserve sa sensibilité et l'orgasme demeure possible.

Le problème de la sécheresse vaginale maintenant résolu, sachez que les autres effets de la ménopause ont eux aussi leur remède. Pour certaines femmes, il convient de suivre un traitement hormonal. Votre gynécologue vous indiquera si vous en avez besoin.

Les conséquences négatives de la ménopause peuvent donc se traiter. Considérons maintenant ses aspects positifs :

- La femme est débarrassée de ses règles (sauf sous certains traitements hormonaux). Avant la ménopause, de nombreux couples évitent les rapports au moment de la menstruation ; il n'existe aucun danger à faire l'amour à cette période, mais la partenaire souffre souvent de crampes ou de maux de tête. Les règles disparues, finis les « mauvais jours », on a quartier libre en permanence !
- Fini aussi, le risque de grossesse. Bien des femmes, même sous contraception, profitent moins des joies du sexe qu'elles le voudraient, par crainte de se retrouver enceintes. J'en ai rencontré beaucoup qui, une fois cette éventualité disparue, s'étaient soudain épanouies.

Transformations au masculin

Les hommes connaissent une évolution plus variable d'un individu à l'autre que les femmes. De façon générale, leur niveau de testostérone commence à décliner entre quarante et cinquante ans. Certains connaissent une baisse de leurs performances sexuelles, comme nous le verrons plus loin dans ce chapitre ; d'autres souffrent d'impuissance. Ce dernier problème est, certes, très préoccupant ; pourtant, même dans ce cas, les difficultés masculines n'ont pas à mettre un terme aux relations sexuelles.

L'outrage des ans

Examinons tout d'abord les premiers signes de vieillissement chez l'homme. Dans sa jeunesse, la moindre pensée un tantinet érotique provoquait chez lui une érection dite « psychogène » (voir le chapitre 16). Il lui suffisait d'apercevoir une photo sexy ou d'évoquer mentalement ses derniers exploits et hop, son pénis se rappelait à son bon souvenir.

L'âge venant, les effets de la suggestion s'amenuisent, voire disparaissent. Précisons que ce changement ne survient pas du jour au lendemain. Ceci doit-il assombrir tout le reste de l'existence ? Absolument pas, à condition de comprendre le phénomène.

Howard et Sarah

Howard et Sarah étaient mariés depuis vingt-cinq ans. C'est lui qui, le plus souvent, prenait l'initiative des rapports sexuels, mais sa femme était toujours largement consentante. Sarah adorait son mari et le savait fidèle.

À l'approche de la cinquantaine, leurs relations commencèrent à s'espacer. À la longue, Sarah, qui ressentait toujours les mêmes appétits, se sentait frustrée.

Elle conservait, au fond d'un tiroir, quelques nuisettes affriolantes dont elle avait pu autrefois éprouver l'efficacité. Elle essaya d'y recourir à quelques reprises, sans résultat. La verge de son mari restait désespérément indifférente.

Sarah ne comprenait pas ce qui se passait. Sans négliger de s'entretenir, elle avait un peu grossi ; elle en vint à penser qu'Howard ne la trouvait plus à son goût. Elle eut des soupçons. Peut-être son époux allait-il voir ailleurs et n'avait donc plus d'énergie à lui consacrer ? Aigrie, elle laissa passer six mois sans plus faire l'amour avec lui. C'est à ce moment-là qu'elle vint me voir.

La fidélité d'Howard n'avait en rien fléchi. Quand je l'interrogeai, il m'expliqua que le problème était physique : ses forces viriles l'avaient abandonné. Les déshabillés sexy de sa femme avaient beau éveiller son intérêt, il avait beau espérer une érection, rien ne venait. Ses difficultés lui faisaient tellement honte qu'il s'était refusé à les avouer à Sarah. C'est parce qu'aucun des deux n'avait pris la décision d'en parler, ni perçu la véritable cause du problème, que ce qui aurait pu se résoudre aisément s'était transformé en épreuve dévastatrice pour le couple.

Tout n'est pas perdu

Ce dont Howard avait besoin, c'était simplement d'une stimulation physique. Pour obtenir une érection, il fallait que lui ou sa femme lui touche le pénis. Ceci était devenu une évidence lorsqu'il se masturbait pour compenser ses frustrations. Mais il n'osait le faire devant sa compagne, c'est pourquoi leur sexualité commune n'avait pu en bénéficier.

Les premiers temps de leur résurrection sexuelle, Howard et Sarah connurent quelques obstacles, car il leur fallait adopter d'un nouveau langage. Auparavant, ils exprimaient rarement leur désir sexuel par les mots. En général, c'était Howard qui, par le toucher, faisait connaître ses intentions. Sarah n'avait plus qu'à tendre la main vers son pénis en érection pour lui communiquer son accord. À d'autres occasions, c'était elle qui transmettait un message fort explicite, en revêtant l'une de ses fameuses nuisettes. Mais elle n'avait jamais eu à susciter activement une érection chez Howard, celui-ci semblant « toujours prêt ». Howard n'avait pas coutume de demander à Sarah de lui caresser la verge pour obtenir une érection. Et Sarah n'osait pas le faire non plus, ignorant si son époux en avait envie ou non.

Jamais trop tard pour commencer

Howard était représentatif des hommes de son âge : plus ils vieillissent, plus il leur faut de stimulation. Chez certains, la fellation donne de meilleurs résultats que le contact manuel. Quand l'épouse s'y prête volontiers depuis toujours, le problème se résout sans difficulté. Mais certaines femmes ignorent cette pratique. Outre que cette idée les révulse en soi, la perspective de se soumettre à ce genre d'obligations les scandalise.

Je reçois de nombreux courriers de veuves connaissant une situation analogue. Du vivant du mari, le couple s'est habitué à une sexualité amoindrie au fil des années. Après son décès, la femme rencontre quelqu'un pour qui l'amour, passé un certain âge, n'est pas forcément platonique. Mais son nouveau compagnon a besoin de stimulation buccale. La dame se dit que les hommes de sa génération se font rares. Il serait regrettable d'en laisser passer un pour un simple problème sexuel, d'autant plus que quantités d'autres veuves se feraient un plaisir de le satisfaire. Elle m'écrit donc pour que je l'aide à surmonter son dilemme.

Il m'est difficile d'apporter une réponse. D'un côté, je pense qu'on ne doit pas agir sous la pression d'autrui. Mais si c'est pour rester seule, la solution inverse n'est pas satisfaisante non plus. C'est pourquoi je propose habituellement un moyen terme, en conseillant à la femme d'essayer la fellation. Peut-être trouvera-telle que, tout compte fait, l'épreuve est moins horrible qu'il n'y paraît. Avec un peu de chance, elle apprendra même à l'apprécier. Ne vous étonnez pas, je ne fais que témoigner d'une réalité que je rencontre de temps en temps. Si la partenaire persiste dans sa répugnance pour les contacts bucco-génitaux, il faudra bien qu'elle se résolve à perdre son compagnon ; après tout, si la fellation lui est indispensable, on ne peut lui reprocher d'y tenir.

La fin de l'éjaculation précoce ?

Je n'en ai pas fini avec l'énumération des petites misères qui guettent l'homme « sur le retour » mais, auparavant, voici une bonne nouvelle.

Dans de nombreux cas d'éjaculation précoce, on remarque qu'avec l'âge, le problème disparaît. Les capacités sexuelles diminuent mais le sujet parvient à tenir plus longtemps. Si sa compagne prend du plaisir lors des rapports sexuels, ce peut être l'occasion d'un nouveau départ.

Impuissance

De même que la raréfaction des érection spontanées, l'impuissance est un phénomène qui survient de manière progressive. Au début, l'homme constate que sa verge ne devient plus aussi rigide qu'avant, ni pendant aussi longtemps. Peu à peu, cette capacité disparaît tout à fait.

Important : tous les hommes ne deviennent pas impuissants. Souvent, ce problème est un effet secondaire d'une autre maladie ou des médicaments destinés à la traiter. Le diabète, par exemple, peut être à l'origine d'une impuissance. Il en va de même pour certains traitements contre les affections cardiaques.

Jusqu'à une époque récente, les intéressés avaient trop honte de leur handicap pour en parler à leur médecin. Ils se persuadaient que leur vie sexuelle était du passé. Avec l'arrivée du Viagra, leur attitude a complètement changé. Ils osent maintenant s'ouvrir à leur docteur de leurs problèmes. Par chance, la petite pilule bleue permet souvent d'y remédier. Toutefois, l'éventualité du traitement révèle parfois d'autres problèmes, liés à la communication au sein du couple (voir le chapitre 16).

Il faut absolument consulter, surtout en cas de prise de médicaments, ceux-ci ayant des effets secondaires variables. Il suffit parfois de changer de traitement pour que l'érection redevienne possible.

Le Viagra n'est pas indiqué dans tous les cas d'impuissance. Il ne peut soulager certaines pathologies trop lourdes et il est incompatible avec certains médicaments pour le cœur. Mais l'absence d'érection ne signifie pas une condamnation définitive à l'abstinence. Il existe d'autres solutions que le Viagra, sous la forme, notamment, de prothèses autorisant l'érection à la demande. J'approfondirai la question au chapitre 16.

Enfin, du temps pour s'aimer

J'imagine que les paragraphes précédents ont déprimé le lecteur. Sachez pourtant que l'âge n'apporte pas que des inconvénients. Au contraire, il procure pour l'homme comme pour sa partenaire d'amples consolations.

Les jeunes couples possèdent une libido tellement robuste qu'ils ne manquent pas une occasion de faire l'amour. L'improvisation à tout moment de la journée leur est d'autant plus facile qu'ils n'ont pas encore d'enfants.

Mais la famille s'agrandit ; les deux parents travaillant, consacrer du temps et de l'énergie à leur vie de couple se transforme en gageure.

Ce n'est que beaucoup plus tard qu'arrive l'âge d'or : les enfants ont quitté la maison (enfin, espérons-le) et l'heure de la retraite ou, du moins, de la préretraite, a sonné. Enfin, on est libre de faire l'amour quand on veut et où on veut – sans s'enfermer à double tour dans la chambre conjugale.

Quand on prend de l'âge, il devient plus recommandé que jamais de s'adonner aux rapports matinaux, et pas seulement dans le but de varier les plaisirs. C'est, en effet, en début de journée que la testostérone, hormone sexuelle mâle, est à son niveau le plus élevé. Les problèmes d'érection se manifestent donc avec moins d'acuité. En outre, on se sent souvent plus en forme le matin. Rien ne presse : vous avez le droit de déguster un copieux petit déjeuner et de vous remettre au lit.

Comme à tout moment depuis votre rencontre, plus vous vous efforcerez d'améliorer votre vie sexuelle, plus vous y trouverez de plaisir.

Chapitre 13

Homosexualité

Dans ce chapitre :

- L'origine de l'homosexualité
- Comment savoir ?
- Révéler son identité sexuelle
- Le sexe à moindres risques

L'essentiel de cet ouvrage traite des relations hétérosexuelles, c'est-à-dire entre hommes et femmes (la racine *hetero* signifie « différent »). L'homosexualité caractérise les relations avec des personnes de même sexe (*homo* signifie « identique »). La tendance à l'un ou à l'autre de ces comportements s'appelle l'identité sexuelle.

On me demande souvent pourquoi certaines personnes « préfèrent » les rapports sexuels avec des individus du même sexe. D'après les courriers que je reçois, il semble que bien des gens croient qu'on choisit sciemment cette orientation, à un moment de l'existence, et qu'il est très facile de changer d'avis sur la question pour adopter des mœurs hétérosexuelles. Bien entendu, ceci sous-entend, dans l'esprit de mes correspondants, qu'il serait souhaitable que les intéressés reviennent à des tendances « normales ».

On ignore l'origine de l'homosexualité ainsi que la raison pour laquelle elle caractérise certains êtres humains, la majorité étant hétérosexuelle. Des recherches ont bien été effectuées à ce sujet, mais elles n'ont pas fourni de résultats concluants. Voici quelques théories à ce propos :

- Les médecins perses considéraient que la manière dont un garçon se masturbait, en tenant son pénis plus ou moins serré, déterminait ses futures tendances homo ou hétérosexuelles.
- Pour Aristote, les hommes aimant être sodomisés auraient été dotés d'un nerf supplémentaire, qui suivait la moelle épinière et se terminait au rectum.

- Sigmund Freud considérait que l'homosexualité se développait chez les garçons s'identifiant à leur mère et non à leur père.

Voici ce que la science moderne indique à ce sujet :

- Des recherches consacrées aux jumeaux donnent à penser qu'il existe une composante génétique dans l'origine de l'homosexualité. Toutefois, cet élément n'est pas confirmé par tous les cas étudiés.
- Certains examens du cerveau montrent des signes de différences structurelles entre hétéro et homosexuels. Ces présomptions demandent encore à être démontrées.

L'humanité s'intéresse à cette question depuis des milliers d'années. Pourtant, nous ne sommes pas encore en mesure d'apporter des conclusions fermes sur ce qui détermine l'identité sexuelle. Tout ce que nous savons, c'est que l'amour entre hommes ou entre femmes est une réalité attestée depuis qu'il existe des documents historiques. Les mœurs homosexuelles n'ont pas plus de raison de disparaître que les mœurs hétérosexuelles. Je considère, pour ma part, que les « homos » méritent le même respect que tous les autres êtres humains.

Le droit d'être homosexuel

Importe-t-il de savoir pourquoi nous ne sommes pas tous attirés par le même sexe ? Dans une société ouverte, où l'homosexualité ne porterait pas à conséquence, sans doute pas. Mais certains, parmi nous, considérant ouvertement que les hommes et femmes homosexuels devraient être dissuadés de vivre leur vie comme ils l'entendent, voire encourir des condamnations pour cela, je crois qu'il est justifié de chercher à comprendre les causes de leurs tendances.

Si l'on admettait que les homosexuels choisissent leur mode d'existence, on pourrait prétendre à ce que la société réprime leur comportement. (Il est vrai qu'il existe des lesbiennes affirmant avoir opté pour l'homosexualité pour des motifs politiques, mais cela sort du cadre de cet ouvrage.) Certaines personnes voudraient qu'au même titre qu'on interdit les rapports sexuels avec les enfants, on frappe l'homosexualité d'illégalité. D'ailleurs, certains États interdisent la sodomie (voir le chapitre 18).

Mais pourquoi interdirait-on quelque chose qui dépasse notre liberté de choix, puisque c'est un caractère présent dès la naissance ? De quel droit la société interdirait-elle une forme de sexualité, si c'est la seule qui convient à certains êtres ?

En tant que juive, je sais que la Bible condamne textuellement les mœurs homosexuelles ; c'est pourquoi de nombreux croyants la considèrent comme un péché. Le problème, avec l'Ancien Testament, c'est qu'il est, dans bien des cas, sujet à interprétation, plus souvent humaine que divine. (Par exemple, non loin des passages relatifs à l'homosexualité, la Bible nous enjoint à ne pas porter de vêtements fabriqués dans des tissus différents. Combien de fidèles respectent-ils ce précepte ?) Certains groupements religieux approuvent l'existence de prêtres homosexuels, en dépit des textes bibliques. Par ailleurs, bien des chrétiens se montrent en faveur de l'armée, bien que l'un des Dix Commandements leur prescrive : « Tu ne tueras point » et que Jésus leur demande de savoir tendre la joue gauche. En définitive, une seule chose est sûre : nous devons vivre sur cette terre ensemble.

La majorité hétérosexuelle doit comprendre que les pratiques homosexuelles, effectuées en respectant certaines précautions, n'ont rien de mauvais ni de dangereux. L'homosexualité ne résulte pas plus d'un choix que l'hétérosexualité. Les hétéros doivent apprendre la tolérance et traiter les homos comme des égaux.

Carte blanche ?

Ce que deux adultes consentants font de leur vie privée, quelle que soit leur orientation sexuelle, ne regarde qu'eux. Je n'irai pas, toutefois, jusqu'à donner carte blanche à toutes les formes de comportement homosexuel. Certaines des pratiques qui se déroulent dans des lieux publics, bars gays ou saunas, par exemple, me paraissent aller trop loin, en particulier en ce qui concerne les risques de transmission du sida.

De même que les homos sont tout aussi capables d'assumer leurs responsabilités que les hétéros, il leur arrive de ne pas se comporter en adultes. Sachant que quantités de mariages finissent par un divorce et que nombre d'hétéros ont des partenaires multiples, prêcher la fidélité éternelle aux homos serait peu raisonnable.

Quelle que soit sa tendance, toute personne sexuellement active devrait éviter les rencontres fugaces et s'interdire les pratiques à risques.

Trouver son orientation (pas besoin de boussole)

Je suis sûre que mes lecteurs hétérosexuels lisent ce chapitre par pure curiosité, et c'est tant mieux. Certains y trouveront une forme d'excitation qui ne manquera pas de les mettre mal à l'aise. Allez savoir, ils auront peut-être soudain un doute sur leur propre identité ? C'est pourquoi, avant d'aborder les questions directement sexuelles, je souhaite vous familiariser avec le tout début de l'histoire : la découverte, par l'individu, de son identité sexuelle.

Comment savoir ?

Ce n'est pas parce qu'on ressent une excitation en lisant un texte relatif à l'homosexualité, ni même parce qu'on fantasme sur des rapports avec des personnes du même sexe, qu'on est homosexuel.

Pour un gay ou une lesbienne, il n'y a pas de doute possible, et cette identification ne relève pas d'un fantasme passager.

Par ailleurs, il est fréquent que des jeunes gens connaissent des expériences avec d'autres hommes. Il s'agit souvent de masturbation conjointe ou réciproque. En général, cela ne va pas plus loin et ces pratiques cessent spontanément. Ces découvertes adolescentes ne sont pas, non plus, signe d'homosexualité.

Dans ce cas, comment savoir qu'on est gay ou lesbienne ? La preuve la plus claire, c'est qu'on n'est excité qu'à l'idée de relations avec quelqu'un du même sexe et ce, même si on n'en a qu'avec des personnes du sexe opposé.

La clandestinité

En effet, certaines personnes dissimulent leur nature profonde. Elles se marient, ont des enfants et se livrent à des relations sexuelles régulières avec un partenaire du sexe opposé, contre leur tendance réelle. Pour arriver à l'excitation, elles doivent s'imaginer en situation avec une personne du même sexe. La clandestinité peut prendre des formes diverses :

- L'intéressé fréquente occasionnellement les bars homos ou les zones de prostitution homosexuelle, ou bien il se masturbe en regardant des magazines spécialisés.

- Il s'affirme dans son identité en privé, mais conserve une façade hétérosexuelle dans sa vie sociale.
- Il n'exprime jamais son orientation.

Aujourd'hui, notre société devenant plus ouverte, un grand nombre d'homos font leur *coming out*, c'est-à-dire révèlent leur nature à un moment ou l'autre de leur existence. D'autres se renferment *ad vitam* dans le secret, craignant de ne pas survivre à pareil aveu.

La fin de la clandestinité

En 1969, une descente de police dans un bar gay de New York, le *Stonewall*, entraîna une tragique émeute, restée célèbre, qui encouragea de nombreux homos à s'engager dans une action politique. Le mouvement de libération homosexuelle né alors revendique une égalité des droits entre cette minorité et la communauté hétérosexuelle. Depuis, les sociétés occidentales ont réalisé des progrès, y compris en matière législative. Mais les homos éprouvent encore des difficultés à se faire accepter, y compris par les personnes qui leur sont le plus proches.

Vis-à-vis des proches

L'adolescence n'est une période facile pour personne ; mais il s'agit d'un cap encore plus pénible à franchir pour les jeunes homosexuels. Ils doivent faire face à l'émergence de leur différence par rapport à la majorité de leurs camarades et, en outre, aux réactions négatives de leur entourage familial. Le *coming out* leur coûte encore plus qu'aux adultes : en effet, un adolescent n'étant pas en mesure de vivre indépendamment de ses parents, il lui est impossible de mener son existence comme il l'entend. Le taux de suicide chez les jeunes homos est beaucoup plus élevé que chez les autres, dans une large mesure parce qu'ils subissent un insupportable rejet familial.

Aucune famille ne réagit de façon semblable lorsqu'elle apprend l'homosexualité d'un adolescent. Certains parents, qui s'en doutaient depuis un certain temps et s'étaient faits à cette idée, ressentent alors une forme de soulagement. D'autres réagissent de manière très négative, car ils n'acceptent pas que s'effondrent soudain les espérances qu'ils avaient placés dans leur fils ou dans leur fille – en d'autres termes, que l'intéressé se marie et qu'il leur donne beaucoup de petits-enfants. Ils peuvent aussi craindre que l'homosexualité de leur enfant entache leur image (et celle de l'éducation qu'il lui ont apportée) aux yeux du reste de la famille ainsi que des amis ou voisins. Parfois, les deux parents adoptent une attitude opposée : l'un admet l'orientation de son enfant, tandis que l'autre s'y refuse, allant même jusqu'à couper complètement les ponts avec lui.

Le métier de parents n'est jamais facile. Il est compréhensible que l'annonce de l'homosexualité de l'un de leurs rejetons leur inspire tout d'abord des sentiments contradictoires. Il importe qu'ils passent outre cette première réaction et s'emploient à restaurer l'unité familiale. Selon moi, cela demande une certaine préparation de la part de l'adolescent : averti des émotions que son identité sexuelle risque d'inspirer à sa famille et informé de la manière d'y faire face, il aura moins de difficultés à s'en faire accepter, peu à peu.

Jusqu'à une époque récente, la décision de révéler sa nature à sa famille ou de la garder secrète dépendait entièrement de chacun. Malheureusement, cela n'a plus été le cas pour de nombreuses personnes qui, contaminées par le sida, n'ont plus eu de choix en la matière. Si l'évocation de ce *coming out* aussi sinistre qu'involontaire pouvait encourager homos et hétéros à prendre toutes leurs précautions pour éviter la maladie…

Le principal conseil à donner aux homosexuels qui n'ont pas parlé de leur identité à leur famille est de consulter immédiatement un psychologue ou un autre spécialiste habitué à traiter ce problème. Son expérience l'aidera à trouver l'issue la moins traumatisante possible.

Vis-à-vis des autres

Le premier coming out d'un homosexuel s'effectue, en général, auprès d'un partenaire potentiel. Cette perspective est, en soi, source d'angoisses. Et si l'autre était hétéro ? Tout rejet est blessant et, a fortiori, lorsqu'il émane de quelqu'un qui se scandalise de faire l'objet d'avances de la part d'une personne du même sexe, comme cela se produit le plus souvent.

Tôt ou tard, un homosexuel rencontre tout de même quelqu'un qui partage ses goûts. L'autre lui apporte un soutien précieux quand il s'agit de déclarer son orientation à son entourage. Souvent, les jeunes dans cette situation trouvent une aide appréciable par l'intermédiaire des chats et autres salons de discussion sur Internet. Ils peuvent ainsi en savoir davantage sur l'homosexualité et attendre, pour faire connaître leur identité, d'être prêts pour cela.

Révéler ses tendances sexuelles à l'entourage professionnel est particulièrement risqué. Les cas sont nombreux de personnes qui ne les cachent pas dans la vie privée mais montrent la plus grande prudence dans le cadre de leur travail. Certains employeurs hésitent à embaucher un homosexuel pour la simple raison qu'ils craignent soit les conséquences de son éventuelle séropositivité, sur eux-mêmes ou sur ses collègues, soit l'absentéisme dû à un sida déclaré.

Les discriminations anti-homosexuelles nuisent au combat contre le sida. En effet, pour préserver les apparences, certains homos peuvent, pour éviter de s'engager dans une relation stable, frayer avec le monde du sexe anonyme, bien plus propice aux risques de contamination.

Il n'y a pas si longtemps, on hésitait moins qu'auparavant à révéler son identité sexuelle. Mais, depuis l'arrivée du sida, bien des homosexuels préfèrent de nouveau dissimuler leur nature.

Quand on met fin à sa clandestinité, on ne sait jamais exactement à quelles conséquences s'attendre. C'est donc toujours une décision difficile à prendre. Lorsque les réactions sont positives, la personne concernée se sent soulagée d'un lourd fardeau, débarrassée qu'elle est de l'obligation de mener une double vie. D'autres paient cher leur sincérité, car elle se traduit par une rupture totale avec une partie de l'entourage familial ou amical.

Vis-à-vis du conjoint et des enfants

Une personne homosexuelle qui décide de ne plus cacher sa nature à son conjoint et à ses enfants connaît une situation doublement éprouvante. Non seulement elle souffre, mais elle sait que ses proches en seront terriblement marqués.

Bien qu'il ressente durement la séparation avec sa famille, celui qui quitte le foyer parviendra sans doute à s'épanouir dans la communauté homo. Mais, pour la personne qui reste, le processus de deuil est parfois plus cruel qu'à la suite d'un décès. En effet, elle a perdu son conjoint et, en outre, son amour-propre s'en trouve profondément blessé. Elle comprend que celui qu'elle aimait n'a peut-être jamais ressenti d'attirance envers elle, contrairement à ce qu'elle croyait. Isolée, elle est privée du soutien dont l'autre bénéficie dans son nouvel entourage.

Malgré ces conséquences pénibles, on ne saurait considérer le *coming out* d'une personne vivant en couple hétérosexuel comme une erreur. L'erreur, c'était de s'engager dans une relation avec quelqu'un du sexe opposé. En adoptant, sous la pression de la société, un mode de vie en contradiction avec ses tendances véritables, on finit ainsi par causer de profondes souffrances à son entourage, en plus de celles qu'on endure soi-même du fait de cette inadéquation.

Le outing

Certains membres de la communauté homosexuelle, surtout aux États-Unis, considèrent que tout gay ou lesbienne devrait vivre sa vie au grand jour. C'est pourquoi il leur arrive de dévoiler ce que les intéressés voulaient garder secret. On appelle cette divulgation *outing*.

Comme vous pouvez vous en douter, voilà une attitude contre laquelle je m'élève de façon catégorique. Je sais ce que cela représente de révéler son homosexualité de façon volontaire. Par conséquent, personne n'a le droit d'infliger à autrui pareille épreuve.

Trouver un soutien

Il n'y a pas si longtemps, on obligeait les enfants gauchers à écrire de la main droite. Aujourd'hui, on les accepte tels qu'ils sont. Dans certaines disciplines, notamment sportives, cette caractéristique leur procure d'ailleurs un avantage.

J'espère qu'un jour, il en ira de même pour les homosexuels. Les pressions que la société exerce sur eux pour qu'ils cachent leur authentique nature laissent des traces profondes, quoique souvent inexprimées. La faute nous en incombe, à nous tous qui les forçons ainsi à adopter une fausse identité sexuelle.

Gary

J'ai un jour reçu un jeune homme en situation de profonde détresse. Depuis l'âge de quatorze ans, il se savait homosexuel. Désireux de combler les attentes de son père, il aurait ardemment souhaité être incorporé dans l'armée, tout en étant conscient des problèmes que cela risquait d'entraîner. C'est pourquoi il préféra cacher sa nature. Pour satisfaire ses besoins sexuels, il recherchait des rencontres impersonnelles dans les bars gays, mais ne s'était jamais autorisé de relation amoureuse car il craignait que cela lui soit encore plus difficile à dissimuler que de simples virées occasionnelles.

Gary n'entra pas dans l'armée mais persista dans la crainte que ses parents découvrent son homosexualité. S'il était venu me consulter, c'est parce qu'il était tombé amoureux d'un collègue, avec qui il avait eu des relations sexuelles. Gary ne savait pas comment affronter la situation. Il me demanda de l'aider à oublier son ami. En fait, ce qu'il fallait, c'était lui indiquer comment révéler à sa famille sa nature profonde, afin qu'il puisse s'accomplir véritablement.

L'opinion générale a tendance à assimiler sida et homosexualité. Il est vrai que la maladie a cruellement touché la population homo. Mais celle-ci a aussi su s'organiser en associations visant à améliorer l'existence des personnes atteintes. Elle représente, en outre, une force politique qui a réussi à avancer vers une égalité des droits.

Depuis *Stonewall* (voir ci-dessus, « La fin de la clandestinité ») la tolérance envers les homosexuels aux États-Unis et en Europe a connu d'amples progrès mais, par ignorance, on persiste encore trop souvent à leur infliger une discrimination, au simple motif de leur orientation sexuelle.

Homosexualité masculine

Les pratiques homosexuelles masculines, très variées, sont souvent identiques aux pratiques hétérosexuelles. Sur le plan sentimental, l'amour et la tendresse peuvent être aussi profonds chez les gays que chez les autres.

J'identifie ci-après ces pratiques, en les classant par ordre de dangerosité, compte tenu des ravages du sida dans la communauté homo. (Hétéros, prenez-en aussi de la graine.) Je tiens particulièrement à ce que les jeunes hommes entendent mon message sur le safer sex (le sexe à moindres risques). En effet, alors que leurs aînés, décimés par la maladie, ont opté pour la prudence, certains éléments de la nouvelle génération recommencent à flirter avec la mort.

- À l'extrémité la plus absolument inoffensive du spectre se situe le *voyeurisme*. Dans la communauté hétérosexuelle, cette activité équivaut à la fréquentation des bars « top-less », à cette différence que le cadre des saunas et autres lieux gays est plus propice à la masturbation.
- Chez certains, la masturbation collective est une pratique courante. Il peut s'agir soit d'auto-masturbation, soit d'allo-mastubation, parfois effectuée en cercle, chacun « s'occupant » de son voisin. Cette activité, favorisée par l'épidémie du sida,

peut se dérouler dans des clubs spécialisés, qui respectent de strictes règles de sécurité.

- Le baiser est, pour certains, la principale, voire l'unique, forme de contact physique. D'autres ne lui trouvent pas d'intérêt.
- Le simple contact corps à corps permet d'atteindre l'orgasme sans danger de contamination par le sida.
- La *fellation* est considérée comme la pratique la plus courante entre hommes.

L'éjaculation dans la bouche présentant un risque plus élevé de transmission des MST, les partenaires évitent souvent de terminer ainsi une fellation. Il existe toutefois une part de danger en raison de l'émission de liquide pré-éjaculatoire, sauf si on utilise un préservatif. Les contacts buccaux sur d'autres parties du corps sont inoffensifs, à l'exception du baiser anal (anilinctus ou rimming), susceptible de causer la transmission de nombreuses MST.

- La pratique la plus risquée est le coït anal, qui procure au partenaire sodomisé du plaisir au niveau du rectum et de la prostate. L'éjaculat pouvant être vecteur de MST et la paroi rectale étant souvent endommagée par l'acte sexuel, il est facile à un virus de pénétrer dans le sang de cette manière.

  L'utilisation du préservatif est plus nécessaire que jamais. Il faut cependant préciser que les condoms se déchirent plus facilement lors d'un coït anal que lors de rapports vaginaux. Cette pratique présente donc des risques, même en prenant cette précaution.

Depuis les débuts du mouvement gay, les comportements au sein de la communauté homosexuelle masculine ont évolué. Avant l'arrivée du sida et dans les grandes villes en particulier, les hommes s'en donnaient à cœur joie. Certains, même vivant avec un compagnon, pouvaient avoir des centaines de partenaires.

L'arrivée de l'épidémie a incité nombre d'entre eux à se limiter à une vie de couple. Malheureusement, beaucoup avaient déjà contracté la maladie. De nos jours, on constate un retour, parmi les jeunes, à des pratiques dangereuses. Espérons qu'ils changeront d'avis avant qu'il ne soit trop tard.

Homosexualité féminine

La pénétration entre femmes n'étant pas possible, les pratiques lesbiennes ressemblent fort aux préliminaires des hétérosexuels (voir le chapitre 7) : les partenaires se touchent, s'embrassent, se lèchent ou se sucent toutes les parties du corps.

- Les deux partenaires étant dotées de seins, zone hautement érogène chez les femmes, ceux-ci jouent un rôle essentiel. Les mamelons sont très sollicités et chacune peut frotter ses seins contre ceux de l'autre.
- Le corps à corps est aussi fréquemment pratiqué. Couchées l'une sur l'autre, les partenaires frottent leur région génitale respective contre celle de l'autre. Cette pratique est appelée *tribadisme*, c'est pourquoi on désignait jadis les lesbiennes sous le nom de *tribades*. Elle présente l'avantage de permettre la stimulation d'autres parties du corps avec la bouche et les mains.
- De même que le reste de la zone génitale, le clitoris est stimulé des doigts ou, parfois, à l'aide d'un vibromasseur.
- La position du « 69 », permettant le *cunnilinctus* simultané, est appréciée de certaines lesbiennes. D'autres préfèrent se donner du plaisir à tour de rôle.
- Il est courant de pénétrer le vagin de sa partenaire à l'aide des doigts, de la langue ou d'un corps étranger. Certaines lesbiennes retrouvent la sensation de la pénétration par la verge au moyen de godemichés. La forme de ces objets rappelant celle du pénis, ils sont plus ou moins bien acceptés dans la communauté, certaines refusant cette analogie pour des motifs féministes (voir le chapitre 14 au sujet des accessoires).
- Les pratiques anales existent aussi, qu'il s'agisse de l'*anilinctus* (jeu de la langue sur l'anus) ou de la pénétration avec le doigt ou un godemiché.

Pour certaines lesbiennes, le plaisir en général, et non l'orgasme, est le principal objectif. Il n'empêche que des études indiquent que la fréquence de l'orgasme est plus élevée parmi elles que chez les hétérosexuelles. Elles prendraient plus de temps pour s'exciter mutuellement et dialogueraient davantage pendant leurs rapports sexuels, en s'expliquant de façon plus claire ce qui leur est agréable.

Les femmes homosexuelles privilégient davantage le couple que les hommes, pour des raisons tant affectives que physiques. Il semblerait qu'elles recherchent plus l'intimité et que leurs attentes en matière sexuelles soient plus modestes.

Mariage homo ?

Notre société accuse les homos de pratiquer une sexualité débridée. Mais, quand ceux-ci demandent à officialiser leur couple, elle ne se montre guère plus tolérante. De nombreux hétérosexuels considèrent que le mariage doit rester leur apanage. Pourtant, une évolution commence à se faire sentir. Dans certains pays, il existe des églises qui approuvent les unions entre hommes ou entre femmes ; dans le Vermont, aux États-Unis, ce mariage religieux a même valeur de mariage civil. En France, le Pacs (Pacte civil de solidarité) apporte depuis 1999 un substitut de mariage aux homosexuels (pour plus d'informations, voir le chapitre 18). Dans d'autres pays d'Europe, un équivalent existe ou est en cours de légalisation. Pour ma part, souhaitant à tout être humain une vie saine et heureuse, j'ai la conviction qu'il faut encourager tout le monde, gay ou pas, à poursuivre des relations durables.

Chapitre 14

Jeu en solo et fantasmes

Dans ce chapitre :

- Pourquoi la masturbation est-elle aussi mal vue ?
- Y a-t-il un âge pour cela ?
- Passons à l'acte
- Prendre ses désirs pour des réalités

Tout d'abord, j'ai deux excellentes nouvelles à vous annoncer. La première, c'est que je vous autorise à faire quelque chose que d'autres vous ont peut-être interdit. La seconde, c'est que cela ne vous rendra pas sourd.

Des histoires à faire peur

Pour ceux qui n'auraient jamais entendu parler de cette histoire de surdité, une petite explication s'impose. De tout temps, la masturbation a été considérée comme répréhensible ; cette attitude a des origines antiques qui la justifiaient à l'époque. En outre, on n'avait pas encore inventé la vaseline.

- Nos ancêtres craignaient que la masturbation, en particulier celle des hommes, ait pour effet de limiter la capacité à procréer. Il est vrai qu'aux premiers temps de l'humanité, quand la mortalité infantile était élevée et l'espérance de vie fort brève, se reproduire était une question de survie de l'espèce.

- Dans les civilisations primitives, les aînés condamnaient cette pratique car ils croyaient que chaque homme naissait avec une quantité limitée de sperme et que, s'il la gaspillait, il n'en aurait plus assez pour imprégner une femme. (S'ils avaient su qu'un humain de sexe mâle fabrique 50 000 spermatozoïdes par minute… Vive le progrès scientifique !)

La société n'a toujours pas complètement levé l'anathème sur les pratiques solitaires. À l'époque victorienne, par exemple, la croisade anglaise contre la masturbation atteignit des sommets inégalés. On accusait l'onanisme d'engendrer toutes sortes de maux : saignements de nez, asthme, souffle au cœur, migraine, épilepsie, folie, éruptions cutanées, mauvaises odeurs et *tutti quanti*.

Il y avait encore pire que ces calamités : les moyens employés par les parents pour dissuader leurs enfants de se livrer à cette activité. Outre des mesures de rétorsion variées, ils leur imposaient des interventions chirurgicales telles que circoncision, castration (ablation des testicules) ou clitoridectomie (ablation du clitoris). Cette dernière et épouvantable pratique, également appelée excision, est encore infligée dans de nombreuses régions d'Afrique à des millions de femmes, non seulement pour leur interdire la masturbation mais pour les priver de tout plaisir sexuel.

Nos ancêtres savaient toutefois (de par leur expérience personnelle, sans doute) que, malgré les interdits de nature culturelle ou religieuse, les jeunes n'écoutent pas toujours leurs aînés (tiens donc !). C'est pourquoi ils inventèrent quelques mythes sur la masturbation, pensant qu'ils auraient un effet plus dissuasif que les règles sociales.

Souvent, les légendes propagées sur l'acte solitaire prétendaient qu'il entraînait l'apparition de signes extérieurs dénonçant indubitablement le vice du coupable. Outre la surdité, l'intéressé risquait la cécité, la maladie mentale ou une pilosité anormale de la paume des mains. Voilà qui incitait fortement à ne pas toucher à ses parties génitales, sous peine d'opprobre public.

Ni les interdits, ni les racontars n'ont encore disparus. De nombreuses religions condamnent la masturbation. Une publicité américaine associe pratiques solitaires et éruptions d'acné (« Zut, un bouton, tout le monde va savoir que je m'enferme dans ma chambre ! »). Toutes ces histoires ne reposent, bien entendu, sur aucune réalité fondée.

Histoire d'Onan

Les Juifs de l'époque biblique réprouvaient le gaspillage de la semence masculine. La Genèse conte ainsi l'histoire d'Onan, qui a donné son nom à l'onanisme, synonyme de masturbation. En fait, les spécialistes de l'Ancien Testament pensent aujourd'hui qu'Onan pratiquait le coït interrompu, et non la masturbation, afin d'éviter de féconder la veuve de son frère, s'opposant ainsi à ce que lui dictaient la coutume et la religion. Si Onan avait su ce que mes lecteurs ont appris dans ce livre à propos du liquide pré-éjaculatoire, il s'en serait tenu à la version d'origine.

Ne pas abuser des bonnes choses

Il n'y a pas la moindre indication scientifique qu'un orgasme obtenu par la masturbation présente une différence avec la jouissance procurée par le coït, pas plus qu'un quelconque danger. Cette activité peut néanmoins se traduire par des conséquences négatives, en cas d'abus, comme pour toute autre chose, même vitale (une alimentation excessive est cause d'obésité et une trop grande profondeur des inspirations entraîne une hyperventilation, par exemple).

Certaines personnes deviennent ainsi « accros » au plaisir solitaire, à tel point qu'elles s'y adonnent plusieurs fois par jour. Il ne leur reste plus guère de temps ni d'énergie à consacrer à d'autres activités, trouver un partenaire, par exemple.

Où commence l'abus ? À cette question qu'on me pose souvent, je ne saurais répondre que de manière détournée. Autrement dit, si vous êtes content de votre existence, que vous êtes entouré d'amis, que vous obtenez de bons résultats professionnels ou scolaires, que vous êtes amoureux et aussi satisfait de votre vie sexuelle que votre partenaire, peu importe la fréquence à laquelle vous vous masturbez. En revanche, si vous êtes seul, mal dans votre peau et que vous n'ayez que ce moyen pour vous sentir plus à l'aise au lieu de chercher à mener votre barque comme vous le voulez, il y a un problème, que vous vous masturbiez souvent ou non.

La masturbation est une façon commode de libérer ses tensions sexuelles. Pourtant, ces dernières présentent un avantage : elles motivent à chercher quelqu'un ou à poursuivre tel ou tel projet. C'est pourquoi, si vous avez besoin de mettre de l'ordre dans votre existence, je vous conseille de mettre un frein à vos pratiques solitaires. Il ne s'agit pas de vous en abstenir complètement mais, en espaçant les occasions, de vous inciter à trouver d'autres attraits à votre vie.

Tout dépend de ce qu'on recherche. Il est bien normal qu'un célibataire qui s'efforce activement, par ailleurs, de rencontrer l'âme sœur se livre à ce genre de solos pour éviter les frustrations sexuelles – dès lors qu'il trouve toujours de l'intérêt pour le monde extérieur et pas seulement pour ses parties intimes.

De même, il n'y a rien de mal à ce que, dans un couple, celui qui ressent le plus de besoins se procure des orgasmes individuels quand cela lui chante, à condition que son partenaire s'épanouisse dans leur sexualité commune. Mais il serait souhaitable qu'il s'enquière auprès de l'autre pour savoir si des rapports plus fréquents lui feraient plaisir. Il ne faut pas se laisser aller à la facilité en comptant sur l'auto-érotisme pour répondre à toutes ses envies sexuelles, car une union dépourvue de relations charnelles ne peut survivre bien longtemps.

Il n'y a pas d'âge

On sait aujourd'hui que la masturbation contribue à l'évolution équilibrée de l'individu. Il n'y a aucun inconvénient à ce que cette pratique débute dans la petite enfance et se poursuive tout au long de l'âge adulte.

Pendant la petite enfance

Remontons jusqu'aux premiers instants de la vie. Savez-vous qu'à la naissance, certains petits garçons ont une érection, et qu'un phénomène de mouillure vaginale peut se produire chez la petite fille ? Il semblerait même que certains fœtus se tripotent dans le ventre de leur mère.

De nombreux enfants en bas âge « se touchent » tout simplement parce que cela leur procure du plaisir, bien que la jouissance totale de l'orgasme ne leur soit pas encore possible. Les parents, quand ils les prennent « sur le fait », les en dissuadent. Il s'agit d'une réaction acceptable, mais la façon d'intervenir joue un rôle important dans le développement sexuel de l'enfant.

Il est normal de faire comprendre à un enfant que notre société ne tolère pas la jouissance sexuelle en public. Mais il ne faut pas lui donner à croire pour autant que la masturbation (ou la sexualité en général) est mauvaise en soi. Les parents qui grondent leurs rejetons ou leur tapent sur les mains quand ils jouent avec leur sexe leur transmettent un message inapproprié, selon lequel il est mal de ressentir un plaisir sexuel. Pas étonnant que, devenus adultes, ceux-ci s'interdisent l'épanouissement.

De même qu'on peut apprendre aux enfants à ne pas se mettre les doigts dans le nez devant tout le monde, il doit être possible d'en faire autant à propos de leurs manipulations intimes. Si tant de parents rencontrent des difficultés en la matière, c'est sans doute parce qu'on leur a inculqué, quand ils étaient petits, une honte dont ils ne se sont toujours pas départis et qu'ils transmettent à la génération suivante. En prenant conscience de cette réalité, vous parviendrez à ne pas réprimander vertement vos enfants et briserez ainsi cette chaîne.

Ce qu'il convient d'expliquer à un enfant, c'est qu'on a le droit de se toucher la région génitale, mais seulement quand on est seul. Combien de parents présentent-ils la chose ainsi ? Sans doute très peu. Combien d'entre eux permettent-ils une forme d'intimité à leurs enfants en frappant à la porte de leur chambre avant d'y entrer et en s'abstenant de poser toutes sortes de questions si l'enfant ne le souhaite pas ? Une infime minorité. Dans la plupart des cas, le voile de l'interdit est jeté dès le premier âge sur la masturbation, ce qui encourage les intéressés à la pratiquer de façon clandestine. Cette expérience acquise dans l'enfance influence profondément l'attitude de notre société envers le sexe en général.

Pendant l'adolescence

Bien que les petits enfants accordent un grand intérêt à leurs organes génitaux, ils traversent, en grandissant, une période dite de *latence*, selon l'expression freudienne, pendant laquelle la sexualité sort de leurs préoccupations. Cet âge correspond à celui où les garçons considèrent les filles comme des êtres tout à fait négligeables, et réciproquement, ou pire.

Puis vient le moment – parfois précoce, parfois tardif dans l'adolescence – où les hormones sexuelles s'activent pour déclencher la puberté. L'enfant acquiert des *caractères sexuels secondaires* (pilosité pubienne, poitrine, etc.). C'est alors qu'il commence à se montrer curieux des choses du sexe et, souvent, à se masturber.

Des enquêtes répétées prouvent que les garçons se livrent davantage à cette activité que les filles. En effet, une majorité d'entre eux déclarent avoir commencé dès le début de l'adolescence, alors que bien des femmes ne découvrent cette pratique qu'après vingt ou trente ans. Par ailleurs, lorsqu'on pose la question à des adultes, les hommes sont plus nombreux que les femmes à déclarer le faire (84 contre 42 %, semble-t-il).

Cela s'explique par divers motifs :

- Les organes génitaux masculins sont plus faciles d'accès. Ne serait-ce que pour uriner, les garçons sont habitués à les toucher. Cette région est donc moins taboue dans leur esprit que dans celui des filles.
- Les hommes s'excitant rapidement, il leur est plus facile de profiter de la moindre occasion pour se masturber.
- La société se montre plus répressive envers les femmes de façon générale et dans ce domaine en particulier.

Les femmes prenant de plus en plus conscience de leur sexualité, elles osent davantage qu'auparavant explorer leur corps. C'est pourquoi je pense que les pourcentages indiqués ci-dessus sont appelés à s'équilibrer avec le temps.

À l'âge adulte

Selon une idée largement répandue, la masturbation s'interrompait avec l'âge adulte. C'est faux, qu'on soit célibataire ou non.

Bien des personnes vivant en couple se masturbent. Pour certaines, c'est parce que leur vie sexuelle avec leur conjoint ne les satisfait pas. Pour beaucoup d'autres, c'est simplement parce qu'elles y trouvent du plaisir. Il arrive qu'on éprouve une plus grande jouissance dans l'acte solitaire que dans les rapports à deux. Par ailleurs, on n'a pas forcément les mêmes appétits d'un individu à l'autre. Enfin, la masturbation fait aussi partie des jeux amoureux effectués entre partenaires.

Voici des exemples illustrant la pratique de la masturbation au sein du couple :

John et Mary

Au début de leur union, John et Mary faisaient l'amour presque tous les jours. Après cinq ans de mariage et la naissance de deux enfants, la fréquence de leurs rapports chuta brusquement à une fois par mois. Pour Mary, c'était vraiment trop peu, même si elle ne ressentait pas la nécessité de relations sexuelles quotidiennes. Elle tentait bien d'inciter son époux à retrouver une vie sexuelle plus satisfaisante, mais en vain.

Une nuit, Mary se réveilla. John s'était levé. Elle le trouva dans le salon, contemplant une cassette porno, une main sur le pénis. Comme il ne l'avait pas entendu entrer, elle revint se coucher sur la pointe des pieds et ne lui fit aucun commentaire. Mais elle décida de me consulter.

Quand j'eus l'occasion de parler avec John, il reconnut qu'il avait pris l'habitude de jouer en solo une ou deux fois par semaine devant son poste de télévision. Il m'expliqua qu'il adorait les films X mais que sa femme refusait d'en regarder en sa compagnie. C'est pourquoi il se livrait à cette occupation en cachette et ne pouvait plus s'en passer, tout en se sentant coupable de ne pas faire l'amour avec Mary aussi souvent qu'elle l'aurait souhaité.

Je les aidai à aboutir à un compromis. Mary acceptait de regarder un film porno avec John une fois par mois, à condition d'éviter certains thèmes particuliers. En contrepartie, John avait des rapports hebdomadaires avec elle, fréquence que Mary trouvait suffisante. Elle était d'accord pour qu'il se masturbe par ailleurs s'il en ressentait l'envie.

Je suppose que, depuis toujours, les épouses sont bien obligées de céder face à une rivale telle que la « veuve Poignet ». Mais, les tentations se multipliant aujourd'hui (vidéos, magazines, téléphone rose, cybersexe, etc.), elles sont de plus en plus nombreuses à me demander conseil à ce sujet. La meilleure solution réside dans l'accord de concessions réciproques, comme dans l'exemple de Mary et John. Il est rare que deux partenaires aient les mêmes appétits sexuels. Il n'y a pas de raison pour que John se prive de son plaisir, dès lors que Mary n'en subit pas de frustration.

VÉCU

Jim et Jackie

Jim et Jackie avaient déjà été mariés l'un et l'autre. La première épouse de Jim était morte du cancer ; Jackie était divorcée. Avec sa précédente compagne, Jim avait eu une union plutôt calme. Ils avaient des rapports une fois par semaine et s'en trouvaient tous deux contents. Jackie était tout à fait à l'opposé de sa première femme : il lui fallait faire l'amour tous les jours, ce qui n'avait pas manqué d'émoustiller Jim dans les premiers temps de leur relation. Il s'était alors efforcé de suivre le rythme mais, après six mois, il avait commencé à se lasser. Il avait une occupation professionnelle très prenante et ne pouvait « assurer » chaque soir.

Jackie, quant à elle, demeurait toujours aussi ardente. Ne sachant jamais à l'avance si son mari serait d'humeur à assouvir ses désirs le soir venu, elle ressentait une frustration croissante.

D'habitude, je suis plutôt favorable à l'improvisation. Mais ce cas particulier me semblait exiger l'adoption de règles. Jim accepta de satisfaire Jackie deux fois par semaine ; ils décideraient à l'avance des moments les plus opportuns. Ainsi, Jim pourrait conserver son énergie pour le jour « J » et Jackie se sentait libre de se donner du plaisir par elle-même le reste du temps.

L'issue de ce genre de problèmes conjugaux dépend souvent de la qualité du dialogue au sein du couple. Si l'intervention d'un spécialiste semble nécessaire pour briser la glace, les intéressés ne doivent pas hésiter à consulter.

Comment ?

Je suis certaine que la plupart d'entre vous n'ont pas besoin de leçons en la matière. Pour qu'il ne soit pas dit que je néglige un aspect aussi fondamental de l'équilibre sexuel, voici néanmoins la marche à suivre.

Avant d'entrer dans les détails, précisons que le meilleur conseil que je puis vous apporter à cet égard, c'est de faire ce qui vous plaît. Il n'existe pas, dans ce domaine, de bonnes ni de mauvaises pratiques. Peu importe que vous usiez de la main droite, de la gauche ou des deux à la fois. Aucun choix ne peut être plus individuel que celui-là.

Pour les hommes

Dans l'étymologie du mot « masturbation », il y *manus*, c'est-à-dire « main ». Voilà de toute évidence l'instrument le plus couramment utilisé dans ce domaine. Ce qui signifie de façon implicite qu'il en existe d'autres.

Certains se frottent contre leurs draps. D'autres sont adeptes de la poupée gonflable, compagne grandeur nature dotée d'orifices accueillants, du point de vue d'un pénis. On trouve dans les sex-shops d'autres accessoires, simulant la forme du vagin. L'utilisateur peut accentuer la ressemblance en recourant à un lubrifiant.

Je suppose toutefois qu'une vaste majorité de mâles se contentent de leurs mains. Rien n'empêche d'améliorer la lubrification de ces accessoires naturels par de la vaseline, qu'on peut aussi appliquer sur la verge. Certains hommes préfèrent la position couchée, d'autres debout ; pour d'autres encore, toute posture est bonne. La plupart d'entre eux apprécient la vue d'un quelconque objet érotique pendant l'acte. Peu importe donc le cadre, à condition qu'il soit assez éclairé.

Les jeunes pratiquent parfois la masturbation en groupe, en se plaçant en cercle. Malgré les apparences, ce jeu n'est pas l'apanage des homosexuels (voir le chapitre 13).

La masturbation réciproque entre deux garçons n'est pas rare non plus, y compris chez les hétérosexuels. Il semblerait qu'un quart de la population adolescente hétéro s'y prête, pour 90 % des jeunes homos.

Pour les femmes

Contrairement aux hommes, qui emploient des méthodes assez comparables, les femmes montrent une plus grande diversité de techniques, quoique visant avant tout à une stimulation clitoridienne. Beaucoup se servent de leurs mains mais d'autres répugnent à ce contact direct. Et, chez certaines, la stimulation manuelle ne suffit pas.

Cette demande a permis le développement d'une fructueuse industrie, celle des vibromasseurs. Il en existe de types différents, avec leurs avantages et inconvénients respectifs.

Je suis tout à fait favorable à l'utilisation de ces accessoires et vais jusqu'à la préconiser. Le problème, c'est que les femmes peuvent développer une accoutumance aux sensations qu'ils offrent, largement supérieures à celles procurées par les caresses d'un homme. Elles risquent fort de connaître des déconvenues lorsqu'elles reviennent à des moyens naturels.

Selon moi, les vibromasseurs sont toutefois d'une grande utilité pour apprendre à atteindre l'orgasme quand on n'y parvient pas par le simple contact manuel. Ils représentent aussi la possibilité de s'offrir un « petit plaisir » de temps en temps. Mais il convient d'éviter d'en prendre l'habitude. Ils doivent servir avant tout à s'entraîner à varier les techniques de sorte d'être dans une forme idéale à la prochaine rencontre amoureuse.

Vibromasseurs à fil

Les vibromasseurs à fil sont les plus puissants, trop, aux dires de certaines. Souvent, ils sont vendus en tant qu'accessoires de massage. Admettons que certaines ne les achètent que pour cette utilisation… Mais ils doivent bien souvent servir à stimuler en particulier des zones péri-clitoridiennes. En voici, ci-dessous, un modèle (voir la figure 14.1). On peut même y ajouter un accessoire spécialement destiné au contact direct avec le clitoris.

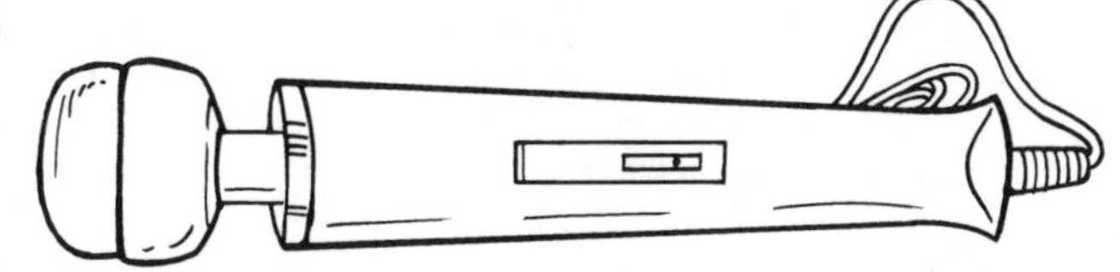

Figure 14.1 : La « Rolls » du vibromasseur.

Avec l'autorisation de Eves's Garden

Il en existe un modèle qui, au lieu de vibrer, oscille jusqu'à 3 600 fois par minute, procurant des sensations différentes et plus intenses. D'autres, à tête double, permettent de multiplier les possibilités (stimulation simultanée du clitoris et de l'anus) ; le partenaire peut même insérer son pénis entre les deux vibreurs.

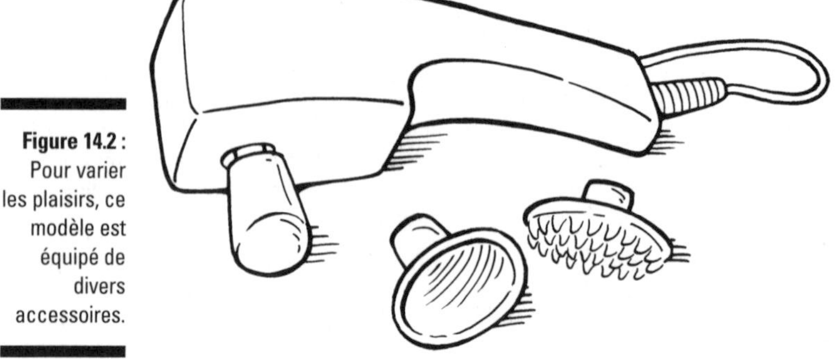

Figure 14.2 : Pour varier les plaisirs, ce modèle est équipé de divers accessoires.

Avec l'autorisation de Eves's Garden

Quel que soit le modèle choisi, je vous déconseille vivement de vous servir de ces appareils électriques dans votre baignoire…

Sexe à piles

Moins chers que les modèles à brancher sur le secteur, les vibromasseurs à piles présentent l'avantage d'être transportables. En outre, ils procurent des vibrations moins fortes, ce qui peut être appréciable, selon les préférences de chacune. Souvent, ils ont une forme de phallus. La plupart des femmes recherchant avant tout une stimulation clitoridienne, cette caractéristique ne leur est pas nécessaire. Mais elles sont toutefois nombreuses à apprécier les vibrations intra-vaginales. D'autres modèles sont de forme longue et lisse mais non phallique ; certains, discrets et de petite taille, sont faciles à dissimuler dans un sac. D'autres, offrant une fonction « mains libres », se fixent sur les sous-vêtements, permettant ainsi de vaquer à ses occupations tout en se procurant du plaisir. Enfin, il en existe qui, en forme d'œuf, s'insèrent en totalité dans le vagin.

Je ne vois aucun inconvénient à ce qu'une femme se promène en compagnie d'un petit dispositif aussi invisible que magique chargé de lui stimuler le clitoris (l'effet érotique de l'objet étant sans aucun doute accru par l'idée que personne ne s'en aperçoive). Mais je vous déconseille néanmoins d'y recourir quand vous prenez le volant : mon rôle demeure de vous inculquer les principes du sexe à moindres risques !

Autres gadgets

Les vibromasseurs étant, pour l'essentiel, destinés à assurer une stimulation clitoridienne, rien n'interdit de les compléter par un autre accessoire, plus précisément chargé du plaisir vaginal. C'est ici que le godemiché entre en scène. Il s'agit d'un objet de forme phallique qui s'insère dans le vagin à l'instar d'un pénis. Ces « consolateurs » existent depuis des époques beaucoup plus anciennes que le vibromasseur. Jadis, ils étaient sculptés dans le bois, l'ivoire ou le jade. De nos jours, ils sont le plus souvent fabriqués en silicone.

Ressemblant, pour la plupart, à une verge en érection, ils sont proposés dans diverses tailles. Certains arborent un aspect moins réaliste, à l'intention des lesbiennes, qui constituent une bonne partie du marché et ne fantasment pas spécialement sur le phallus. Dans ce cas, ils ont un aspect neutre ; d'autres sont en forme de femme, de poisson ou d'animaux marins (voir la figure 14.3). Il en existe même à forme double qui permettent à deux femmes d'éprouver ensemble la jouissance du coït ou d'autres, équipés de harnais, que l'une emploie pour pénétrer l'autre. Mais je m'éloigne de la masturbation, sujet du présent chapitre.

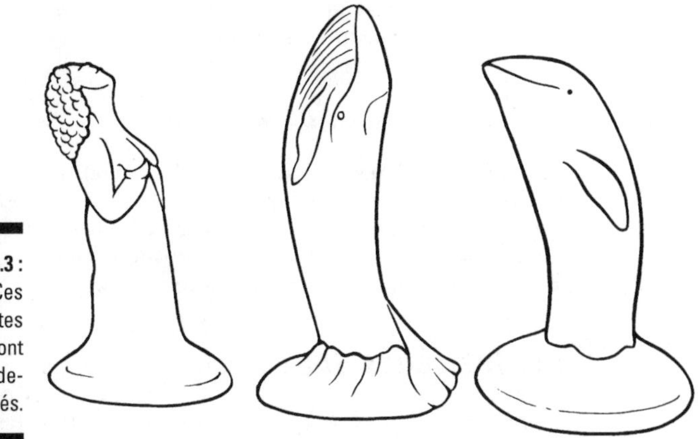

Figure 14.3 : Ces charmantes figurines sont des godemichés.

Avec l'autorisation de Eves's Garden

Jeux d'eau

Par ailleurs, les femmes sont nombreuses à adorer le contact de l'eau. Elles aiment faire couler le robinet de la baignoire sur leurs parties génitales en s'installant de sorte que le jet tombe directement dessus. En réglant température et débit à leur goût, elles arrivent à une pleine jouissance, sans l'aide de leurs mains ni d'aucun autre accessoire.

Les pommes de douche, en particulier à jet massant et, à plus forte raison, les jacuzzis, sont également appréciés. Outre le plaisir que ces moyens aquatiques procurent, on est sûre d'être propre...

Les traditionnels bidets, eux aussi conçus à l'origine pour préserver notre hygiène, offrent, de même, d'intéressantes propriétés érotiques.

Fantasmes : l'imagination au pouvoir

Les images excitent les hommes au plus haut point. Pas étonnant que la plupart des magazines illustrés de créatures de rêve leur soient destinées. Bien entendu, les femmes ne dédaignent pas se plonger dans la contemplation d'un beau mâle. Mais un gros plan sur son sexe leur inspire rarement d'émois particuliers. Elles préfèrent l'imagination.

Certes, les hommes fantasment aussi, et souvent en se masturbant ; mais ils privilégient tout de même une représentation visuelle. Les femmes, nécessitant plus de temps pour atteindre l'orgasme, ont tout le loisir d'élaborer une longue et érotique rêverie, propre à les mettre dans les meilleures dispositions.

Les fantasmes des autres

Si ce sujet vous intéresse, je vous suggère de vous procurer l'un des ouvrages que Nancy Friday consacre à la question. Elle y évoque fantasmes masculins et féminins de toutes sortes. Je ne doute pas que la lecture de mon livre provoque en vous quelques émois, mais les siens s'avéreront encore plus efficaces !

Tous les rêves sont permis

En matière de fantasme, tout est permis. On n'a pas à se soucier d'éventuelles maladies, ni du qu'en-dira-t-on, ni de quoi que ce soit. Rien ne vous empêche de vous envoyer en l'air en rêve avec Alexandre le Grand et toutes ses armées si cela vous chante. Ni même avec Hannibal et ses bataillons d'éléphants. Dès lors que cela vous fait de l'effet…

Certaines personnes m'interrogent sur leur identité sexuelle, en m'expliquant quelles s'imaginent faisant l'amour avec des partenaires du même sexe. S'il s'agit de fantaisies occasionnelles, cela n'indique pas nécessairement qu'on soit homosexuel. Il en va autrement lorsqu'on se représente systématiquement dans ce genre de situations. Le fait qu'on mène une vie d'hétérosexuel ne change rien à l'affaire. J'examine, au chapitre 13, la question de l'orientation sexuelle.

Faut-il ouvrir la boîte à fantasmes ?

Il arrive également que mes correspondants me demandent s'ils peuvent faire part de leurs fantasmes à leur partenaire. La réponse tient en un mot : « Attention ! » Certaines personnes n'y voient pas d'inconvénient, au contraire, cela les émoustille même. Mais le récit de ces exploits imaginaires en rend d'autres extrêmement jaloux. Voici quelques précautions à respecter :

- **Édulcorez votre fantasme.** Supposons que vous rêviez de partager la douche de votre équipe de football favorite au grand complet. C'est votre droit. Il vaut mieux, cependant, raconter à votre partenaire que vous rêvez qu'il vous surprenne sous la pluie, en petite tenue, de préférence... S'il réagit de façon favorable, vous pourrez vous approcher peu à peu de la vérité.
- **Un peu de tact.** Votre conjoint est du même gabarit que Woody Allen ? Évitez de lui avouer qu'Arnold Schwarzenegger vous met dans tous vos états, c'est une question de bon sens.
- **Acceptez le donnant, donnant.** En vous confiant ainsi à votre partenaire, vous acceptez implicitement d'entendre ses propres fantasmes. Si vous craignez de les découvrir, abstenez-vous d'ouvrir votre propre boîte de Pandore.

Faut-il les réaliser ?

J'ai connu des gens qui déployaient tous leurs efforts pour transformer leurs fantasmes en réalité – sans succès, en général. Il va de soi qu'une lubie relativement accessible, comme s'enduire l'un l'autre de crème Chantilly et se lécher jusqu'à satiété, n'a rien d'irréalisable. D'autres, en revanche, pourraient vous attirer des ennuis (faire l'amour dans un lieu public, par exemple) ou vous causer des déconvenues (à vous porter dans ses bras pour franchir le seuil de la maison, votre Woody Allen risque le lumbago).

Il ne faut pas oublier qu'un rêve, qu'il soit de nature sexuelle ou non, n'est rien de plus qu'un produit de l'imagination. Certaines personnes passent leur vie à prendre leurs illusions pour des réalités. Vous fantasmez sur telle vedette de cinéma ? Pourquoi pas, c'est très courant. Mais cela devient préoccupant chez quelqu'un qui, tout à son fantasme, se refuse à fréquenter autrui. En imagination, on peut faire l'amour avec n'importe qui ; dans la vie réelle, encore faut-il trouver un partenaire, et consentant de surcroît. Les fantasmes sont de merveilleux outils, mais il convient de les manier avec précaution.

Cinquième partie

Garder la santé

« Mais, Georges, quand je te demande de prendre des précautions, ce n'était pas à ce point-là... »

Dans cette partie…

La sexualité est une fonction corporelle ; autrement dit, elle fait partie intégrante de notre nature, et c'est tant mieux. Mais, comme tous les autres outils à notre disposition, elle ne fonctionne pas toujours comme nous le voudrions. Après une séance de gymnastique trop énergique, on a des courbatures partout. Au soir de mémorables agapes, on se sent tout ballonné.

Je n'ai pas la prétention de vous apprendre à transformer vos ébats en incroyables éruptions volcaniques. Mais, dans cette partie, je vous apporterai quelques conseils propres à vous rendre l'existence encore plus agréable.

Chapitre 15

Éviter les maladies

Dans ce chapitre :

- Connaître les MST
- Évaluer les risques pour l'homme et pour la femme
- Faire front contre les MST
- Se protéger au maximum

Dans le meilleur des mondes possible, on rencontrerait à tous les coins de rue des partenaires aussi superbes que sexy, l'extase serait à portée de tout un chacun et le sigle « MST » n'existerait pas. Mais nous vivons dans un monde imparfait, sur le plan sexuel comme sur les autres. Ainsi, un sur quatre de mes compatriotes américains âgés de quinze à cinquante-cinq ans attrape au moins une maladie sexuellement transmissible (MST) dans sa vie.

Au moins une ? Oui, car il en existe plus de trente, et ceux qui adoptent des comportements à risques sont susceptibles d'en contracter plusieurs. Il faut bien comprendre que la liberté sexuelle qui a régné pendant quelques décennies au XXe siècle est révolue.

Les adeptes du vagabondage sexuel ne doivent pas croire que, parce qu'ils ne présentent aucun symptôme, ils ne soient pas atteints :

- Souvent, en particulier chez les femmes, aucun signe ne laisse soupçonner la présence de la maladie.
- D'autres affections ne se manifestent que par une fièvre peu élevée, et ce, pendant des années ; les patients n'établissent pas de rapport entre cette hausse de température et une MST. Ce n'est pas parce qu'on n'a pas de symptômes qu'on n'est pas contagieux.

La guerre anti-MST

En raison de la grande diversité des MST, la bataille contre ces ennemis est rude. En outre, et notamment depuis l'arrivée du sida, les défaites se traduisent par des conséquences mortelles. C'est pourquoi je vous conseille de vous limiter à un partenaire, de vous assurer l'un et l'autre de votre parfaite santé, d'employer des préservatifs en cas de doute et de pratiquer le sexe à moindres risques.

Peut-être mes recommandations vous arrivent-elles trop tard. Par ailleurs, même avec un maximum de précautions, un accident reste possible. Je vais donc vous présenter ici les maladies sexuellement transmissibles les plus courantes, par ordre alphabétique. Les statistiques indiquées ci-dessous concernent les États-Unis, qui s'attachent à suivre de près l'évolution de ces phénomènes ; mais elles s'appliquent *grosso modo* aux autres pays développés. Dans le tiers-monde, l'extension et les conséquences des MST varient amplement. On dit qu'un homme averti en vaut deux ; après avoir lu la liste suivante avec attention, vous serez mieux préparé à affronter l'ennemi.

Avant tout, voici quelques précisions.

Le sida, qui fait davantage que les autres MST les gros titres des journaux, a touché tout d'abord la population homosexuelle masculine. C'est pourquoi l'opinion publique a tendance à croire que les MST affectent en priorité les hommes. Pourtant, dans l'ensemble, elles présentent des aspects plus préoccupants chez les femmes que chez les hommes :

- Les femmes sont plus facilement contaminées, sans doute parce qu'elles reçoivent des fluides corporels étrangers pendant les rapports.
- Chez elles, un grand nombre de maladies ne se manifestent, au début de la contamination, par aucun symptôme.
- Les MST sont souvent plus difficiles à traiter chez une femme que chez un homme.
- Leurs conséquences sont plus graves chez la femme : stérilité, grossesses extra-utérines, douleurs pelviennes chroniques, cancer, etc.

Si vous êtes atteint ou pensez l'être, consultez un médecin. Cette recommandation peut sembler évidente. Mais trop de gens s'abstiennent de voir un docteur, gênés qu'ils sont à l'idée de dévoiler leur vie sexuelle ou de laisser quelqu'un examiner les parties les plus intimes de leur individu.

Trop souvent, les patients tombent dans l'erreur de l'automédication, en s'appliquant le traitement prescrit à un ami présentant des symptômes comparables. Or, les médecins eux-mêmes éprouvent parfois des difficultés à diagnostiquer une MST plutôt qu'une autre. En prenant des médicaments inappropriés, on risque juste d'aggraver la situation.

Blennorragie gonococcique

Lorsqu'elle se manifeste de façon visible, ce qui n'est pas forcément le cas, la *blennorragie gonococcique* (ou « chaude-pisse », dans le langage commun) se traduit chez la femme par des pertes verdâtres ou jaunâtres, un besoin fréquent d'uriner et des brûlures à la miction, des douleurs pelviennes, une tuméfaction et une hypersensibilité de la vulve, ainsi que des douleurs dans les épaules rappelant celles de l'arthrite. L'homme connaît des mictions douloureuses et un éventuel écoulement purulent par l'urètre.

- La blennorragie se transmet lors de rapports vaginaux, anaux ou buccaux.
- Elle est cause de stérilité, d'arthrite, de problèmes cardiaques et de troubles du système nerveux central. Chez la femme, elle peut entraîner la formation d'abcès ainsi que des grossesses extra-utérines.

La pénicilline a apporté un remède efficace à cette maladie. Mais de nouvelles souches résistantes à cet antibiotique sont apparues, contraignant les médecins à adopter aujourd'hui d'autres traitements.

Candidose

La candidose est une mycose due à une levure (c'est-à-dire un champignon) du nom de candida. Celui-ci vit normalement dans la bouche ou les intestins, ainsi que dans le vagin chez de nombreuses femmes en bonne santé. La maladie survient lorsque l'acidité corporelle ne permet plus de limiter la prolifération de ce champignon. Elle se manifeste par des pertes épaisses, blanchâtres et granuleuses ; par une irritation ou une démangeaison de la vulve, de la verge ou des testicules ; par une odeur de levure ; et, parfois, par une sensation de ballonnement et des troubles du transit.

- Lorsque les candidas apparaissent dans la bouche, dans la gorge et sur la langue, la maladie s'appelle *muguet*.
- Ces champignons se propagent le plus souvent de façon non sexuelle ; quand c'est toutefois le cas, la contamination résulte davantage de contacts bucco-génitaux qu'intra-vaginaux.

La prolifération du champignon peut avoir, entre autres, les origines suivantes : contraception orale, traitement antibiotique, grossesse, diabète, infection par le virus VIH (ou autre dérèglement du système immunitaire), douche vaginale, menstruation ou moiteur des sous-vêtements.

De façon générale, cette affection se soigne à l'aide de crèmes, pommades ou suppositoires. Il existe aussi de très efficaces traitements antibiotiques présentés sous forme de monodoses administrées par voie orale.

Certains médicaments anti-fongiques ont pour effet de fragiliser le latex des préservatifs ou des diaphragmes. Le cas échéant, demandez conseil à votre médecin ou au pharmacien.

Chancre mou

Cette maladie sexuellement transmissible est due à un bacille appelé *Haemophylus ducreyi*.

- Sa première manifestation est un petit bouton sur le pénis, sur les lèvres vaginales ou sur le col de l'utérus.
- En l'absence de traitement, cette éruption se transforme en douloureuses ulcérations accompagnées d'un engorgement des ganglions de la zone touchée.
- Le chancre mou donne souvent lieu à un état fébrile et rend parfois la marche difficile, du fait du gonflement des organes génitaux.

Les symptômes de cette affection sont plus souvent douloureux chez l'homme que chez la femme. Cette MST, facilement curable par antibiotiques, risque en revanche, en l'absence de traitement, d'entraîner une telle croissance de l'ulcère qu'on soit obligé d'amputer le pénis.

Le chancre mou est plus fréquent en Afrique que dans les pays développés. Les personnes atteintes étant plus vulnérables à l'infection par le sida, cette maladie peut avoir de graves conséquences.

Chlamydiase

Les *chlamydiases*, particulièrement courantes, présentent les caractéristiques suivantes :

- Chez la femme, elles n'entraînent que rarement des symptômes visibles. Chez l'homme, elles se manifestent par des brûlures à la miction et par une émission de pus par l'urètre.
- Les symptômes apparaissent quelques jours après le contact sexuel.
- Chez la femme, ces infections sont cause de douleurs pelviennes chroniques, de lésions des trompes de Fallope, de grossesses extra-utérines ou de stérilité.
- Chez l'homme, les chlamydiases seraient responsables d'un cas sur deux d'*épididymite*. Il s'agit d'une infection de l'épididyme (suite de minuscules canaux situés sur les testicules) qui entraîne un douloureux gonflement des glandes génitales mâles.

Il existe d'efficaces traitements à base de tétracycline ou d'autres antibiotiques contre cette maladie. Mais, en l'absence de symptômes apparents, elle est souvent difficile à diagnostiquer. En outre, les patients qui interrompent prématurément la prise de leurs médicaments tendent à re-développer la maladie. Celle-ci s'accompagnant souvent de blennorragie gonococcique, les deux font l'objet d'un traitement conjoint.

Les chlamydiases passant inaperçues, elles peuvent avoir des répercussions à long terme. Toute personne pratiquant les rapports multiples, surtout non protégés, devrait chaque année se soumettre à un test de dépistage, même si elle pense être saine.

Condylomes

En pleine expansion, les *condylomes* (ou crêtes-de-coq) sont des végétations vénériennes causées par un papillomavirus. La plupart du temps, celui-ci est inoffensif et ne produit pas de symptômes apparents. Il se transmet lors de rapports vaginaux, anaux ou buccaux. Un fœtus peut aussi être contaminé en cours de grossesse.

- Les condylomes, parfois invisibles à l'œil nu, sont des verrues molles et plates. Ils apparaissent sur les organes génitaux, dans l'urètre, le vagin, l'anus ou la gorge.
- Ils provoquent fréquemment des démangeaisons. Si on ne les traite pas à temps, leur prolifération peut obstruer vagin, anus ou gorge.

- Passant souvent inaperçus en raison de leur taille microscopique, les condylomes sont facilement transmissibles entre partenaires sexuels.

À la longue, les lésions causées par ce virus risquent d'évoluer en cancer du col de l'utérus. Elles se décèlent au moyen d'un frottis vaginal, d'où l'intérêt, pour toute femme sexuellement active, de se soumettre à cet examen à intervalles réguliers.

Ce n'est que récemment qu'un rapport entre papillomavirus et lésions cancéreuses a été établi. Le public demeure particulièrement ignorant à ce sujet : la plupart des femmes chez qui un cancer du col est diagnostiqué n'ont jamais entendu parler du virus. Il se pourrait que celui-ci soit également à l'origine de cancers de l'anus ou de la verge chez l'homme. C'est pourquoi son dépistage est aussi important.

Le traitement le plus radical du condylome consiste en une intervention chirurgicale, éventuellement au laser. On le soigne aussi à l'azote liquide, par électrocoagulation ou par application de crèmes. Précisons qu'en aucun cas, les traitements utilisés pour les verrues ordinaires ne peuvent s'employer sur les verrues génitales. Il arrive que le virus demeure dans l'organisme à l'état latent ou que les symptômes fassent leur réapparition, en principe pas plus d'une fois. Même dans le cas, rare, où les végétations repoussent à plusieurs reprises, l'organisme s'immunise normalement dans un délai de deux ans. D'autre part, leur disparition à la suite d'un traitement n'empêche pas toujours le patient de demeurer contagieux.

Si le préservatif offre une protection contre la transmission du condylome, elle n'est que partielle, car la zone génitale n'est pas couverte en totalité.

Maladie à cytomégalovirus

La *maladie à cytomégalovirus*, affection rare, se transmet lors de contacts rapprochés, notamment sexuels, ainsi que par transfusion sanguine ou échange de seringues. Elle se détecte par analyse sanguine.

Bien qu'elle ne se manifeste pas toujours de façon visible chez l'homme et chez la femme, elle peut avoir de graves effets sur le système nerveux central d'un nouveau-né dont la mère a été contaminée en cours de grossesse. À l'heure actuelle, il n'existe aucun traitement à cette maladie.

Hépatite B

L'*hépatite B* est la seule maladie sexuellement transmissible contre laquelle existe un vaccin. Il s'agit d'une affection extrêmement contagieuse : cent fois plus que le virus VIH. Elle se transmet par contact sexuel ou simplement intime : le baiser ou le partage d'une brosse à dents sont source de contamination. Il en va de même pour l'échange de seringues. La vaccination des personnels médicaux, particulièrement confrontés au risque d'infection, est obligatoire.

- Bien que le virus de l'hépatite B passe souvent inaperçu lors des phases les plus contagieuses de la maladie, celle-ci peut entraîner des affections du foie graves, voire mortelles.
- Le nombre d'Américains qui contracteront l'hépatite B à un moment de leur vie est estimé à 1 sur 20. En outre, ce virus peut demeurer actif tout au long de l'existence.

Il n'existe pas de traitement à l'hépatite B. Dans 90 % des cas, la réaction immunologique de l'organisme atténue toutefois la virulence de la maladie. Il est primordial que les personnes à partenaires multiples se fassent vacciner.

Herpès

L'*herpès*, causé par l'*Herpèsvirus*, est lui aussi une MST incurable. Il en existe deux sortes : l'herpès de type 1, dit « labial », qui se manifeste par des « boutons de fièvre » et se situe le plus souvent au-dessus de la ceinture, et l'herpès de type 2, dit « génital ». Environ 80 % des Américains adultes sont atteint d'herpès labial. Il semblerait que 25 % d'entre eux aient contracté l'herpès génital, bien que la plupart n'en soient pas conscients, les symptômes passant facilement inaperçus.

Les signes les plus courants d'herpès génital sont des éruptions de vésicules blanches sur le vagin, le col de l'utérus, le pénis, la bouche, l'anus, entre autres parties du corps. Le patient éprouve alors douleurs, démangeaisons, brûlures, gonflement des ganglions, fièvre, maux de tête et sensation de fatigue. Les premiers symptômes sont souvent plus accentués que ceux des crises suivantes, le système immunitaire n'étant pas encore préparé à y faire face. Chez certaines personnes, il n'existe aucun signe apparent pendant des mois, voire des années. L'herpès de type 2 se manifeste dans la région des cuisses, des fesses, de l'anus ou du pubis. Lorsqu'ils sont peu marqués, les symptômes sont faciles à confondre avec des piqûres d'insectes, éruptions bénignes, champignons, hémorroïdes ou furoncles. Parfois, les lésions restent invisibles à l'œil nu.

Il existe une idée répandue selon laquelle l'herpès n'est contagieux que pendant les crises. Il est pourtant prouvé que la maladie peut se transmettre pendant les quelques jours qui précèdent. Il est possible d'apprendre à détecter les signes avant-coureurs de l'éruption : prurit, picotements ou douleur dans les zones où les vésicules sont sur le point d'apparaître.

- Chez la femme enceinte, l'herpès est parfois responsable de fausses couches ; il arrive aussi que le bébé soit mort-né ou qu'il naisse atteint de la maladie.
- Quand l'herpès est actif au moment de l'accouchement, l'enfant risque d'en subir de graves conséquences. Pour les éviter, et à condition que les symptômes soient détectés à l'avance, on pratique une césarienne.
- Les personnes porteuses d'herpès doivent systématiquement recourir au préservatif.

Il faut toutefois savoir que le condom n'apporte pas une protection totale contre cette maladie. Si c'est l'homme qui est porteur et que les éruptions n'apparaissent pas ailleurs que sur sa verge, il ne risque pas de contaminer sa partenaire. En revanche, les sécrétions vaginales de la femme peuvent entrer en contact avec les parties du corps masculin non couvertes par le préservatif, c'est pourquoi les hommes bénéficient d'une moindre garantie.

Chez un porteur de la maladie, l'herpès peut s'étendre par contact génital à d'autres zones que celles déjà atteintes. S'il vous arrive de toucher une éruption, lavez-vous les mains avec soin avant tout nouveau contact avec autrui ou sur votre propre corps.

Sachez que l'herpès labial se transmet par le baiser, ou en échangeant serviettes de toilette ou couverts, par exemple.

S'il n'est toujours pas possible de guérir de la maladie, il existe aujourd'hui des tests de dépistage plus précis et de nouveaux traitements à base d'aciclovir, qui permettent de limiter les effets du virus. Si vous vous pensez atteint, consultez le médecin pour qu'il s'assure que c'est bien l'herpès qui est à l'origine de vos symptômes et vous apprenne à vivre avec la maladie. Vous éviterez ainsi de l'étendre à d'autres parties de votre corps et de la transmettre à autrui.

Métrite

La *métrite* est une infection génitale qui touche les organes du système reproductif profond : utérus, trompes de Fallope et structures protégeant les ovaires. Il ne s'agit pas d'une MST à proprement parler, mais elle peut résulter d'une chlamydiase ou d'une blennorragie, par exemple. La métrite survient lorsqu'en l'absence de traitement d'une de ces maladies sexuellement transmissibles, l'infection se propage au-delà du col de l'utérus.

La métrite se traduit par des fièvres, nausées, vomissements, frissons, douleurs du bas-ventre, douleurs lors du coït, saignements et douleurs entre les règles ou à la miction, caillots ou pertes de sang importantes pendant la menstruation, règles anormalement douloureuses ou prolongées, pertes vaginales anormalement abondantes.

Dans la plupart des cas, une hospitalisation s'impose ainsi que l'administration d'un traitement antibiotique en intraveineuse pendant plusieurs jours. La patiente doit absolument s'abstenir de relations sexuelles. Une intervention chirurgicale peut s'avérer nécessaire afin de supprimer abcès ou lésion et de réparer les organes endommagés, voire de procéder à leur ablation.

Même traitée, la métrite entraîne des grossesses extra-utérines, des douleurs chroniques ou des stérilités. Plus cette maladie récidive, plus la patiente a de risques de devenir inféconde.

Molluscum contagiosum

Le *molluscum contagiosum* se manifeste par une sorte de petite excroissance d'aspect cireux et comparable à un polype, de couleur blanc rosâtre. Il apparaît dans la région génitale ou sur les cuisses, à la suite d'un rapport sexuel ou intime. Il se soigne à l'aide d'un traitement chimique, d'un courant électrique ou par le froid.

Contamination par les poux

La *pédiculose* ou contamination par les poux pubiens – *morpions* ou *totos* de sordide mémoire – survient non seulement lors de rapports sexuels mais aussi par contact avec des toilettes, une literie ou des vêtements infectés, par exemple. Les piqûres des insectes sont à l'origine de féroces démangeaisons.

Il existe des produits de traitement (poudres ou sprays) vendus en pharmacie sans ordonnance. Pour se débarrasser des poux, il est également indispensable de laver ou de faire nettoyer à sec tout linge ou vêtement risquant d'en abriter.

Sida

La plus célèbre des maladies sexuellement transmissibles est aujourd'hui le *sida* (syndrome d'immunodéficience acquise), qui résulte de la contamination par un virus, le VIH (virus de l'immunodéficience humaine). Pourquoi cette MST suscite-t-elle tellement d'intérêt, par rapport aux autres ? La réponse est fort simple : le sida est une maladie mortelle, contre laquelle il n'existe ni vaccin ni traitement.

Le virus a été découvert en 1980. En 1999, 52,9 millions de personnes dans le monde avaient été contaminées par le sida. En France, cette maladie a touché jusqu'à présent près de 50 000 personnes et en a tué près de 30 000. Le VIH se transmet, le plus souvent, lors d'un rapport sexuel ou d'un échange de seringues. Jusqu'à ce qu'un criblage systématique soit adopté à partir de 1985, il était également possible d'être infecté à l'occasion d'une transfusion sanguine. Enfin, la mère peut le transmettre à son enfant pendant la grossesse ou par allaitement naturel.

Si le virus du sida a aussi été détecté dans des liquides corporels tels que salive, urine, larmes ainsi que dans les selles, il y existe en trop faible quantité pour provoquer l'infection. Il est impossible de contracter cette maladie par un simple contact avec une personne atteinte, ni parce qu'elle tousse ou se mouche à côté de vous, ni en utilisant les mêmes ustensiles (verres, etc.), ni en aucune autre situation comparable de la vie quotidienne.

Ne croyez pas que vous soyez à l'abri du sida sous prétexte que vous n'appartenez pas à la communauté homosexuelle masculine. Il est vrai que, dans le monde occidental, c'est cette population qui a été décimée en premier par l'épidémie, car la pénétration anale (l'une des pratiques sexuelles les plus courantes dans ce groupe) est particulièrement propice à la contamination. Mais, en Afrique, où le virus est plus répandu que partout ailleurs, il touche en priorité les hétérosexuels. Et, même en Europe ou en Amérique, la maladie progresse plus vite parmi les hétéros que les homos. Le nombre de femmes atteintes s'élève lui aussi. Le sida est un danger pour tout le monde.

- L'infection par le VIH a pour conséquence d'amoindrir la capacité de l'organisme à se défendre contre les maladies, d'où son nom de syndrome d'immunodéficience.
- Il est possible d'être porteur du virus sans présenter le moindre symptôme pendant dix ans.
- En cas de sida déclaré, le patient devient victime d'affections les plus diverses, conduisant à la mort.

Il existe deux virus du sida, le VIH 1 et le VIH 2. L'un et l'autre ont pour effet de détruire les *lymphocytes*, cellules sanguines qui ont pour fonction de protéger l'organisme contre les infections. Le VIH 1 est surtout présent dans les pays occidentaux, tandis que le VIH 2 se trouve principalement en Afrique, où la maladie semble être apparue.

On établit le diagnostic à l'aide de tests visant à détecter la présence d'anticorps au VIH dans le sang (voir le chapitre 6). Ceux-ci apparaissent de trois à huit semaines après l'infection ; mais il arrive qu'ils ne se manifestent qu'au bout de six mois. Pendant cet intervalle, il est possible qu'un porteur, dont le test a donné un résultat négatif, propage la maladie. Sachez, en outre, que le virus est hautement contagieux pendant les soixante jours suivant sa transmission. C'est pourquoi il est indispensable d'utiliser des préservatifs : on ne peut jamais savoir avec certitude si son partenaire est sain ou non.

Les premiers symptômes ressemblent souvent à ceux d'une maladie non sexuellement transmissible, la mononucléose : température élevée, ganglions gonflés, sueurs nocturnes. Peut s'ensuivre une période, qui se prolonge dans de nombreux cas pendant des années, pendant laquelle la personne contaminée ne présente pas de signes de maladie. Puis, le système immunitaire s'épuisant à force de lutter contre le virus, l'organisme ne dispose plus des résistances suffisantes pour éviter l'installation de germes dits opportunistes, à l'origine d'infections comme la pneumonie, par exemple. C'est habituellement à ce stade qu'un médecin diagnostique le sida. Aux États-Unis, l'espérance de vie actuelle d'une personne atteinte est de douze ans. Pour les malades infectés par des produits sanguins ou à la suite d'une transfusion, ainsi que pour ceux ne bénéficiant pas d'une bonne qualité de soins, elle est plus courte.

Bien qu'elle ne soit pas encore parvenue à mettre au point de vaccin ni de moyen de guérison, la recherche a mis à la disposition des malades différents traitements qui permettent de diminuer leurs symptômes et de prolonger leur existence. Il existe trois principales catégories de médicaments. Tout d'abord, les antirétroviraux : ceux-ci inhibent la prolifération du VIH aux différentes phases de son cycle de vie. Les médecins les prescrivent sous forme d'associations de plusieurs thérapies. D'autres médicaments ont pour finalité de combattre les infections opportunistes susceptibles de se développer dans un organisme aux défenses immunitaires affaiblies. Enfin, le troisième type de traitement, plus expérimental et qui n'a pas encore vraiment fait ses preuves, vise à renforcer le système immunitaire.

Syphilis

La *syphilis* serait apparue en Europe au XVe siècle, après le retour de Christophe Colomb du Nouveau Monde. Nul ne sait exactement si elle était originaire d'Amérique ou d'Afrique occidentale. Le fait est qu'elle entraîna une terrible épidémie qui décima les populations.

Cette maladie est due à un micro-organisme en forme de spirale, le *tréponème pâle*. Ses symptômes rappellent ceux de nombreuses autres affections. Son évolution se déroule sur de longues années, en plusieurs phases.

- La syphilis survient d'abord sous l'aspect d'un *chancre*, lésion circulaire, ferme et indolore qui apparaît sur les lèvres, la bouche, les mamelons, les organes génitaux ou dans le rectum entre 9 et 90 jours après infection.
- 6 à 10 semaines plus tard, le chancre guérit de lui-même. Il s'ensuit une période de latence (c'est-à-dire sans symptômes) de 6 semaines à 6 mois.
- C'est alors que commence le stade secondaire de la syphilis, caractérisé par divers types d'éruptions, qui ne causent pas de prurit et disparaissent sans laisser de marques. Ces symptômes indiquent que le tréponème a atteint, *via* les systèmes sanguin et lymphatique, tous les organes et tissus de l'organisme.
- Une nouvelle période asymptomatique a lieu ensuite. Celle-ci peut se prolonger tout au long de l'existence ou laisser place, après plusieurs années, au troisième stade de la maladie.
- Pendant cette dernière phase, la syphilis attaque le système nerveux ainsi que la peau, les os et les articulations. Elle entrave l'irrigation sanguine du cerveau. À ce stade, elle peut entraîner la mort.

La syphilis se transmet par pénétration vaginale ou anale, par contacts bucco-génitaux ou simplement buccaux. Elle est particulièrement contagieuse au premier stade, quand les chancres sont apparents.

Il existe des traitements de fond efficaces aux stades primaire et secondaire de la syphilis ainsi que pendant ses périodes de latence. En revanche, la pénicilline ne peut réparer les dommages causés au troisième stade. Cette maladie a heureusement connu un recul spectaculaire.

Trichomonase

La *trichomonase* génitale est l'une des plus fréquentes infections vaginales. Souvent, elle ne produit pas de symptômes. Elle se manifeste éventuellement par des pertes d'aspect mousseux et dégageant une odeur de moisi ainsi que par un prurit dans la zone vaginale. Dans certains cas, elle entraîne aussi un fréquent besoin d'uriner.

Cette maladie se soigne aux antibiotiques ; pour prévenir les récidives, il faut également traiter tout partenaire sexuel.

Vaginite

La *vaginite* se manifeste par des pertes anormales parfois teintées de sang, par des brûlures ou des démangeaisons dans la région vaginale ainsi que par de mauvaises odeurs. Elle peut être causée par différents micro-organismes. Elle ne se transmet pas toujours par contact sexuel mais il est toutefois recommandé de traiter les deux partenaires, l'homme porteur de l'infection ne présentant pas nécessairement de symptômes. Ainsi, on évite une re-contamination réciproque.

La plupart des femmes sont atteintes à un moment ou à un autre de leur existence par cette affection. Les traitements varient en fonction de son origine.

Finie la rigolade

À l'heure actuelle, nous ne disposons pas de vaccin anti-sida. L'herpès ne se guérit pas. Des MST circulent qui, sans forcément donner lieu à des symptômes visibles, peuvent être cause de stérilité. D'où la nécessité d'éviter les risques.

Pour supprimer ceux-ci de façon radicale, il faudrait pratiquer soit la chasteté, soit la monogamie avec un partenaire sain. Mais une erreur est vite arrivée. L'un des deux membres d'un couple peut, sans s'en être aperçu, avoir contracté une maladie avant même d'avoir rencontré l'autre et contaminer celui-ci.

Il est évident que, moins on a de partenaires, moins on court de risques. Cependant, il suffit d'une fois avec un partenaire infecté pour être contaminé.

Le préservatif : indispensable, mais pas idéal

Le préservatif offre certainement une protection. Mais celle-ci n'est pas une garantie absolue contre le sida ou les autres MST :

- Il arrive qu'un préservatif se déchire.
- Il peut être endommagé par un produit à base de corps gras.
- Des fuites surviennent parfois quand on le retire.
- Certaines personnes oublient de s'en servir.
- Celles qui en utilisent pour les rapports avec pénétration négligent parfois d'en faire autant pour les contacts bucco-génitaux qui, quoique moins dangereux, ne sont pas entièrement dénués de risques.

En outre, certaines MST se propagent par contact avec d'autres parties du corps que les organes sexuels, éventuellement touchées par des sécrétions vaginales, par exemple.

La meilleure prévention consiste donc à associer comportement sexuel responsable et utilisation du préservatif. L'ajout de spermicide au condom apporte un surcroît de sécurité, en particulier pour la femme.

Attendez pour coucher

Je sais qu'il serait irréaliste – bien qu'idéal du point de vue de la prévention des MST et autres calamités sociales – d'espérer que chacun rencontre sa chacune dès son jeune âge et ne la quitte plus pour le restant de ses jours. La plupart des gens connaissent plusieurs partenaires ; par conséquent, la plupart des gens courent des risques.

Que cela ne vous incite pas pour autant à multiplier les rencontres. Il est profondément regrettable que certaines personnes persistent dans des comportement extrêmement dangereux, notamment au sein de la communauté homosexuelle, pourtant ravagée par le sida.

Pardon pour ce prêchi-prêcha. Je sais que les sermons ne servent pas à grand-chose. Mais je ne peux m'empêcher de dire une fois de plus à mes lecteurs : soyez prudents, il en va de votre vie.

Oser communiquer

Dans notre société, bien des gens ressentent plus de facilité à pratiquer une activité sexuelle qu'à en parler. Ce manque de communication est certainement, pour partie, à l'origine de la diffusion des maladies sexuellement transmissibles.

Il est une règle morale qui prescrit de ne pas faire subir aux autres ce que nous ne voudrions pas qu'ils nous infligent. Si quelqu'un avec qui vous avez l'intention de coucher est atteint par une MST, ne souhaiteriez-vous pas le savoir au préalable ? Il en va de même dans l'autre sens : tout porteur d'une MST se doit d'en informer ses éventuels partenaires. Je reconnais que l'intéressé risque de prendre ses jambes à son cou. Les personnes atteintes d'herpès, affection incurable, sont condamnées non seulement à des crises à répétition pour toute leur existence, mais aussi à des difficultés pour trouver des partenaires. Il faut accepter cette réalité. On n'a pas le droit de contaminer autrui.

Je ne suis pas la seule à le proclamer : il est arrivé, aux États-Unis, qu'une femme gagne un procès ainsi que d'énormes dommages-intérêts contre son ex-mari, qui lui avait transmis l'herpès. Il est probable que de tels cas se multiplient.

Il ne s'agit pas ici de protéger votre compte en banque. Le message qu'il m'importe de faire passer, c'est qu'il est primordial de n'avoir de rapports sexuels qu'avec des personnes auxquelles on tient vraiment, et auxquelles on ne voudrait surtout pas causer de problèmes de santé.

Chapitre 16

Troubles sexuels masculins

Dans ce chapitre :

- Éjaculation précoce
- Impuissance
- Éjaculation retardée
- Priapisme
- Maladie de La Peyronie
- Inappétence sexuelle

Je sais, la plupart d'entre vous, messieurs, n'admettent pas l'idée que la gent masculine puisse souffrir de troubles sexuels, et ce, y compris lorsqu'ils sont directement affectés. Vous avez une image de « durs » à refléter et vous vous refusez donc à rechercher un soutien extérieur en cas de problèmes en général, et concernant « Popaul », en particulier.

Pourtant, ce genre de troubles peut affecter tout homme à un moment de son existence. Dans certains cas, ils surviennent à la suite d'une maladie, un cancer des testicules ou de la prostate, par exemple (j'évoque cette question au chapitre 1). Mais, par chance, le problème sexuel masculin le plus courant n'est pas de nature organique, mais fonctionnelle.

Éjaculation précoce

Les difficultés qu'on m'expose le plus souvent sont liées à l'*éjaculation précoce*. Je reçois à ce sujet des questions émanant d'hommes qui en sont atteints ou de leurs partenaires, qui en subissent les inconvénients.

L'éjaculation précoce se définit par l'incapacité, pour un homme, à se retenir d'éjaculer avant le moment souhaité. Quand je dis « souhaité », c'est par lui et non par la femme ; cette distinction est importante.

Toutes les femmes ne parvenant pas à satiété par pénétration vaginale, il est possible qu'une partenaire n'arrive pas à l'orgasme, quand bien même son compagnon réussirait à rester en érection une nuit entière, dans le cas où le couple ne pratique que le coït. Mais, orgasme ou pas, la plupart des femmes désirant toutefois éprouver les sensations que procurent les rapports intra-vaginaux, il importe que l'homme connaisse toutes les techniques lui permettant de tenir le temps nécessaire.

Comment définir cette durée minimale ? Si la femme parvient à la jouissance après vingt minutes de rapport intra-vaginal, ce laps de temps est satisfaisant. Dans le cas où elle ne connaît pas d'orgasmes vaginaux, dix minutes peuvent suffire. Ce qui compte, c'est que l'homme apprenne à décider du moment où il va éjaculer, sans laisser des circonstances indépendantes de sa volonté diriger à sa place le cours des opérations.

Comme pour de nombreux autres dysfonctionnements sexuels, on distingue différents degrés d'éjaculation précoce. Certains sujets sont à ce point atteints qu'ils ne peuvent garder une érection assez longtemps pour pénétrer leur partenaire. Il arrive qu'ils jouissent tout habillés, à la simple pensée d'un rapport. Mais on qualifie aussi d'éjaculateur précoce tout homme qui, apte à pénétrer sa partenaire, voudrait poursuivre un coït pendant vingt minutes et ne peut faire autrement qu'éjaculer au bout d'un quart d'heure.

La circoncision change-t-elle quelque chose ?

Le pénis d'un homme non circoncis est, dans de nombreux cas, plus sensible que celui d'un homme circoncis (voir le chapitre 2). En effet, le gland, dépourvu de la protection du prépuce, se durcit au contact permanent des vêtements.

Je n'ai pas connaissance d'études scientifiques consacrées aux conséquences de la circoncision mais ne crois pas qu'elle soit à l'origine de considérables différences. Selon moi, l'éjaculation précoce est un problème qui se situe dans la tête et non à l'extrémité de la verge. Un homme non circoncis peut certainement apprendre à maintenir son érection aussi longtemps qu'un autre.

Le facteur de l'âge

L'appétit sexuel du jeune homme étant plus marqué que celui de l'homme mûr, il arrive parfois que le problème d'éjaculation précoce disparaisse ou, du moins, s'atténue avec l'âge. Je dis bien « parfois » : certains individus en souffrent toute leur vie, même à quatre-vingts ans passés. Chez ceux qui connaissent une amélioration, celle-ci peut ne consister qu'à tenir trois minutes au lieu de deux, ce qui n'est guère plus gratifiant. Je conseille donc de ne pas attendre pour chercher une solution ; au contraire, le plus tôt est le mieux.

Recettes de « bonshommes »

Nous connaissons tous des mâles obstinés qui préfèrent tourner en rond pendant des heures plutôt que demander leur chemin. Il n'est donc pas étonnant que nombre d'éjaculateurs précoces se bricolent une solution maison plutôt que de faire appel à un spécialiste. Bien entendu, les résultats sont mitigés. Je ne préconise personnellement aucune de ces méthodes mais ne saurais vous en cacher l'existence.

L'effet « bassine d'eau froide »

La technique la plus couramment employée par les hommes pour retarder leur réaction orgasmique (et immortalisée par Woody Allen dans *Tout ce que vous avez toujours voulu savoir sur le sexe sans jamais oser le demander*) consiste à penser à quelque chose d'anti-érotique.

Cette recette, si elle présente une certaine efficacité, n'est guère propice à la qualité de l'acte sexuel, car elle a l'inconvénient de le transformer en corvée. La partenaire risque d'avoir l'impression que l'homme interpose un mur entre elle et lui.

L'effet « latex »

Le préservatif ayant tendance à amoindrir les sensations masculines, certains hommes retournent cet inconvénient à leur avantage pour retarder leur éjaculation. Il arrive même qu'ils superposent deux condoms (ce qui est à déconseiller car cela augmente les possibilités de déchirure).

Je suis tout à fait favorable à l'emploi des préservatifs – c'est même l'une de mes rengaines favorites. Mais je les préconise dans un but prophylactique, pour éviter les contaminations par MST. Il est regrettable de s'en servir dans le but de limiter son plaisir, alors qu'il existe des moyens plus adéquats pour prévenir l'éjaculation précoce.

L'effet « perlimpinpin »

Il existe sur le marché des produits censés réduire les sensations péniennes et donc permettre à l'homme de tenir plus longtemps.

J'ignore s'ils sont véritablement efficaces. Mais, de même que dans le cas du préservatif, pourquoi recourir à cet expédient alors qu'il existe une possibilité d'améliorer la situation de manière définitive ?

Prendre les choses en main : la masturbation

Certains choisissent, en prévision d'un rapport sexuel, de se masturber à l'avance. Ils visent, par ce moyen, à réduire leur désir. Cette méthode, qui donne parfois de bons résultats, présente aussi des désavantages :

- Le moment ou l'endroit ne conviennent pas forcément à une séance d'auto-érotisme.
- Supposons que la partenaire exprime l'envie de faire l'amour avant d'aller au restaurant, par exemple, et non après. L'érection risque de s'avérer difficile à obtenir pour son compagnon, qui vient justement de se masturber.
- L'orgasme éprouvé avec la femme risque de s'avérer moindre que celui ressenti lors de l'éjaculation solitaire. Le plaisir de la relation sexuelle en est affaibli.

Pour remédier à l'éjaculation précoce, je conseille de préférer, aux jeux de mains solitaires, un petit entraînement au self-contrôle.

Changement de position

Certains hommes affirment mieux maîtriser la survenue de leur orgasme dans certaines positions que dans d'autres. C'est sans doute celle du missionnaire qui a le plus grand nombre de détracteurs. Il existe aussi des cas particuliers, comme celui d'un monsieur qui m'expliquait qu'il parvenait à prolonger ses érections couché sur le côté droit, mais pas sur le gauche.

Des chercheurs ont établi un rapport entre éjaculation précoce et tension musculaire. Il serait donc compréhensible que la position du missionnaire, qui exige de l'homme de prendre appui sur les bras, favorise ce trouble. Je persiste à croire, toutefois, que celui-ci résulte avant tout de facteurs psychologiques particuliers à chaque individu et entrant éventuellement en jeu dans ses préférences pour telle ou telle posture.

Se limiter à celles qui permettent un meilleur contrôle offre, certes, une solution, mais ce n'est pas la plus satisfaisante. Cette méthode présente l'inconvénient d'engendrer une certaine monotonie. Pourquoi ne pas apprendre plutôt à maîtriser la situation de façon générale, de sorte de pouvoir conserver une érection quelle que soit la position adoptée ?

La vraie solution : détecter l'imminence orgasmique

La méthode véritablement efficace contre l'éjaculation précoce consiste, pour l'homme, à apprendre à détecter l'*imminence orgasmique*, cette sensation qu'il éprouve juste avant d'atteindre le point de non-retour, à partir duquel tout contrôle devient impossible.

Une fois ce seuil franchi, tout homme atteindrait l'orgasme et éjaculerait même si un camion de pompiers pénétrait dans la pièce. Mais, avant cette limite, il demeure capable, s'il le souhaite, de maîtriser l'incendie.

Comment identifier l'imminence de l'orgasme ? En s'en approchant à pas très mesurés. Il faut suivre, en cela, l'exemple inverse de Bip-Bip qui, coursé par Vil Coyote, freine à la dernière limite avant le bord de la falaise. Dans le cas contraire, on risque, comme son ennemi de toujours, de dégringoler au fond du canyon.

Il convient donc d'apprendre à ralentir sa progression sur la courbe de l'excitation avant qu'il ne soit trop tard. La réussite de l'entreprise dépend de divers facteurs, et surtout de l'attitude coopératrice de la partenaire. Une femme rencontrée depuis peu, avec qui on n'a encore eu que des relations sexuelles épisodiques et médiocrement satisfaisantes, n'offrira probablement qu'un soutien limité. En revanche, celle qui aime son compagnon et veut faire de son mieux pour améliorer leur vie sexuelle commune sera plus à même de l'aider à trouver la bonne voie.

S'il est plus facile de guérir l'éjaculation précoce en couple que seul, ceci n'est toutefois pas impossible. Autrement dit, un homme peut réaliser des progrès en s'exerçant, par la masturbation, à détecter l'imminence orgasmique.

Méthode start-stop

En 1955, le docteur James Semans, urologue américain, perfectionna une technique simple, que lui avait enseignée une prostituée. Ce traitement fut par la suite généralisé par la sexologue Helen Singer Kaplan. Cette méthode consiste à apprendre à identifier l'imminence orgasmique et à s'interrompre avant d'atteindre le point de non-retour. Le patient s'exerce à faire monter peu à peu son niveau d'excitation puis à observer un palier, le temps de se calmer, avant de reprendre cette ascension. Certains spécialistes conseillent de graduer celle-ci de 1 à 10, ce dernier niveau correspondant au point de non-retour. Si ce système vous aide, pourquoi pas ? S'il vous perturbe, concentrez-vous sur vos sensations.

Quand un couple me soumet un cas d'éjaculation précoce, je lui interdis provisoirement les relations sexuelles, afin qu'il évacue le stress provoqué par sa situation. Pour ne pas susciter de frustration chez les partenaires, je les autorise à s'amener réciproquement à la jouissance, mais pas au moyen d'un rapport vaginal.

Au début du traitement, la femme stimule l'homme de la main jusqu'à ce qu'il lui fasse signe d'arrêter. Peu à peu, le partenaire acquiert une meilleure maîtrise de son éjaculation. La thérapie consiste, selon le cas, en une série de séances s'étendant de quelques semaines à quelques mois, presque toujours avec succès.

Méthode Masters et Johnson

Les célèbres chercheurs Masters et Johnson ont mis au point une variante (baptisée *squeeze*) de la technique ci-dessus, qui repose sur la compression du frein du pénis. Au lieu d'interrompre son action, la partenaire exerce une pression sur ce repli de peau qui, sur la face inférieure de la verge, relie le gland au reste du membre. Elle poursuit celle-ci jusqu'à ce que l'homme ne ressente plus l'imminence de l'éjaculation. La méthode start-stop s'avérant en général efficace, celle de la compression n'est plus aussi couramment employée.

Le muscle pubo-coccygien (PC) constitue un allié dans le traitement de l'éjaculation précoce. Sa contraction a le même effet que la compression de la base du pénis par la partenaire. Pour l'obtenir, il faut d'abord localiser ce muscle. Passez le doigt derrière vos testicules. Faites comme si vous alliez uriner puis retenez-vous. Le muscle qui se resserre est le muscle PC. En le tonifiant régulièrement par des séries de dix contractions (voir les exercices de Kegel au chapitre 9), vous parviendrez à mieux maîtriser vos éjaculations.

Est-ce aussi facile qu'il y paraît ?

Lorsque je leur décris le traitement exposé ci-dessus, mes patients me demandent : « Est-ce aussi simple que ça en a l'air ? » La réponse est mitigée. Certes, la technique en soi est facile, mais elle exige une part de discipline qu'il n'est pas toujours aisé d'acquérir.

Certains hommes se laissent emporter par l'enthousiasme. Pressés de résoudre leur problème et encouragés en cela par l'optimisme de leur compagne, ils réalisent en apparence de considérables progrès, au moins dans les premiers temps. Puis ils perdent patience. Négligeant mes prescriptions, ils mettent en pratique ce que je leur ai enseigné avant d'y être autorisés. Cela fonctionne parfois, mais pas toujours. Dans ce cas, certains sont tellement déçus qu'ils abandonnent.

Le self-contrôle, c'est loin d'être facile. Il suffit pour s'en convaincre de songer à tous les fumeurs qui n'arrivent pas à se passer de tabac ou à tous les gourmands qui ne parviennent pas à suivre un régime. Lorsque l'éjaculation précoce est profondément installée, il serait irréaliste de croire qu'on peut s'en débarrasser sans efforts. Mais, en se donnant du mal et en s'accordant le temps nécessaire, c'est possible.

Un soutien extérieur

Un homme peut essayer de surmonter son problème par lui-même. S'il a à ses côtés une compagne désireuse de l'aider, il y parviendra beaucoup mieux. Mais cela ne suffit pas toujours ; certains patients ont besoin de faire appel à un sexologue.

À l'autre extrême : l'impuissance

Par rapport à l'éjaculation précoce, qui atteint des hommes dont l'excitation est telle qu'ils ne parviennent pas à retarder leur éjaculation, l'impuissance se situe à l'autre extrémité de la gamme des problèmes sexuels masculins.

En seconde position par ordre de fréquence, ce trouble se définit par l'incapacité à entrer en érection. Les causes de ce dysfonctionnement érectile sont soit psychiques, soit organiques. Il se manifeste à des degrés divers, d'un simple manque de rigidité à l'absence totale d'érection. Ce mal peut frapper à tout moment de l'existence mais devient plus courant avec l'âge ; rares sont les hommes de plus de soixante-quinze ans qui échappent à ses symptômes.

Bien consciente de l'importance que les hommes attachent à leurs capacités érectiles, j'insiste sur le fait que l'impuissance ne met pas forcément un terme à la vie sexuelle masculine. Selon l'origine du problème, il existe plusieurs solutions. Il ne faut donc pas perdre courage.

Signe avant-coureur : l'absence d'érection spontanée

L'élément le plus important à évoquer en matière d'impuissance, c'est le signe avant-coureur qui la caractérise. Il touche tous les hommes à partir d'un certain âge, c'est pourquoi je vous suggère de lire attentivement cette section.

Une évolution insidieuse

Les hommes jeunes ont des érections à tout moment et, souvent, quand ils s'y attendent le moins ou dans des circonstances où elles s'avèrent particulièrement gênantes. Pour qu'elles surviennent, il suffit de la vue d'une jolie fille en minijupe, par exemple, ou de sa seule évocation, voire d'un effluve de son parfum. Ces érections spontanées sont dites psychogènes, c'est-à-dire qu'elles sont créées par le cerveau qui, en réaction à un stimulus, produit les hormones propres à les déclencher.

À partir d'un certain âge, variable d'un individu à l'autre (entre cinquante et soixante ans, approximativement), les érections psychogènes disparaissent peu à peu. C'est pourquoi les intéressés ne s'en aperçoivent pas nécessairement tout de suite. À la longue, il leur faut pourtant se rendre à l'évidence. Tôt ou tard, ces érections ne surviennent plus du tout.

Cette évolution annonce éventuellement une impuissance, mais elle n'en est que le précurseur car les hommes concernés disposent encore de capacités érectiles. Ce qui change, c'est qu'il leur faut désormais une stimulation physique et directe du pénis pour entrer en érection. Autrement dit, celle-ci ne se produit plus que par masturbation ou fellation.

Un manque d'information

La cessation des érections psychogènes poserait beaucoup moins de problèmes aux hommes s'ils étaient informés de ce changement, à l'instar des femmes qui, à l'approche de la ménopause, s'attendent à éprouver des bouffées de chaleur. Pourtant, les gens ignorent souvent cet aspect intrinsèque du processus de vieillissement. C'est le manque d'information, en soi, qui constitue le problème.

Un grand nombre d'hommes, constatant qu'ils ne connaissent plus d'érections spontanées, se croient devenus impuissants. Au lieu de demander conseil, ils évitent les relations sexuelles. De ce fait, leur compagne croit qu'ils ne la trouvent plus séduisante ou qu'ils la trompent. Chez certains couples, cela se traduit par des querelles, chez d'autres, par une attitude de repli sur soi.

Cette détérioration des rapports de couple me paraît d'autant plus déplorable qu'elle est évitable. Le remède consiste à inclure la stimulation manuelle ou buccale de la verge dans les préludes amoureux, comme l'homme le fait déjà pour la femme avec les résultats les plus favorables. Ainsi, le problème n'existe plus.

Je crois que si ce phénomène de disparition des érections psychogènes demeure peu connu, c'est parce qu'on ne le désigne sous aucun nom. On peut juste le considérer comme un symptôme du climatère, qui porte l'appellation de ménopause chez la femme et d'andropause, chez l'homme. (Si vous avez une idée géniale pour le baptiser, écrivez-moi à mon adresse électronique : www.drruth.com. Peut-être parviendrons-nous à avancer vers la suppression d'une cause de profondes souffrances masculines.)

L'impuissance avec l'âge

Avec l'âge, les érections deviennent de moins en moins rigides et exigent davantage de stimulation. Chez certains sujets, elles surviennent mais retombent trop vite pour qu'un coït entier, voire la simple intromission du pénis, soit possible.

On ne peut nier la réalité de ces difficultés de nature organique. Pourtant, elles ne sonnent pas nécessairement le glas de l'activité sexuelle masculine. Si l'intéressé comprend que c'est l'âge qui en est la cause et qu'il est disposé à adopter les mesures adéquates, il se peut très bien qu'il continue à avoir des relations sexuelles jusqu'à quatre-vingt-dix ans et au-delà.

Mike

À l'époque où je tenais une consultation régulière au sein d'un service de gériatrie, je rencontrais de nombreux patients souffrant de problèmes d'impuissance. Je me souviens notamment de l'un d'entre eux – appelons-le Mike. Il avait largement dépassé les quatre-vingts ans et n'avait pas eu de relations sexuelles depuis une bonne dizaine d'années. Quand ses capacités érectiles avaient commencé à l'abandonner, il s'était fait une raison.

Le seul motif qui l'incitait à me consulter, c'est qu'il avait fait la connaissance d'une dame qui n'aurait pas demandé mieux que de faire l'amour avec lui. Il lui avait avoué que cela n'était plus dans ses possibilités mais, sur son insistance, il me demanda conseil.

Je lui recommandai tout d'abord d'effectuer un examen urologique. Sur le plan physique, tout allait bien. Je travaillai ensuite pendant un mois avec lui, jusqu'au jour où je le vis arriver, radieux. Lui et son amie avait eu un rapport sexuel la veille et il se sentait comblé. J'ai apporté mon aide à quantité de gens au cours de ma carrière mais je considère ce souvenir comme le plus réjouissant de tous.

Exercice matinal

Dans une majorité de cas, la meilleure solution aux problèmes d'impuissance repose sur un changement d'habitudes sexuelles. Le plus facile à adopter consiste à faire l'amour le matin plutôt que le soir. Vous êtes probablement retraité et n'avez plus d'enfants à la maison, alors, pourquoi attendre ? Voici quelques raisons pour remettre votre routine en question :

- En fin de journée, les hommes d'un certain âge ont plus besoin de repos que d'autre chose. Une érection nécessite un afflux sanguin dans la verge ; plus on est fatigué, plus ce mécanisme a des difficultés à se réaliser. Le matin, en revanche, on est plus en forme, dans tous les sens de l'expression.
- C'est le matin que la production de testostérone, hormone mâle, se situe à son niveau le plus élevé, alors qu'elle est particulièrement faible le soir. Cette hormone étant indispensable au durcissement du membre viril, il est plus logique de chercher à obtenir celui-ci aux premières heures de la journée.

Cependant, je déconseille l'acte sexuel immédiatement au réveil. À l'âge de la retraite, on a moins de contraintes horaires. Je suggère donc de prendre un léger petit déjeuner avant de revenir au lit pour un interlude érotique.

Certains patients se montrent tout d'abord réticents à suivre cet avis : l'idée de planifier leurs ébats les rebute. Pourtant, nombre de ceux qui en tiennent compte constatent bel et bien que des volcans qui semblaient éteints s'embrasent de nouveau… (voir le chapitre 12).

La technique du « bourrage »

Si l'amour après le petit déjeuner semble incongru à certains, imaginez leur scepticisme quand on leur explique qu'il est possible de faire l'amour en l'absence d'érection. Il n'empêche que cette méthode s'avère parfois la plus efficace.

Comme son nom l'indique, la technique du bourrage consiste pour l'homme, aidé de sa partenaire, à introduire sa verge, malgré sa flaccidité, dans le vagin. Il arrive qu'après quelques mouvements de poussée, un afflux sanguin gonfle le pénis et que cette Arlésienne qu'est l'érection consente à faire son entrée en scène.

Pannes occasionnelles

Contrairement à l'impuissance à long terme, l'impuissance occasionnelle est presque toujours d'origine psychologique. De très nombreux hommes traversent ponctuellement cette épreuve. Ils voudraient entrer en érection mais n'y parviennent pas. En fait, parfois, c'est justement parce qu'ils le veulent à tout prix qu'ils n'y arrivent pas.

Susan et Jimmy

Jimmy était étudiant. Quand Susan entra dans sa section en cours d'année, il la remarqua immédiatement. C'était le portrait de la femme dont il avait toujours rêvé et, à son grand étonnement, elle réagit favorablement quand il engagea la conversation avec elle.

Jimmy avait déjà eu quelques petites amies, mais aucune ne lui avait fait l'effet de Susan. Au début, il se contentait de discuter de tout et de rien avec elle, mais il lui proposa bientôt de se retrouver en dehors de la fac. Les rendez-vous se succédant, leurs liens se resserraient toujours plus. Au bout de quelque temps, Jimmy acquit la quasi-certitude qu'ils ne tarderaient pas à coucher ensemble.

Cette perspective le rendait fou. En d'autres termes, il « bandait » une bonne partie de la journée. Un soir, ils sortirent en boîte et, à la faveur des slows, Jimmy se dit qu'il n'avait jamais été en d'aussi bonnes dispositions.

Jusque-là, le jeune homme n'avait jamais connu de pannes. Mais, de retour vers sa chambre d'étudiant, il commença à s'interroger sur l'intérêt qu'il suscitait chez Susan. Une belle fille comme elle devait avoir eu des quantités d'amants... il craignait de ne pas se montrer à la hauteur. Quand, arrivés chez lui, ils se mirent à se déshabiller, il paniqua à tel point que sa verge resta désespérément flasque. Jimmy connut alors la pire honte de sa vie.

Bien des Jimmy traversent une semblable angoisse de l'anticipation : c'est précisément leur peur d'un éventuel échec qui entraîne celui-ci. Il suffit, en général, qu'un homme s'inquiète à l'idée de ne pas entrer en érection pour que la panne se produise. Et, plus il se fait de soucis à cette perspective, plus il risque que cette défaillance se renouvelle. Ainsi, à cause d'une incapacité exceptionnelle, quantité d'hommes endurent des années de terribles difficultés.

Consulter un urologue

Chez un homme jeune comme Jimmy, les problèmes d'impuissance sont plus souvent d'ordre psychologique que physique.

L'intervention d'un sexologue permet de les surmonter sans trop de difficultés.

Lorsqu'un patient me consulte à ce sujet, je l'envoie toutefois, dans un premier temps, consulter un urologue, c'est-à-dire un spécialiste de l'appareil génito-urinaire.

N'étant pas médecin moi-même, je m'assure par ce moyen que cette personne ne présente aucune affection organique qui pourrait expliquer ses difficultés. En outre, un bulletin de santé impeccable aide souvent à résoudre le problème. En effet, de nombreux patients s'inquiètent tellement à l'idée que quelque chose n'aille pas chez eux qu'un avis médical rassurant suffit à redonner à leur pénis la vigueur « psychologique » qui lui manquait. Et, même si cette visite médicale n'apporte pas de solution complète, c'est déjà une étape très positive d'accomplie.

Redonner confiance en soi

L'étape suivante consiste à permettre au consultant de retrouver la confiance en soi – et en son pénis – qui était la sienne avant la survenue de son problème. Parfois, il suffit de l'inciter à se masturber. Dans d'autres cas, je lui propose des exercices à pratiquer avec sa partenaire. Ceux-ci impliquent d'interrompre les relations intra-vaginales pendant quelque temps, sans interdire au couple de poursuivre des rapports extra-coïtaux. En effet, lorsque l'homme ne se sent pas dans l'obligation de pénétrer la femme, l'érection redevient généralement possible. Il regagne ainsi confiance en lui ; il est alors facile d'étendre cette assurance aux rapports avec intromission de la verge dans le vagin. La plupart du temps, quand le patient se montre prêt à faire quelques efforts, je parviens à l'aider à retrouver ses capacités.

Vérifier l'existence d'érections nocturnes

Lorsque le patient ne souffre d'aucune affection physique mais que le traitement n'améliore pas son état, il convient de vérifier s'il a des érections pendant son sommeil.

Au cours des phases de sommeil dit « paradoxal », un homme en bonne santé entre en érection à plusieurs reprises. Il n'est pas forcément en train de rêver à quoi que ce soit d'érotique. Ce phénomène est simplement naturel chez l'être humain de sexe mâle.

L'homme qui souffre d'impuissance sans cause physiologique pendant ses périodes d'éveil continue à avoir des érections lorsqu'il est endormi, moment où il n'exprime plus d'angoisses.

Pour vérifier que vous avez des érections spontanées pendant la nuit, voici une astuce simple : entourez votre verge au repos d'une bande de timbres collée à ses extrémités. Si, à votre réveil, vous trouvez la bande déchirée, vous en aurez la démonstration (mais non, la petite souris n'a rien à voir là-dedans).

Dans le cas où ce « truc » n'apporterait pas de résultats – ce qui n'est pas une preuve absolue –, il est possible de procéder de façon plus scientifique. Dans un cadre médicalisé, on remplace les timbres par des bandes de plastique fixées par du velcro et on surveille le sommeil du patient.

S'il s'avère que celui-ci ne connaît vraiment pas d'érections nocturnes, je confie son cas aux médecins car je ne peux rien pour lui. Mais, pour la plupart des autres hommes, ces tests confirment l'existence d'un fonctionnement érectile, ce qui indique que le problème est sans doute de nature psychologique. Bien que ceci ne se vérifie pas dans 100 % des cas, c'est une piste qui mérite largement d'être suivie. On s'emploie alors à restaurer la confiance en soi du patient, afin qu'il puisse entrer en érection quand il est éveillé, et même en présence d'une créature féminine.

Un coup de pouce à Dame Nature

Lorsque les méthodes exposées ci-dessus ne parviennent pas à résoudre un cas d'impuissance, il faut éventuellement envisager de donner à Dame Nature un coup de pouce médical ou mécanique. En fait, 80 % des problèmes de dysfonctionnement érectile résultent d'un état pathologique tel que diabète, hypertension ou suites d'une intervention chirurgicale sur un cancer de la prostate. Ces difficultés, quoique beaucoup plus courantes chez les hommes âgés que chez les autres, peuvent toutefois survenir à n'importe quel moment de l'existence.

Traitements par voie orale

L'apparition du Viagra en 1998 a considérablement renforcé l'arsenal des traitements médicaux de l'impuissance. La petite pilule bleue développée par les laboratoires Pfizer s'avère efficace dans 75 à 80 % des cas. Soulignons une exception d'importance : les cardiaques soignés par médicaments à base de nitrates (nitroglycérine, par exemple) sont dans l'impossibilité de bénéficier de ses avantages, car l'association des deux traitements pourrait leur être fatale.

Le sildénafil, commercialisé sous le nom de Viagra, doit être pris entre une et quatre heures avant un rapport sexuel. En outre, il faut qu'il y ait stimulation pour qu'une érection survienne. Les patients connaissent quelques effets secondaires sans gravité (maux de tête ou perception d'un halo autour des objets, par exemple), qui ne semblent pas les gêner à l'excès, dans l'ensemble.

Le succès de ce médicament pourrait inciter des hommes ne souffrant pas de dysfonctionnement érectile à y recourir pour accroître leurs sensations. Le Viagra n'est disponible que sur ordonnance et il est peu probable que leur médecin le leur prescrive. Je précise néanmoins les dangers auxquels ils s'exposeraient en se l'auto-administrant :

- Les patients souffrant d'impuissance sont prêts à supporter les effets secondaires du médicament, en contrepartie de ses bienfaits. Mais on ignore quelles pourraient être ses répercussions sur des sujets en bonne santé.
- Le Viagra engendre parfois un *priapisme,* c'est-à-dire un état d'érection permanente (étudié plus loin dans ce chapitre). Bien que cela n'ait pas été confirmé par des études concrètes, un homme qui l'utilise alors qu'il n'a pas de problème érectile risque d'être plus facilement sujet au priapisme qu'un impuissant.

D'autres groupes pharmaceutiques élaborent actuellement de nouveaux médicaments, destinés à produire les mêmes effets que le Viagra mais selon des processus différents. Par ailleurs, les laboratoires Pfizer cherchent, à l'heure actuelle, d'autres méthodes d'administration du sildénafil sous forme de pilules à diffusion soit lente, soit rapide ainsi que d'un spray nasal à effet rapide.

Le Viagra n'étant pas adapté à toutes les indications, voici les possibilités offertes aux hommes qui ne peuvent en bénéficier.

Prothèses

Il existe deux types de prothèses péniennes (également appelées implants), selon que le système employé est hydraulique ou non. Dans le premier cas, il s'agit, de façon schématique, de tiges semirigides que l'on place, lors d'une intervention chirurgicale, dans les corps caverneux. Bien que cette méthode soit fiable, elle présente un inconvénient majeur : le pénis demeure toujours raide. Il est possible de le repousser vers le bas, mais cette érection peut rester visible. Les suites de l'opération sont douloureuses et l'homme ne peut avoir de relations sexuelles pendant plusieurs semaines. Cependant, la majorité des patients traités ainsi se déclarent très satisfaits. Les seuls déçus sont ceux qui plaçaient dans cette solution des espoirs irréalistes, en croyant obtenir des érections aussi fermes que celles de leur jeunesse. L'érection artificielle étant permanente, il faut bien qu'elle ne soit pas trop manifeste ; par conséquent, elle ne peut, ni ne doit être trop rigide.

Quant aux prothèses gonflables, elles sont dotées d'un réservoir contenant un liquide ainsi que d'une pompe mécanique. Quand il le désire, le porteur crée une érection en remplissant le système. Les hommes apprécient les qualités de ce type d'implants, bien qu'il soit sujet aux pannes mécaniques. Leur pose nécessite elle aussi un acte chirurgical.

Injections

L'auto-injection intra-caverneuse est une autre forme de thérapie, mise au point dans les années 80. L'homme se fait dans le pénis une piqûre qui détend les muscles et permet donc l'afflux de sang nécessaire à une érection. Si la perspective de se planter une aiguille dans cette partie du corps n'est guère affriolante, il faut savoir que, la verge étant assez peu sensible à la douleur, les injections ne se sentent presque pas. La plupart des patients témoignent des bons résultats de cette méthode. Outre les marques des piqûres, elle a pour effet secondaire, dans de rares cas, d'entraîner des érections priapiques, c'est-à-dire des érections persistantes dont on ne peut se débarrasser qu'en prenant un médicament.

Appareils à dépression

L'impuissance se traite également à l'aide d'appareils à dépression. Il s'agit de pompes qu'on place sur le pénis afin de créer un afflux de sang et donc une érection. Pour empêcher le sang de refluer, l'homme dispose ensuite une bague à la base de sa verge.

Je reçois des courriers enthousiastes d'hommes qui ont essayé ce système, ainsi que de leurs compagnes. En plus, cette solution présente l'avantage de ne pas nécessiter d'intervention chirurgicale. Toutefois, elle n'est pas très répandue, en raison des inconvénients suivants :

- Les érections obtenues ne sont pas aussi rigides que celles assurées par les prothèses.
- L'emploi de ces appareils cause parfois quelques légères contusions.
- Certains utilisateurs éprouvent des difficultés à éjaculer.

Les appareils à dépression offrent cependant une solution de rechange à ceux pour lesquels les solutions chirurgicales ou médicamenteuses sont contre-indiquées ou qui répugnent à se faire une piqûre avant chaque rapport sexuel.

L'inconvénient des mesures de « redressement »

Que l'homme obtienne une érection en avalant une pilule ou bien en recourant à une seringue ou à un appareil à dépression ne garantit pas que sa partenaire ait envie de faire l'amour. Face à un refus, un sujet sans problème d'impuissance ressent une frustration ; mais il sait qu'il retrouvera bientôt de bonnes dispositions, peut-être le jour même. En revanche, ceux qui sont contraints de faire appel à des moyens artificiels ont tendance à exprimer des exigences beaucoup plus marquées, en « récompense » de leurs efforts. S'ils négligent de demander son avis à leur compagne, celle-ci risque de n'éprouver qu'un plaisir limité à leurs rapports. Par conséquent, il importe que l'emploi d'une des méthodes décrites ci-dessus résulte d'un commun accord entre les deux partenaires et non de la décision unilatérale du monsieur.

Les couples qui ont toujours connu une sexualité épanouissante et perçoivent le dysfonctionnement érectile comme un problème grave s'adaptent aisément au Viagra. Mais il est des femmes qui n'ont jamais vraiment pris plaisir à l'acte sexuel ou n'y trouvent plus le même intérêt d'autrefois ; pour elles, l'incapacité de leur mari n'est jamais qu'une bonne aubaine. Cette attitude peut sembler critiquable. Néanmoins, dans l'ignorance de leur vie conjugale, il serait injuste d'en tirer de trop promptes conclusions.

Pour cette raison, je crois qu'un homme ne devrait recourir au Viagra ou à toute autre méthode de traitement de l'impuissance sans en débattre longuement avec son épouse. Il faut envisager avec sérieux les changements que ces thérapies sont susceptibles d'apporter à leur existence commune. Dans certains cas, il s'avère utile, pour que cette transition s'effectue favorablement, que l'homme consulte un sexologue ou un conseiller conjugal. L'arrivée du Viagra mérite d'être saluée ; mais cette solution ne doit pas faire oublier toute prudence.

Éjaculation retardée

Outre l'éjaculation précoce et l'impuissance, qui représentent les deux principaux troubles sexuels chez l'homme, on rencontre d'autres problèmes, plus rares, comme l'*éjaculation retardée*. Le sujet qui en est affecté se trouve dans l'impossibilité d'éjaculer.

Il est vrai que la capacité à maintenir une érection pendant un laps de temps prolongé est considérée comme un avantage fort appréciable. Toutefois, du point de vue masculin, l'éjaculation retardée constitue une sorte d'obligation à abuser des bonnes choses, même si l'intéressé préfère se vanter de sa résistance plutôt que de regarder le problème en face. En effet, il ne peut qu'en ressentir une frustration, voire ne plus éprouver d'attrait pour le sexe.

Dans certains cas, l'éjaculation retardée s'explique par une cause médicale, sur laquelle seul un urologue est à même d'agir. Dans d'autres, son origine étant psychologique, elle justifie l'intervention d'un sexologue. Il peut s'agir d'un problème relationnel, que l'homme a enfoui inconsciemment dans son esprit. Pour guérir le symptôme physique, il faut remédier d'abord aux difficultés affectives.

Priapisme (ou comment s'en débarrasser)

Comme l'éjaculation retardée, le priapisme fait partie de ces mieux ennemis du bien. L'homme qui en est atteint présente une érection permanente. Celle-ci peut résulter des auto-injections pratiquées par le patient souffrant d'impuissance. Il arrive aussi qu'elle ait pour origine une maladie (la drépanocytose, par exemple) ayant pour effet d'épaissir le sang, ce qui rend le reflux du sang hors de la verge impossible.

Bien que le priapisme doive son nom à Priape, dieu grec de la Fécondité, il ne saurait bien longtemps conforter dans leur virilité ceux qui en sont victimes. En effet, cette affection douloureuse les conduit le plus souvent aux urgences. Il existe toutefois aujourd'hui des moyens de la traiter autrement que par la chirurgie.

Incurvation du pénis

Un mâle ne peut guère rêver pire cauchemar que la maladie de La Peyronie : alors qu'il s'était couché avec un pénis en parfait état de marche, il se réveille le matin avec une verge qui se recourbe tellement lorsqu'il entre en érection que tout coït en devient impossible (voir la figure 16.1)

Les causes exactes de cette anomalie sont inconnues mais elle se produit souvent à la suite d'un accident. Au début, le patient connaît des érections pénibles. La douleur, survenant parfois avant l'apparition de la courbure, constitue un signe avant-coureur de la maladie.

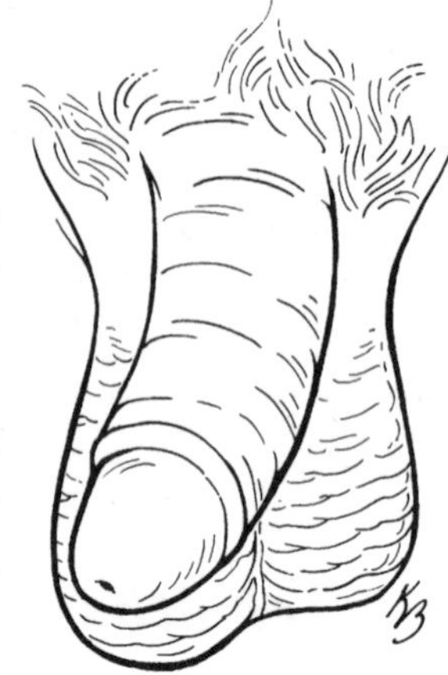

Figure 16.1 : Maladie de La Peyronie. Une déviation que tout homme préférerait amplement éviter.

Est-ce grave, docteur ? Assez, dans certains cas, pour que la verge prenne l'aspect d'un tire-bouchon. Mais l'incurvation peut également n'être que très légère et n'avoir aucun caractère préoccupant, lorsqu'elle n'empêche pas la pénétration. Dans les cas bénins, la douleur disparaît d'elle-même. Le médecin doit juste rassurer le patient en l'informant que tout rentrera en ordre dans un délai de deux ou trois mois.

Il arrive que la courbure se redresse spontanément. La maladie étant liée à un processus de cicatrisation, certains hommes témoignent de résultats positifs à la suite d'un traitement à la vitamine E, bien que l'efficacité de cette méthode n'ait pas été prouvée. Dans certains cas, la chirurgie permet l'élimination des tissus endommagés, mais elle présente le risque d'entraîner une incapacité érectile et donc la pose d'une prothèse. Le meilleur conseil que je puisse apporter aux lecteurs affectés est de consulter un urologue, contrairement à certains hommes, à tel point gênés d'exposer leur état qu'ils n'osent pas le faire. Savoir qu'un spécialiste résout de nombreux cas similaires vous aidera à surmonter vos réticences.

J'ai déjà reçu des courriers d'hommes déclarant qu'ils enduraient la maladie de La Peyronie depuis des années, alors même qu'ils avaient consulté un médecin, ou d'épouses en témoignant à leur place. Par conséquent, si le premier urologue rencontré vous affirme ne pouvoir vous apporter aucune aide, n'hésitez pas à en chercher un autre. Vous ne le regretterez pas.

Inappétence sexuelle

Il convient d'aborder aussi dans ce chapitre l'absence de désir sexuel (qui peut également affecter la femme, comme nous le verrons au chapitre suivant). L'une des causes les plus fréquentes de ce problème est le stress de la vie moderne. Pour quelqu'un qui rentre tard le soir après une journée de travail harassante ou, au contraire, a perdu son emploi, le sexe devient souvent la cinquième roue du carrosse. Face à une compagne dont l'appétit sexuel reste intact et qui se plaint d'être rejetée, la victime de ce mal, exaspérée, a tendance à fuir encore plus le contact charnel. Un cercle vicieux s'instaure et la vie de couple est bientôt réduite à néant.

Est-il possible de surmonter ce genre de difficultés par soi-même ? Peut-être, mais la tâche risque de s'avérer ardue. Ce problème repose souvent sur un manque de communication. En outre, il est difficile de renverser les barrières qui ont pu s'élever entre les deux membres du couple. Je trouve donc préférable de s'adresser à un sexologue ou à un conseiller conjugal.

Il arrive également que l'inappétence sexuelle provienne d'une anomalie physique. Un bon sexologue demande toujours à ses patients de consulter tout d'abord un médecin, afin d'exclure une éventuelle origine organique de leurs troubles. (J'évoque notamment au chapitre 1 les cancers de la prostate et des testicules, dont le traitement est susceptible d'amoindrir la libido.)

Celui qui commande, c'est vous

J'espère que, si vous êtes un jour touché par l'un des problèmes examinés dans ce chapitre, vous saisirez le taureau par les cornes. En effet, les hommes réagissent souvent comme si leur appareil génital ne faisait pas partie intégrante de leur organisme et qu'il leur était impossible de le maîtriser complètement. Il n'y a aucune raison à cela. En cas d'ennui, il faut vous prendre en charge et faire votre maximum pour surmonter vos difficultés.

Chapitre 17

Troubles de la sexualité féminine

Dans ce chapitre :

- Devenir orgasmique
- Détendez-vous ! (psychologiquement et physiquement)
- Découvrez ce qui vous procure du plaisir
- Votre homme aime vos bourrelets
- Mastectomie et hystérectomie

Selon bien des individus mâles, le principal problème sexuel de la femme, c'est la migraine (« Pas ce soir, chéri… »). Pourtant, il semblerait que la sexualité féminine soit plus complexe que la leur.

Les subtilités de l'orgasme féminin

Le principal problème sexuel des femmes, c'est qu'elles sont nombreuses à avoir du mal à atteindre l'orgasme. Il s'agit là d'un phénomène complexe, car leurs réactions sont des plus variées, d'un besoin désespéré d'y arriver à une forme de soulagement de ne pas le connaître.

Un terme à bannir : la « frigidité »

Commençons par bannir un terme qu'on applique communément aux femmes qui ont des difficultés à atteindre le plaisir : la *frigidité*. Tout d'abord, il est empreint de connotations absolument inappropriées car il implique une froideur facile à étendre au plan moral.

En outre, la plupart des femmes qui n'arrivent pas à l'orgasme n'en sont pas incapables pour autant. Le problème, c'est qu'elles ne savent pas comment en enclencher le mécanisme. Je préfère donc employer, pour les qualifier, l'adjectif *pré-orgasmique* car il indique qu'elles accéderont un jour à la jouissance, quand elles y seront psychologiquement prêtes.

Une révélation en attente

De nombreuses études, que confirme mon expérience professionnelle, indiquent qu'il existe une proportion élevée de femmes pré-orgasmiques. Il est vrai que pour un faible pourcentage d'entre elles (environ 5 %), il n'y a pas de guérison possible. Leur *anorgasmie* (impossibilité à jouir) provient d'un problème physique, le diabète ou l'alcoolisme, par exemple. L'immense majorité des autres peuvent y parvenir, dès lors qu'elles reçoivent une information adéquate.

Quelle est la cause de l'absence d'orgasme ? Avant tout, l'influence de la société. Dans un passé encore récent, la femme n'avait pas à prendre plaisir à l'acte sexuel. Celui-ci n'avait que la procréation pour finalité et, dès lors qu'il lui permettait des grossesses, pourquoi la femme en aurait-elle attendu davantage ? La recherche d'une jouissance relevait de la lubie ou, pire, du péché.

Par chance pour les femmes, la situation a évolué, en tout cas dans les cultures occidentales. Mais il reste du chemin à parcourir, que ce soit dans les pays développés ou ailleurs. L'avènement d'un troisième millénaire n'empêche pas que des millions de femmes, principalement en Afrique, continuent à être victimes de la *clitoridectomie* ou *excision* (ablation du clitoris), mutilation destinée à les priver du plaisir sexuel. Cette horrible tradition perdure non seulement sous l'influence dominatrice des hommes, mais aussi parce que les femmes des générations précédentes, qui ont elles-mêmes enduré cette intervention (laquelle est rarement effectuée par un chirurgien), croient normal que les jeunes la subissent aussi.

Il est à supposer que les sociétés humaines adoptèrent ce genre d'attitudes en des temps reculés où les grossesses non désirées étaient à la fois impossibles à prévenir et hautement risquées. De plus, il importait de préserver la lignée familiale. Si la femme ne trouvait pas de jouissance dans la copulation, il était logique qu'elle cherche moins à tromper son mari et qu'elle engendre moins de bâtards. Il n'existe plus aucune raison valable pour que cela existe encore aujourd'hui, si tant est qu'il y en ait eu jadis. Nous disposons de nos jours de nombreux moyens de contraception. Bien des femmes vivent une sexualité épanouie. Elles peuvent multiplier les aventures sans devenir mères pour autant (non pas que j'approuve ce comportement, pas plus chez l'un que chez l'autre sexe, notamment en raison du risque de contamination par MST).

Quoi qu'il en soit, c'est parce que la société a longtemps dissuadé les femmes d'exprimer leur sensualité dans toute sa plénitude, d'une part, et parce que la réaction orgasmique n'est pas aussi « automatique » chez elles que chez leurs congénères masculins, qu'elles connaissent parfois des difficultés, voire une impossibilité, à atteindre le plaisir.

Je me dois d'ouvrir ici une importante parenthèse : la femme ne doit en aucune façon se laisser influencer dans le sens d'une recherche forcenée de l'orgasme, que ce soit par la société, par l'homme de sa vie ou par la lecture de cet ouvrage. Je m'élève contre les pressions de toutes sortes, en particulier parce que je sais que c'est le meilleur moyen d'obtenir le résultat exactement inverse à celui souhaité, surtout en matière sexuelle. Y compris si c'est la personne elle-même qui se soumet à de telles contraintes. En visant désespérément un objectif, l'orgasme, vous ne vous le rendriez que plus difficile à obtenir. La principale méthode permettant d'y parvenir consiste, au contraire, à apprendre à se détendre. Admettons toutefois que vous vous refusiez de façon obstinée et délibérée au plaisir – à condition que vous soyez sincère envers vous-même et que vous ne persistiez pas dans cette opinion pour la simple raison que vous pensez ne jamais y arriver.

Aide-toi...

Chaque femme constituant un cas unique, il m'est impossible de vous fournir une recette universelle pour devenir orgasmique. Mais, de façon générale, il convient d'apprendre tout d'abord ce qui vous procure du plaisir puis, par la suite, ce qui déclenche en vous le summum de la jouissance. À celles qui connaissent des difficultés, je préconise une méthode qui fait partie intégrante de l'arsenal du sexologue : la masturbation (explorée en détail au chapitre 14).

Si presque tous les garçons se masturbent à l'adolescence, cette pratique n'est pas aussi répandue chez les filles. Selon le sexologue Alfred Kinsey, la plupart des mâles appelés à expérimenter la masturbation dans leur existence l'ont fait avant la fin de l'adolescence, alors que moins de la moitié des femmes qui s'y essaient un jour l'ont fait avant cet âge. J'en expose les raisons au chapitre 14.

Jusqu'à une époque relativement récente, le mariage était arrangé, et ce, parfois dès le plus jeune âge. Une jeune épousée de seize ans, découvrant les rapports sexuels avec son mari, pensait peut-être moins à rechercher une satisfaction solitaire que les femmes d'aujourd'hui qui, connaissant un célibat prolongé, assument davantage leur propre jouissance.

Il est désormais courant qu'une femme connaisse plusieurs partenaires au cours de son existence. En outre, et heureusement pour elle, les hommes se préoccupent beaucoup plus que jadis du plaisir féminin. Toutefois, pour atteindre ce but, il faut que la femme montre à son compagnon du moment ce qui lui est le plus agréable. D'où l'intérêt de l'avoir découvert au préalable par soi-même.

Je ne veux pas dire par là qu'une femme doive nécessairement se passer d'une aide masculine pour trouver ce qui lui procure du plaisir. Dans un monde idéal, le premier amant devrait montrer des dispositions telles qu'il s'applique à découvrir, en même temps que sa partenaire, ses cordes sensibles ainsi que les meilleurs moyens de les faire vibrer. Mais, dans la pratique, ledit premier amant est trop souvent préoccupé avant tout de sa satisfaction personnelle. L'amour sur une banquette arrière de voiture, en croisant les doigts pour qu'aucun intrus ne survienne dans les parages, n'est pas la situation la plus propice aux explorations érotiques. Pas étonnant, dans ces conditions, que les jeunes femmes ne connaissent que rarement l'orgasme lors de leurs premières expériences.

Faire semblant

Tous les jeunes gens qui couchent avec des femmes pré-orgasmiques sont-ils d'authentiques brutes, indifférentes au plaisir de leur partenaire ? Dans la plupart des cas, la réponse est négative. Mais le fait est qu'ils n'y comprennent rien et ce, pour une bonne raison : ils se prennent pour des surhommes parce que leur partenaire fait semblant.

La technique est-elle efficace ? En d'autres termes, les intéressés sont-ils vraiment dupes ? Il suffit de voir le film *Quand Harry rencontre Sally* pour se faire une idée sur la question. Pour ceux qui n'auraient pas encore assisté à la scène d'anthologie à laquelle je fais allusion (et auxquels je conseille de courir louer la cassette), la réponse est affirmative. Une femme peut feindre l'orgasme à tel point qu'aucun mâle ne saurait distinguer le vrai du faux.

Je ne suis pas d'avis de déconseiller systématiquement la simulation. Il arrive ainsi que la partenaire n'ait pas spécialement envie de faire l'amour ce jour-là. Mais elle souhaite faire plaisir à son compagnon qui, lui, désire plus que jamais partager ses émotions avec elle car il s'agit d'une occasion particulière, l'anniversaire de leur rencontre, par exemple. En acceptant de mauvaise grâce de se prêter à l'acte sexuel, elle risque de le décevoir. C'est pourquoi, dans ce genre de circonstances et à condition que cela reste exceptionnel, j'approuve qu'on fasse semblant.

Mais si ce comportement se reproduit en permanence et que la femme dissimule par ce biais son absence de plaisir, la situation ne saurait durer. La question n'est pas d'arrêter de faire semblant, en soi, mais de s'efforcer de résoudre le problème de fond. Ensuite, il ne sera plus nécessaire de feindre, puisqu'il y aura véritablement orgasme.

Pour découvrir comment y parvenir, il faut un élément capital : une atmosphère détendue. Pendant cet apprentissage, la présence du partenaire, même profondément aimé, peut s'avérer perturbante.

Wendy

Quand Wendy vint me consulter, elle avait vingt-huit ans. Elle avait eu plusieurs petits amis et avait eu une relation stable pendant trois ans, mais n'avait jamais connu l'orgasme. Ce n'était pas faute que ses partenaires aient essayé de lui procurer du plaisir. Le compagnon avec qui elle avait vécu le plus longtemps avait déployé tous ses efforts ; manifestant la plus grande patience, il avait consacré de longs moments à tenter de la faire jouir. Mais, n'y parvenant pas, il l'avait quittée. Le sexe devenait frustrant pour lui comme pour elle. Il avait rencontré une autre femme, qu'il avait fini par épouser.

Wendy avait essayé la masturbation, mais sans résultat. N'aimant pas se plier à cette pratique, elle ne réussissait pas à se détendre. Après quelques minutes d'attouchements vaginaux, elle renonçait.

Je conseillai à la jeune femme de « s'exercer » une heure chaque soir pendant une semaine, sans chercher à atteindre le plaisir. Il fallait juste qu'elle pense à des choses agréables. L'objectif consistait à lui faire découvrir comment se mettre dans de bonnes dispositions.

Patiente disciplinée, elle n'eut pas d'orgasme la première semaine. Mais, lors de sa visite suivante, elle me confia qu'elle était parvenue la veille à un haut degré d'excitation et se pensait prête. Je l'autorisai à poursuivre et lui demandai de m'appeler le lendemain. Elle ne manqua pas de me téléphoner pour m'exprimer sa gratitude.

Ce qu'il fallait à Wendy, c'était découvrir comment son corps réagissait à la stimulation, sans se soumettre à une obligation d'orgasme. Le monde est rempli de Wendy qui ont toutes besoin d'explorer leurs vagins et clitoris respectifs pour comprendre ce qui leur convient le mieux.

Certaines femmes, au-delà d'un certain niveau d'excitation, ne supportent plus un contact clitoridien direct, qui devient douloureux.

Brenda

Quand elle tomba amoureuse de Brad, Brenda n'avait jamais connu d'homme. En revanche, le jeune homme, qui avait couché avec de nombreuses femmes, se considérait expert en la matière. Il avait compris comment leur donner du plaisir du doigt ou de la langue et ne doutait pas de parvenir au même résultat avec Brenda.

La première fois qu'ils firent l'amour ensemble, Brad passa une demi-heure à frotter et à lécher le clitoris de sa compagne. Tout ce qu'elle en ressentit, ce fut une terrible irritation, dont elle souffrit pendant plusieurs jours. Quand Brad réitéra l'expérience, elle préféra feindre l'orgasme plutôt que d'endurer le même supplice. Ceci confirma le jeune homme dans son orgueil de mâle mais, du même coup, condamna Brenda à ne jamais connaître de jouissance tant qu'elle l'aurait pour amant, puisqu'il ne devait pas manquer de reproduire une technique ayant fait la preuve de son efficacité...

Quand, après m'avoir consultée, Brenda s'entraîna à la masturbation, elle découvrit qu'elle éprouvait du plaisir par contact exercé non pas directement sur mais *autour* du clitoris. Elle connut par la suite une vie sexuelle tout à fait satisfaisante, car elle sut exactement indiquer à son nouvel ami ce qui lui convenait ou non.

Quand les moyens naturels ne suffisent pas

Certaines de mes patientes, auxquelles je recommande la masturbation, semblent ne pas trouver une stimulation suffisante par ce moyen, quelle que soit la méthode employée. Elles déclarent arriver près de l'orgasme, mais sans dépasser ce seuil.

Dans ce cas, je leur conseille l'achat d'un vibromasseur, qui procure souvent la stimulation nécessaire. Certaines s'abstiennent de s'en servir en contact direct avec le clitoris, trop sensible ; d'autres ont absolument besoin de ces intenses vibrations. Celles à qui réussit la sensation de plénitude vaginale obtenue à l'aide d'un godemiché peuvent associer ces deux accessoires (précédemment évoqués au chapitre 14).

Une fois qu'elles ont découvert le plaisir qu'elles peuvent obtenir grâce au vibromasseur, il faut qu'elles transfèrent cette aptitude sur leur partenaire. Avec un peu de chance, l'excitation inspirée par un amant en chair et en os suffit à aboutir à un orgasme sans l'intervention d'un appareil électrique. Mais la femme a la possibilité de montrer à son compagnon les effets que lui procure le vibromasseur ainsi que les endroits adéquats et la façon dont elle s'en sert. Ainsi, il reproduira ces gestes du doigt ou de la langue, afin d'obtenir des résultats identiques. Si cela ne fonctionne pas, elle peut aussi lui demander de recourir au vibromasseur.

Les femmes trouvant un tel surcroît de stimulation par ce moyen, il leur faut parfois un certain temps pour arriver à s'en passer. Je pense, par ailleurs, que la plupart des couples préféreraient que la réussite de leurs ébats ne repose pas sur un objet mécanique. Mais, si l'orgasme de la partenaire en dépend, ce n'est pas la fin du monde.

Point mort

Parfois, une femme arrive, par elle-même ou avec l'aide de son compagnon, tout près de l'orgasme. Elle présente tous les signes physiques avant-coureurs mais, soudain, elle atteint une sorte de point mort. Et, comme elle se dit qu'elle ne va pas y parvenir, cela lui coupe ses effets.

Pat

Quand je reçus Pat en consultation, elle fondit en larmes avant même de m'avoir raconté la moitié de son histoire. Elle aurait tant voulu connaître l'orgasme, mais s'en croyait incapable.

Quand je vois un consultant pour la première fois, je le soumets à un examen complet, en lui demandant tous les détails imaginables sur sa vie sexuelle. Quand Pat me décrivit sa relation avec son mari, j'eus l'intuition qu'elle faisait partie de ces femmes qui n'arrivent pas à franchir le point mort exposé ci-dessus.

Son mari l'amenait à un degré élevé d'excitation mais, après quelques instants, celle-ci retombait. Pat interrompait alors le rapport sexuel et se mettait à pleurer. Il va sans dire que son époux se sentait aussi frustré qu'elle.

J'invitai Pat à laisser son mari poursuivre les opérations, même si elle sentait la proximité du point mort. Elle ne semblait guère convaincue mais accepta de tenter l'expérience. Celle-ci s'avéra un succès car, après quelques minutes supplémentaires de stimulation clitoridienne, l'excitation de Pat recommença à croître et la jeune femme atteignit le sommet du plaisir.

La solution, pour dépasser le point mort, consiste à ne pas « lâcher le morceau ». Si toutes les femmes ne traversent pas ce genre de situation, elle n'en est pas moins commune. Il faut savoir que le point mort n'est qu'un passage provisoire. Dès lors que la stimulation se poursuit, la femme revient sur une courbe d'excitation croissante et arrive à la jouissance. Il faut persister, c'est tout.

L'orgasme incomplet

Ne pas retrouver ses lunettes ou les clés de sa voiture alors qu'on sait qu'elles ne sont pas loin, rien n'est plus frustrant... sauf passer à côté d'un orgasme !

Ceux qui n'ont jamais connu ce problème doivent se demander comment on peut bien manquer un orgasme. Je sais, par leurs témoignages, que même les partenaires de personnes concernées ne le comprennent pas. Quand une femme déclare à son compagnon qu'elle ignore si elle a joui ou pas – ce qui n'arrive en aucun cas aux hommes –, il ne la croit tout simplement pas.

D'ailleurs, les femmes ne parviennent pas à y croire elles-mêmes. « Comment est-il possible que je n'identifie pas un orgasme, me disent-elles. Une sensation aussi intense, ce devrait être facile à reconnaître, non ? »

Contrairement à celles qui n'atteignent pas ce sommet de l'excitation, celles qui connaissent l'orgasme incomplet parviennent à ce stade sur le plan physiologique, mais la sensation correspondante ne s'imprime pas dans leur cerveau. Leur rythme cardiaque s'accélère, leur lubrification vaginale augmente, elles manifestent tous les signes extérieurs du climax sexuel mais ne ressentent pas le plaisir correspondant.

Le traitement de ce genre de difficultés est assez délicat. Il faut apprendre aux patientes à ressentir ce qu'éprouve leur corps. Se sachant capables de connaître l'orgasme physiquement, elles arrivent à une amélioration. Pour résoudre leur problème, les sexologues ont recours à diverses méthodes.

Si vous êtes dans ce cas, je vous recommande vivement de consulter l'un de ces spécialistes car vous n'arriverez sans doute pas à surmonter cet inconvénient sans aide.

J'arrive à jouir seule, mais pas avec mon partenaire

Certaines femmes sont indubitablement orgasmiques, puisqu'elles parviennent au plaisir par la masturbation. Mais elles n'y arrivent pas avec leur partenaire. Dans certains cas, cela leur est possible avec tel homme mais pas avec tel autre.

L'origine du problème réside parfois tout simplement dans une insuffisance de préliminaires. Dans d'autres cas, ses causes, plus complexes, requièrent l'intervention d'un spécialiste. Avant que vous ne scrutiez l'annuaire en quête d'un sexologue, voici quelques conseils :

Il est primordial d'apprendre à se sentir à l'aise avec son compagnon. Se savoir capable d'orgasmes donne à la femme la confiance en soi nécessaire pour palier son problème. Tout d'abord, elle dispose d'une position de repli : en cas de frustration lors du rapport sexuel, elle a toujours le recours de se satisfaire elle-même par la suite. Ceci contribue amplement à éliminer une part de ses appréhensions.

Dans de telles circonstances, je vous conseille d'endosser un rôle de professeur. Rappelez-vous, pour cela, votre enseignant préféré, celui qui vous faisait rire. Dans une chambre à coucher comme dans une salle de classe, l'humour est primordial. Adopter une attitude optimiste ouvre la voie vers la réussite.

La leçon en question peut s'avérer particulièrement érotique ; cela dépend de vous. N'hésitez pas à fantasmer plusieurs jours à l'avance sur la perspective de faire l'amour avec votre partenaire et sur la teneur de vos futurs travaux pratiques. N'hésitez pas à vous masturber à cette idée. Il faut vous mettre dans la tête non pas une sensation de stress et d'angoisse, mais une image chaleureuse et agréable.

Pour montrer à votre ami ce qui vous est nécessaire pour atteindre de voluptueux sommets, voici deux techniques.

- La première consiste à vous masturber devant lui, en le maintenant dans un rôle de spectateur.
- La seconde consiste à vous masturber avec sa main.

Vous pouvez associer ces deux méthodes, en commençant vous-même puis en lui prenant la main pour guider ses mouvements. Expliquez-lui qu'il ne doit pas prendre d'initiative, simplement suivre vos indications et donc, éventuellement, se contenter de vous observer. À ce propos, « observer » n'est sans doute pas le terme le plus approprié, car le partenaire n'a pas besoin de se montrer très attentif au cours des opérations. Ce qui compte, c'est qu'il constate que vous parvenez à l'orgasme et qu'il retienne comment.

Quand son tour viendra de prendre les commandes, son premier essai ne sera pas forcément concluant. C'est sans importance. N'oubliez pas que vous gardez toujours un orgasme « à portée de main », c'est pourquoi il n'est pas bien grave que cela ne fonctionne pas avec lui dès le départ. Lorsque ma patiente se montre très angoissée, je lui demande de ne pas rechercher la jouissance. Libérée de cette préoccupation, elle peut ainsi montrer à son compagnon les gestes qui lui plaisent et l'encourager à s'y essayer, sans faire de l'orgasme un but obligatoire.

Que ces séances d'instruction vous procurent ou non l'extase absolue, je vous garantis qu'elles auront leur petit effet sur votre partenaire. Un grand nombre d'hommes fantasment à l'idée de contempler une femme en train de se caresser. C'est d'ailleurs l'une des principales occupations des héroïnes des films X dont ils sont tellement friands. Même si vous ne ressentez guère d'excitation à ces séances d'entraînement, il en ira tout différemment de votre ami, qui n'en ressortira pas frustré le moins du monde. Veillez à ce qu'il jouisse lui-même, à la suite d'un rapport vaginal, buccal ou manuel ou par auto-masturbation. Vous constaterez qu'ensuite, il se portera volontaire pour toutes les leçons que vous voudrez.

On est à l'étroit, là-dedans !

Certaines femmes, à la perspective d'une relation sexuelle, éprouvent une contracture involontaire des muscles vaginaux, à tel point que la pénétration en devient douloureuse, voire carrément impossible. Ce trouble s'appelle *vaginisme*.

Si ce problème survient lors des premiers rapports sexuels, la jeune femme peut croire son vagin trop étroit. En fait, ceci ne se produit que de façon exceptionnelle. Presque toujours, c'est la tension ressentie par la partenaire qui a pour effet de contracter fortement l'entrée du conduit vaginal.

Le premier conseil que je donne aux personnes qui me consultent à ce sujet, c'est de rendre visite à leur gynécologue. En effet, dans tous les cas où le patient signale une douleur, le sexologue doit procéder par élimination d'éventuels problèmes physiologiques.

Une fois assurée de la bonne santé de la consultante, je recommande, une fois encore, d'apprendre à se relaxer. La marche exacte à suivre dépend des autres facteurs en présence. Si, comme dans les cas que j'ai exposés précédemment, elle n'a jamais eu d'orgasme, la première étape consiste à lui indiquer comment y parvenir par la masturbation. Dans la situation inverse, je lui explique comment inciter son partenaire à participer davantage à l'obtention de son plaisir.

Les spécialistes arrivent à soigner le vaginisme. Mais, lorsque celui-ci n'est pas traité, il peut créer un grave problème au sein du couple. C'est particulièrement vrai dans le cas où deux jeunes gens, vierges, ont des difficultés à commencer leur vie sexuelle. En effet, les tentatives de pénétration sont tellement douloureuses pour la jeune fille que son compagnon est dans l'impossibilité de poursuivre. Ceci entraîne une amertume des deux partenaires voire, pire, des disputes et des larmes. En l'absence d'aide médicale, leur couple risque d'être brisé.

Inappétence sexuelle

L'un des principaux éléments du couple, c'est la sexualité. Celle-ci s'ajoute aux autres liants qui le cimentent : l'amour, la vie commune, les enfants, le soutien affectif et matériel, entre autres.

Si on se fie à la tradition vaudevillesque, perpétuée par les *sitcoms* de la télévision, tous les maris « ne pensent qu'à ça », tandis que quasiment toutes les épouses s'y refusent. Mais l'existence n'étant pas une série télévisée, la réalité est moins contrastée. Les femmes qui me confient leurs problèmes sont nombreuses à m'avouer qu'elles ressentent plus d'appétit sexuel que leur conjoint. Il est vrai, hélas, qu'un grand nombre d'autres femmes souffrent d'inappétence.

Chez certaines, la libido a toujours été limitée. Chez d'autres, les ennuis ont débuté après la naissance des enfants. Parfois, le problème n'apparaît qu'à la ménopause. Enfin, il peut survenir à la suite de l'ablation des ovaires (*ovariectomie*) ou de l'utérus (*hystérectomie*).

Inappétence ne veut pas dire abstinence

Pour le partenaire, homme ou femme, qui ne ressent que peu ou pas de désir, le problème n'est pas aussi pénible que pour celui qui ressent des envies sexuelles. En effet, ce dernier a le choix entre une frustration permanente, la masturbation ou la recherche d'un autre partenaire. Dans les deux premiers cas, la relation souffre, car sa colère déteint sur d'autres aspects de l'existence. Dans le troisième, le couple est souvent condamné à la séparation.

Comme vous le savez, mon propos n'est pas de pousser mes lecteurs à avoir des relations sexuelles s'ils n'en ont pas envie. D'un autre côté, la frustration du partenaire me paraît désolante et je pense que, lorsque l'un des deux ne manifeste qu'un désir très restreint, des mesures s'imposent. Remarquez que j'ai dit « très restreint ». Il est rare que les deux partenaires soient exactement sur la même longueur d'onde ; en général, ils doivent donc aboutir à un compromis, qui ne saurait se limiter à une fois par mois.

Le problème n'est pas irrémédiable

L'inappétence sexuelle se traite différemment, en fonction de son origine :

- **Dépression.** Une femme souffrant de dépression n'est guère disposée aux rapports sexuels. Si elle commence par soigner son état psychique, il y a des chances que sa libido se redynamise spontanément. La déprime peut survenir après une hystérectomie, la patiente assimilant la perte de l'utérus à celle de sa jeunesse, de sa beauté et de sa féminité. Si elle a subi, en outre, l'ablation des ovaires, la ménopause prématurée qui en résulte est source de problèmes particuliers (voir le chapitre 3). Il est recommandé, dans ce cas, qu'elle envisage, sur l'avis de son médecin, un soutien psychologique.
- **Maternité.** Une jeune maman manque de sommeil et, de plus, noue des liens affectifs tellement forts avec son bébé, qu'elle en perd parfois son appétit sexuel. En revanche, le papa, quand il a été contraint de s'abstenir de rapports sexuels pendant les dernières semaines de la grossesse et pense avoir laissé un temps de récupération suffisant à sa compagne à la suite de l'accouchement, risque de devenir un tantinet grincheux après ces mois de continence.

  La mère a sans doute des raisons valables de connaître une baisse de désir sexuel ; mais de là à en profiter… Il faut qu'elle fasse un effort pour déclencher l'étincelle qui relancera sa vie de couple. Les grands-parents adorent garder les bébés. Pourquoi ne pas les embaucher, ou trouver une baby-sitter, afin de s'accorder une demi-journée de liberté à deux ? Quelle que soit la solution adoptée, il importe de ne pas laisser partir la sexualité du couple à vau-l'eau.

- **Ménopause.** À la ménopause, la production d'hormones sexuelles décline, ce qui entraîne d'éventuels effets secondaires sur la sexualité féminine. Celle-ci n'a pas à s'interrompre pour autant. En fait, de nombreuses femmes éprouvent un désir plus marqué à partir de cet âge car elles ne connaissent plus la crainte d'une grossesse. En outre, leurs enfants ayant quitté le foyer parental, c'est souvent le moment pour elles de retrouver un surcroît d'intimité avec leur mari.

La ménopause amène à prendre quelques mesures, employer un lubrifiant, notamment, mais elle ne prive en rien d'une vie sexuelle satisfaisante. Vous trouverez d'autres conseils à ce sujet aux chapitres 2 et 12.

Le rapport entre hormones et amoindrissement de l'appétence sexuelle donne matière, depuis quelques années, à de nombreux débats, ouvrages et articles de presse. Selon certains avis, il convient de prescrire des œstrogènes qui, outre leurs éventuelles répercussions sur la libido, préviennent en partie la fragilisation de la paroi vaginale lorsqu'ils sont appliqués sous forme de crème. D'autres préconisent le recours à la testostérone, hormone masculine que la femme secrète en quantité limitée tant qu'elle est en âge de procréer et dont la production baisse à la ménopause.

Je m'abstiendrai de suivre le mouvement, ces thérapies pouvant avoir des effets secondaires d'ampleur insoupçonnée à l'heure actuelle. Peut-être la prise de ces hormones ranime-t-elle le désir de certaines patientes, mais il n'existe pas pour le moment de preuve absolue que ce traitement soit plus efficace que l'administration de placebos (médicaments sans effet actif). La recherche médicale avançant à grands pas, la question mérite que vous l'évoquiez avec votre gynécologue. Mais assurez-vous d'envisager avec lui tout risque éventuel.

Selon moi, de nombreuses femmes ménopausées jouissant d'une sexualité harmonieuse sans supplément hormonal, la baisse de désir connue par les autres s'explique, dans la plupart des cas, par une raison psychologique, probablement surmontable avec l'aide d'un spécialiste.

Il est donc absolument nécessaire, en cas d'amoindrissement de l'appétit sexuel, d'en parler d'abord au médecin puis, une fois toute origine physiologique exclue, de consulter un sexologue.

Précisons cependant que, plus la femme se dit que sa ménopause va entraîner ce symptôme, plus il y a de chances qu'il se produise. Il est primordial de se battre. Tous les moyens sont bons : se persuader soi-même de reprendre une vie sexuelle normale, voir son médecin et, si besoin est, un sexologue.

Problèmes d'image corporelle

Que les responsables en soient la mode, la publicité ou la presse masculine, les femmes d'aujourd'hui sont lourdement incitées à combler la différence entre leur physique naturel et les canons actuels de la beauté.

Le dictat du pèse-personne

Il suffit d'un regard panoramique sur l'histoire de l'art, et ce, depuis les sculptures préhistoriques, pour constater que la gent masculine apprécie depuis toujours la volupté des formes féminines dans toute leur plénitude. Manque de chance pour les plus potelées d'entre nous, la société occidentale moderne privilégie la maigreur. La plupart des femmes n'ont qu'une envie : perdre des kilos afin de ressembler aux créatures exposées à la télé ou dans les magazines. En général, le fait qu'il existe une marge entre leur silhouette et celle des *playmates* des revues pour hommes ne les dissuade pas de s'adonner aux plaisirs de la chair. Il est pourtant des femmes qui me déclarent, dans leurs lettres, se trouver trop grosses pour faire l'amour avec leur conjoint.

Dans la majorité des cas, elles reconnaissent que leurs partenaires ne trouvent rien à redire à leurs bourrelets. Il n'empêche qu'elles n'osent pas toujours se dévêtir devant eux, même après vingt ans de vie commune. Si leurs époux ne leur trouvaient pas d'attraits physiques, ils ne seraient pas restés auprès d'elles aussi longtemps ! Tous les mâles ne sont pas amateurs de « sacs d'os ». Quoi qu'il en soit, leurs femmes sont persuadées d'être laides et cette conviction leur gâche l'existence.

Les femmes souffrant d'un problème d'image corporelle n'ont pas tant besoin de consulter un sexologue qu'un psychologue, qui les aidera à surmonter leur manque de confiance en elles. Parfois, il suffit simplement de leur faire comprendre que leur compagnon les aime vraiment telles qu'elles sont. Pour d'autres, la tâche s'avère plus ardue. Dans les cas extrêmes, il s'agit d'une anorexie ou d'une boulimie touchant même des patientes qui, quoique épaisses comme du papier à cigarettes, sont persuadées d'être obèses.

Belle à tout âge

Il arrive que ce sentiment survienne avec l'âge. En vieillissant, des rides apparaissent, certaines parties du corps s'affaissent, bref, on ressemble de moins en moins à sa photo de mariage. La femme est-elle moins séduisante pour les hommes en général ? C'est probable. A-t-elle perdu de son charme du point de vue de son conjoint ? C'est une autre histoire.

L'attirance que le compagnon éprouve ne se fonde pas uniquement sur l'aspect physique. Une vie d'expériences et de souvenirs en commun compense amplement les changements extérieurs. En outre, il y a fort à parier que l'homme en question n'entre plus dans le costume qu'il portait le jour de ses noces...

Nul n'est parfait, mais ce n'est pas une raison pour connaître une vie sexuelle insatisfaisante. Comme si les couvertures de magazine vivaient dans la réalité l'extase qu'elles affichent sur les photos !

Après une ablation du sein

Au moins une femme sur quinze est atteinte, à un moment de son existence, d'une tumeur au sein. Souvent, cette maladie oblige à une mastectomie, c'est-à-dire à l'ablation du sein. Bien évidemment, ce qui compte avant tout, après l'intervention, c'est de vivre. Mais la femme est aussi en droit de songer à préserver sa sexualité.

La poitrine, symbole de séduction féminine, est une source d'excitation privilégiée chez l'homme. Il n'est donc pas étonnant que la perte d'un ou des deux seins suscite chez une femme une profonde crainte du rejet masculin. Certaines patientes optent pour la chirurgie reconstructrice. Lorsqu'elles sont habillées, leur apparence physique en est améliorée mais l'aspect des seins et l'impression ressentie à leur toucher n'en restent pas moins différents d'avant l'opération ; la peur de ne plus être acceptées demeure donc ancrée dans leur esprit.

De plus, il arrive fréquemment que les femmes, envisageant l'opération comme la simple ablation d'une tumeur, ne s'attendent pas à perdre un sein entier. Un soutien psychologique devient alors d'importance vitale. Les équipes médicales sont à même d'orienter leurs patientes vers les spécialistes adéquats.

Le psychologue doit considérer le retour de la femme opérée à une sexualité normale comme allant de soi. Il lui adresse ainsi un message selon lequel elle ne risque pas d'être rejetée.

Il est recommandé que l'homme participe aux séances et qu'il contribue largement à rassurer sa compagne, en particulier par les caresses, les étreintes et le baiser. Après une mastectomie, la plupart des femmes refusent de reprendre leur vie sexuelle ; et leurs partenaires, craignant qu'elles ne soient pas prêtes, n'osent pas les y pousser.

Dans pareilles circonstances, un dialogue de qualité s'avère indispensable ; l'appui du psychologue permet de l'établir. Pour certains spécialistes, le conjoint doit commencer à participer à la convalescence physique immédiatement après l'intervention, en assistant aux soins pendant le séjour à l'hôpital afin que sa femme sache qu'il accepte sa nouvelle apparence.

Il existe, par ailleurs, des groupes de soutien, composés de femmes ayant vécu la même expérience. Ceux-ci apportent une aide particulièrement précieuse aux patientes qui n'ont pas de partenaire.

Les femmes qui viennent de subir une hystérectomie traversent parfois des difficultés comparables. Il importe qu'elles confient elles aussi leur problème à leur médecin.

Chapitre 18

Le sexe et la loi

Dans ce chapitre :

- Origines historiques
- Protection de l'enfance
- Viol
- Avortement
- Prostitution

Pourquoi inclure un tel chapitre dans un ouvrage consacré à la vie sexuelle ? Non seulement pour inciter les avocats à en acheter un exemplaire, mais aussi pour vous informer de vos droits en la matière.

En effet, la sexualité, bien qu'elle soit l'une des activités les plus intimes de la vie humaine, est, à de nombreux égards, encadrée par le droit. Les lois qui la concernent sont toutefois devenues, depuis quelques décennies, beaucoup moins strictes ; un grand nombre d'entre elles ont même été abrogées. Mais, pour que ces libertés durement acquises perdurent, encore faut-il que les gens comprennent qu'ils en disposent et qu'ils œuvrent ensemble pour les préserver.

Quand la société s'immisce dans la chambre à coucher

Les lois relatives aux questions sexuelles reposent, à l'origine, sur un code moral élaboré au cours des temps, qui décidait du bien et du mal. Ainsi, l'enfant nécessitant tellement de temps pour devenir adulte et subvenir à ses propres besoins, la société considérait que, pour la survie de l'espèce, il fallait lui procurer un environnement apte à le protéger pendant des années. Ce rôle dévolu aux femmes, il incombait dès lors aux hommes d'assurer la subsistance du groupe et de préserver le foyer des prédateurs, à quatre ou à deux pattes.

Pour une femme, avoir un enfant seule aurait sans doute été équivalent à une condamnation à mort, pour elle-même et pour lui. Pour l'éviter, la société mit en place des règles spécifiant qu'un homme et une femme ne pourraient avoir de relations sexuelles et procréer qu'à condition de s'être promis l'un à l'autre au préalable. Elle se chargeait de les faire respecter, que ce soit par une justice tribale ou par des codes aussi complexes que ceux des temps modernes.

Ces codes ont été maintenus au cours des siècles ; dans mon enfance, ils étaient toujours en vigueur. Mais, depuis l'époque de ma jeunesse, des milliers d'années de tradition se sont écroulés dans le monde occidental. Grâce à l'invention de la pilule et d'autres méthodes contraceptives, les fonctions érotiques et reproductrices sont désormais dissociées. Les gens peuvent donc élaborer des règles qui leur soient propres. Certaines lois destinées à régir les comportements sexuels demeurent toujours dans les livres, mais ces vestiges du passé ne sont plus appliqués.

Il en est pourtant qui méritent d'être toujours respectées et que j'examinerai ici car elles ont d'importants enseignements à nous apporter sur une sexualité satisfaisante.

Protection de l'enfance

Peut-être la présence d'un père et d'une mère pour élever un enfant n'est-elle plus indispensable aujourd'hui. Des millions de parents isolés parviennent à le faire et, parfois, dans les meilleures conditions. Mais nos enfants ont toujours besoin d'être protégés contre les sévices que les adultes sont capables de leur infliger. On lit chaque jour dans le journal l'histoire d'enfants négligés, voire brutalisés de toutes les façons possibles ; l'une des formes de violence les plus courantes qu'ils subissent est la pédophilie.

En tant que mère, la raison pour laquelle un adulte peut désirer un rapport sexuel avec un enfant dépasse mon entendement. Cette notion m'est, à la rigueur, compréhensible lorsqu'il s'agit d'un adulte et d'un adolescent. Certains jeunes, quoique assimilés à des enfants du point de vue juridique, sont très avancés dans leur développement sexuel (comme la fameuse Lolita du roman de Nabokov, qui exerce une phénoménale attraction sexuelle sur son beau-père sans en comprendre complètement les conséquences).

Même les Lolita ont besoin d'être protégées par la loi. Et, a fortiori, des enfants encore plus innocents. Les violences et autres pressions sexuelles dont ils sont victimes me mettent hors de moi. D'ailleurs, cela va sans dire. Qui contesterait ce genre de réglementation ?

Pourtant, il existe aux États-Unis un mouvement qui revendique la suppression de la réglementation interdisant aux hommes les actes sexuels sur les petits garçons. Pour ses partisans, ce type de comportement est rejeté par les gens uniquement parce que la société en a fait un tabou. Ils considèrent que les enfants apprécient l'attention qu'on leur porte et ne souffrent en rien des pratiques auxquels ils participent.

Pour moi, il s'agit là d'un non-sens absolu. Il se trouve toujours des gens pour affirmer que la société se dote d'un trop lourd arsenal réglementaire et que les gouvernements devraient se limiter à construire des routes. Selon eux, l'État n'a pas à régir les mœurs sexuelles. L'existence de groupes tels que celui que je viens d'évoquer confirme, au contraire, qu'il faut des lois pour protéger les enfants contre les pratiques qu'ils encouragent.

Majorité sexuelle

L'âge de la majorité sexuelle – auquel on a le droit de décider d'avoir des rapports – varie d'une époque et d'un pays à l'autre. En France, il est actuellement de quinze ans (y compris pour les relations homosexuelles). Entre les XVIe et XVIIIe siècles, il était de dix ans seulement en Angleterre, par exemple. Aux États-Unis, chaque État le fixe de façon indépendante ; il se situe à l'heure actuelle de quatorze à dix-huit ans pour les rapports hétérosexuels. Les rapports homosexuels sont tolérés à partir de seize ans dans certains et interdits dans d'autres.

Cette limite légale ne signifie pas qu'à partir de l'âge en question, un adolescent doive avoir des relations sexuelles. En fait, l'âge des premiers rapports varie amplement d'un individu à l'autre.

Âge légal du mariage

En France, les garçons peuvent se marier à partir de dix-huit ans et les filles à partir de quinze. Avant dix-huit ans, le consentement des parents est obligatoire. Dans certains pays, en Amérique Latine, en Afrique et en Asie, la précocité du mariage, pratiqué peu après la puberté, est encouragée pour les filles.

Pendant la majeure partie de l'histoire humaine, c'étaient les parents qui choisissaient le futur conjoint de leurs enfants. Par intérêt financier ou autre, on mariait souvent les jeunes filles à de vieux barbons. Cette coutume, qui s'est éteinte dans le monde occidental, demeure toujours vivace sur le reste de la planète. Il se trouve, par exemple, que je connais Camelia El-Sadate, fille du président égyptien Anouar El-Sadate ; celui-ci la maria à un homme mûr alors qu'elle n'avait que treize ans.

Qu'est-ce qui est pire, un père forçant sa fille à peine pubère à se marier ou un adulte enlevant un(e) adolescent(e) dont il est amoureux ? Je vous laisse méditer sur la question. Quelle que soit l'opinion de chacun à cet égard, vous reconnaîtrez sans doute avec moi qu'il incombe à la société de réglementer les pratiques sexuelles impliquant des mineurs.

Inceste : la confiance violée

Il est un autre domaine dans lequel la loi intervient depuis les temps bibliques : l'inceste, c'est-à-dire l'acte sexuel entre deux personnes ayant des liens familiaux étroits. Ici aussi, la règle repose sur l'expérience. Les Anciens avaient constaté que les enfants nés de rapports incestueux présentaient dans de nombreux cas des déficiences physiques ou mentales.

Les parents pensent la plupart du temps que leurs enfants sont victimes d'actes pédophiles de la part d'inconnus. Pourtant, ceux-ci surviennent en majorité dans le cadre familial.

Lorsque cette forme de violence est le fait d'un proche, les répercussions sur la victime en sont plus graves que quand elle émane d'un étranger, car la confiance que l'enfant accorde naturellement à un adulte censé le protéger est anéantie. Souvent, les autres membres de la famille ne sont pas conscients de ce qui se déroule sous leur toit ou ferment les yeux, accentuant ainsi le sentiment d'abandon qu'éprouve l'enfant.

Il est de la responsabilité des adultes de veiller au bien-être de tout enfant de leur connaissance. Les attouchements et autres actes sexuels ont systématiquement sur les victimes des effets néfastes qui, s'ils ne se manifestent pas dans l'immédiat, surgiront à l'âge adulte. Les enfants ont besoin d'une protection. Un grand nombre des adultes qui se rendent coupables de pratiques pédophiles sur les enfants ont subi des sévices équivalents dans leur jeune âge. Il nous incombe à tous de briser ce cercle vicieux.

Éducation sexuelle : un devoir d'information

Puisque les parents ont leur mot à dire sur le mariage de leurs enfants mineurs, ont-ils aussi le droit de leur interdire les cours d'éducation sexuelle dans le cadre scolaire ? S'opposant aux partisans d'une information appropriée (j'en suis !), certaines personnes craignent que cet apprentissage transforme leurs rejetons en maniaques sexuels.

Dans certains pays européens (en Allemagne, en France ou en Suède, notamment) où l'éducation sexuelle est obligatoire, non seulement les enfants ne deviennent pas de dangereux pervers mais, en outre, le nombre des grossesses chez les adolescentes (menées à terme ou interrompues par IVG), ainsi que la fréquence des MST, sont beaucoup plus faibles que dans d'autres. En Suède, par exemple, le programme commence dès la première année de scolarité, à sept ans. Aux Philippines, en revanche, l'éducation sexuelle n'est obligatoire qu'au lycée.

Aux États-Unis, les parents peuvent demander que leurs enfants soient dispensés de ces cours. J'en soupçonne un grand nombre de ne pas le faire simplement parce que cela les obligerait à se charger eux-mêmes de l'instruction de leurs chers petits, corvée à laquelle ils sont trop contents d'échapper. (Hormis tel couple, condamné par un tribunal de Floride pour « lubricité » car il n'avait pas trouvé mieux, pour répondre aux interrogations de son fils au sujet de l'origine des bébés, que de lui montrer de visu leur méthode de fabrication.)

Je précise que je serais d'avis que les cours d'éducation sexuelle, au lieu de se limiter à la description de mécanismes physiques, s'accompagnent d'un message de nature morale, de sorte d'inculquer aux jeunes la notion de responsabilité dans leurs pratiques sexuelles.

Viol : un fléau en augmentation constante

Le viol se définit comme un acte sexuel exercé sur une personne, contre sa volonté. Il s'accompagne souvent de violence mais, même lorsque le violeur n'utilise pas la force, il y a viol dès lors que la victime s'y soumet, se pensant menacée.

Il s'agit, à juste titre, d'un crime, dont les responsables méritent d'être condamnés aux peines maximales prévues par la loi. À cet égard, je rejoins l'opinion générale. Mais il est un point sur lequel mon avis diverge de celui de la majorité.

Bien entendu, je condamne toute forme de pression exercée sur quelqu'un pour obtenir un rapport sexuel avec cette personne. Mais je souhaiterais prévenir les femmes des risques qu'elles encourent à aller trop loin avec un homme qu'elles connaissent et qu'elles laisseraient se méprendre sur leurs intentions.

Je leur conseille de garder la maîtrise de la situation : n'abusez pas de l'alcool et manifestez de manière explicite les limites que vous souhaitez faire respecter. Un homme surexcité est prompt à perdre le contrôle de lui-même.

Pour compliquer le problème, on soulève aujourd'hui la question du viol entre époux. Traditionnellement, celui-ci n'entrait pas en ligne de compte, puisque existait la notion de devoir conjugal. Mais, aujourd'hui, la société commence à admettre que, même sous le sceau du mariage, l'acte sexuel exige le consentement des deux partenaires. De ce fait, la loi comme la jurisprudence ont réalisé d'énormes progrès dans le sens de la protection des femmes vis-à-vis de leurs maris abusifs.

Contraception

Ma vocation de sexologue est née de mon activité au sein du Mouvement pour le planning familial. En effet, ne sachant pas toujours répondre aux interrogations des femmes qui me demandaient conseil, je décidai d'approfondir le sujet. De cette époque, je conserve un profond respect pour les militants qui ont lutté, aux États-Unis, contre les lois qui, jusqu'à 1965, y proscrivaient les moyens contraceptifs.

Depuis, les choses ont bien changé. En Europe, par exemple, la contraception est libre d'accès (à l'exception de l'Irlande). Il en va de même dans certains pays du tiers-monde, comme en Inde. J'y vois un énorme progrès, opinion qui n'est pas forcément partagée par tous. Dans bien des régions de la planète, les contraceptifs et même l'information à leur sujet demeurent interdits.

MST

Avec l'expansion de certaines maladies sexuellement transmissibles et la gravité des conséquences de leur éventuelle propagation, il était logique que les tribunaux commencent à s'intéresser à la question. La jurisprudence américaine considère ainsi qu'un porteur de MST est censé en informer tout partenaire, de sorte que celui-ci puisse prendre le risque d'une contamination en toute connaissance de cause. D'ailleurs, plus de la moitié des États-Unis se sont dotés de lois qualifiant de criminel tout acte sexuel réalisé par une personne atteinte par le sida.

D'autres MST, comme l'herpès, maladie incurable, font la une des journaux américains lorsque telle ou telle célébrité porte plainte contre le responsable supposé de son infection. Dans certains États, outre que la loi donne droit à des dommages-intérêts pour la victime, elle prévoit de lourdes peines d'emprisonnement pour les coupables.

Un problème demeure : prouver la faute de l'intéressé. En France, il n'existe pas encore de définition spécifique de cette forme de délit et il est déjà arrivé qu'un homme, accusé par sa compagne de l'avoir contaminée, soit relaxé par le tribunal.

Le meilleur conseil que je puisse vous donner, c'est d'être honnête, quitte à perdre un partenaire sexuel. Au moins, vous n'aurez pas à regretter des erreurs passées.

Avortement

L'interruption volontaire de grossesse constitue, elle aussi, un sujet hautement polémique. En France, jusqu'à la loi Veil de 1975, l'avortement, illégal, était pratiqué dans la clandestinité sur de nombreuses femmes. Celles qui en avaient les moyens pouvaient bénéficier de l'intervention dans les pays où elle était autorisée. Les autres devaient payer des médecins complaisants ou, dans le pire des cas, des personnes sans qualification médicale. Un grand nombre d'entre elles mourraient des suites de l'opération.

L'avortement est une pratique qui me choque. Il s'oppose à mon instinct maternel comme à ma foi religieuse. Mais, selon moi, la situation était encore plus inacceptable avant sa légalisation. Tant que nous vivrons dans un monde imparfait, où les méthodes de contraception ne sont pas efficaces à 100 % et sont parfois mal utilisées et où viol et inceste resteront à éradiquer, je considère qu'il faudra y recourir.

Je vous raconterai toutefois une anecdote vécue dans le cadre de mon émission de radio. Un soir, une femme m'expliqua à l'antenne qu'elle avait déjà effectué trois interruptions de grossesse. Je lui demandai si elle était sexuellement active. Elle me répondit : « Oui ». Je lui demandai si elle employait un moyen de contraception. Elle me répondit : « Non ». Je ne peux tolérer pareille attitude.

Je suis absolument favorable à l'avortement quand il s'agit d'interrompre une grossesse consécutive à un échec contraceptif ou à un viol. Mais, pour moi, il ne peut en aucun cas se substituer à une méthode de contrôle des naissances. Ce n'est pas un acte à considérer à la légère. Ce doit être une liberté, mais une liberté dont il convient de ne pas abuser.

Homosexualité

Les homosexuels, souvent désignés sous le terme de pédérastes, sont, pour cette raison, confondus avec les pédophiles, adultes sexuellement attirés par les enfants. Par conséquent, ils doivent faire face à un opprobre non mérité puisque, pour la plupart d'entre eux, ils ne s'intéressent qu'à d'autres adultes, consentants. C'est aussi injuste que si on accusait les hommes hétérosexuels en général de séduire des jeunes filles mineures.

À vrai dire, les lois qui, traditionnellement, en faisaient des criminels concernaient davantage leurs pratiques en soi que les personnes elles-mêmes. En effet, c'était surtout la sodomie qui était historiquement condamnée, qu'elle ait lieu entre homos ou entre hétéros.

Toutes les civilisations n'ont pas toujours considéré l'homosexualité comme un délit. Chez les Grecs anciens, elle faisait partie intégrante de la culture. Il en fut de même au cours des âges dans de nombreuses sociétés. À d'autres époques et en d'autres lieux, elle fut cruellement réprimée : sous l'Allemagne nazie, être homosexuel, c'était risquer la mort.

Le « gai » mariage

Une bonne part de l'opinion reproche aux homosexuels leurs rencontres anonymes dans les saunas et autres back-rooms. Il est même des gens pour juger que les malades du sida ont mérité leur sort. Pourtant, nos sociétés leur interdisent toujours, sauf exception, de déclarer leur engagement envers un partenaire unique par les liens du mariage.

La légalisation des unions homosexuelles, outre qu'elle va à l'encontre du multi-partenariat, a d'autres effets positifs. Imaginez ainsi un couple d'hommes ou de femmes vivant ensemble depuis vingt ans. Pourquoi n'aurait-il pas les mêmes droits élémentaires que tout autre couple ? En France, depuis l'avènement du Pacs (Pacte civil de solidarité) en 1999, un grand pas en avant a été réalisé dans ce sens.

Prostitution

La prostitution, ou exercice d'une activité sexuelle contre de l'argent, passe pour le plus vieux métier du monde. Chez les Juifs, Grecs et Romains de l'Antiquité, c'était un moyen légal et comme un autre de gagner sa vie. À l'heure actuelle, en France comme dans d'autres pays européens, cette profession n'est pas interdite, contrairement aux États-Unis.

Je suis favorable à la légalité et au contrôle de la prostitution, opinion dans laquelle l'épidémie du sida m'a confortée. En effet, il me semble qu'en s'assurant que les prostituées utilisent le préservatif et en tentant de les préserver de la toxicomanie pour éviter qu'elles ne partagent leurs seringues, on préviendrait ainsi un surcroît d'expansion de la maladie. En outre, le retour aux « maisons closes » permettrait d'éviter la prostitution des mineurs.

Bien entendu, même dans ces conditions, certaines personnes se prostitueraient en dehors des circuits autorisés et toute contamination ne pourrait être prévenue. Mais ce serait quand même préférable à la situation qui prévaut actuellement dans de nombreux pays.

Érotisme et pornographie : où est la limite ?

Comment distinguer érotisme et pornographie ? Je crois que la différence se situe, dans une certaine mesure, dans le regard porté sur la question. Toute œuvre d'art (roman, poème, peinture, photographie ou film) exprimant une forme de sexualité est érotique. Un tableau, même sans personnages dénudés, peut traduire une telle atmosphère, car l'érotisme recouvre une notion très vaste.

Il est cependant des productions qui transmettent un message beaucoup plus explicite, dans l'intention manifeste de créer une excitation. Parfois, elles dépassent le seuil de l'obscénité. Voilà qui correspond davantage à la définition de la pornographie.

Bien entendu, certaines représentations seront qualifiées de pornographiques par une partie du public, l'autre les considérant simplement érotiques.

Ce que je trouve choquant et auquel, selon moi, les pouvoirs publics devraient réagir de façon radicale, ce sont tous les matériels véhiculant un message de violence, ou dans lesquels interviennent enfants ou animaux. En revanche, je n'approuve aucune censure à l'encontre de films, par exemple, qui montrent des adultes pratiquant coït, rapports bucco-génitaux ou sodomie.

Bizarreries sexo-juridiques

Il existe toujours, enfouies dans certains codes de loi américains, des réglementations que plus personne ne songe à faire respecter car elles sont dépassées depuis des lustres. Je vous en informe, au cas où vous prévoiriez un petit séjour dans mon pays (on ne sait jamais). Je plaisante : je ne vous cite celles que j'ai trouvées en surfant sur le Web que pour vous faire sourire.

À Alexandrie (Minnesota), il est interdit à l'homme de faire l'amour à son épouse si son haleine sent l'ail, l'oignon ou la sardine.

À Hastings (Nebraska), il est interdit de dormir nu. Tous les hôtels sont donc dans l'obligation de procurer à leurs clients des chemises de nuit propres et repassées de frais, que ces derniers sont censés porter y compris pendant l'acte sexuel.

À Newcastle (Wyoming), une ordonnance locale interdit de copuler dans les chambres froides des boucheries.

À Bozeman (Montana), toute occupation de nature sexuelle est prohibée entre individus dénudés et de sexes opposés dans les jardins après le coucher du soleil.

À Liberty Corner (New Jersey), les amants qui déclencheraient le signal sonore du véhicule dans lequel ils sont en train de forniquer risquent l'incarcération.

À Cœur d'Alene (Idaho), la police ne peut vérifier ce qui se passe dans une voiture en stationnement qu'après avoir placé son véhicule derrière celle-ci, klaxonné à trois reprises puis attendu pendant un laps de temps de trois minutes.

Selon certains, les œuvres pornographiques devraient être interdites car elles incitent les hommes à transformer en réalité les fantasmes qu'elles leur inspirent. Je ne suis pas d'accord sur ce point. Dans les pays où la pornographie a pignon sur rue, les statistiques relatives au viol ne sont pas plus élevées qu'ailleurs. Au contraire, la levée des tabous encourageant les victimes à porter plainte, il se peut que ces chiffres y soient même en baisse.

Tout individu a besoin d'exprimer ses pulsions sexuelles. Dans un monde idéal, il devrait pouvoir le faire avec un partenaire, régulier de préférence. Mais il existe de nombreux solitaires pour qui les rencontres, même épisodiques, sont rares. Il n'est pas étonnant qu'ils finissent par reporter leurs frustrations sur autrui. Ils disposent, pour éviter d'en arriver là, d'un moyen de libérer leur énergie sexuelle : la masturbation, que favorisent justement les films, magazines et autres supports érotiques.

Du point de vue des mouvements féministes, la pornographie rabaisse les femmes au niveau d'objets sexuels. C'est indubitablement le cas de certaines représentations, visuelles ou autres. Mais je ne crois pas que la pornographie, dans son ensemble, offre une image déshonorante de la femme. On pourrait observer, à cet égard, que notre époque a vu simultanément le développement de la pornographie et du féminisme. Je n'affirme pas qu'il existe un lien de cause à effet entre les deux phénomènes. Mais je pense que, si la société mettait un frein à l'une, elle nuirait à l'autre. La pornographie m'inspire néanmoins quelques critiques négatives :

- Les femmes qui jouent dans les films X ou posent pour les magazines pour hommes sont parfois exploitées. Certaines n'ont pas le choix quand, par exemple, elles ont un enfant à élever ou sont toxicomanes.
- Certains hommes acquièrent une accoutumance à la pornographie. Ne pouvant plus s'en passer, ils y consacrent tout leur temps au détriment de leur femme, ou préfèrent rester célibataires plutôt que de renoncer à leur chère pile de revues. Je ne pense toutefois pas qu'il faille priver la majorité pour sauver quelques « cas » isolés.

Sixième partie

Les Dix Commandements

« Ils me mettent toujours dehors en disant qu'ils vont me chercher un petit frère. Si je les aidais, on l'aurait déjà trouvé. »

Dans cette partie…

Dans la tradition juive, le nombre 18, symbole de vie, passe pour porter bonheur. Mais les Éditions First préfèrent le 10, aux résonances tout aussi bibliques. Voici donc quelques dizaines de réflexions que tout Nul qui se respecte devrait tenter de garder à l'esprit, à l'instar des Dix Commandements. Dans le cas contraire, j'espère qu'il retiendra au moins une chose de la lecture de cet ouvrage : il faut toujours voir le bon côté de la vie. *L'chaim*.

Chapitre 19

Dix idées nulles sur le sexe

Dans ce chapitre :

- Ne jetez pas votre virginité par-dessus les moulins
- Plus, ce n'est pas mieux
- L'hétérosexualité ne protège pas contre le sida
- Le jeu des comparaisons
- Nul n'est nul en amour

La clé d'une sexualité épanouissante, c'est de sortir de l'analphabétisme. Pour obtenir un diplôme d'expert *ès* sexualité, il importe, entre autres, de se dépoussiérer quelque peu le plafond. Autrement dit, d'en évacuer les idées reçues.

Les légendes ont la vie dure et persistent dans leurs tentatives d'invasion de notre cervelle. Il ne suffit pas de rejeter d'office les balivernes : il faut aussi guetter les insidieuses manœuvres auxquelles elles se livrent obstinément pour réinvestir notre esprit. Par exemple, je vous conseille de repousser sans cesse l'idée selon laquelle on ne peut progresser en amour : chacun en est capable, à condition de s'en donner les moyens.

Si je suis encore vierge à dix-huit ans, c'est que je suis vraiment nul(le)

Quand vous aurez quatre-vingt-cinq ans et que vous jetterez un regard rétrospectif sur votre passé, l'âge de votre dépucelage n'aura absolument pas d'importance, ni pour vous, ni pour quiconque. Pourtant, la virginité semble peser bien lourd sur de nombreux jeunes. Ils s'imaginent sans doute qu'elle est inscrite sur leur front et fait d'eux l'objet de la risée générale.

Si vous vous reconnaissez dans ce portrait, je vous enjoins de ne pas céder aux pressions. Vous ressentez une frustration sexuelle ?

N'hésitez pas à vous masturber. Ainsi, vous vous procurerez tous les orgasmes que vous voulez au lieu de vous lamenter parce que personne ne semble disposé à s'en charger pour vous.

Ceci ne doit pas vous dissuader de rechercher quelqu'un à aimer. Au contraire, c'est un objectif tout à fait louable et légitime. Les rapports sexuels deviendront alors une perspective réaliste. Le moment opportun pour commencer relève de votre choix personnel.

Je vous rappelle qu'un grand nombre des personnes ayant commencé leur vie sexuelle à un âge précoce n'apprennent jamais à devenir de bons partenaires et ne connaissent jamais de véritable harmonie physique. Plutôt que de foncer tête baissée sous prétexte que le temps passe, laissez vos émotions grandir et évoluer. Si vous patientez jusqu'au moment adéquat, avec la personne adéquate, vous comprendrez que cette attente était justifiée.

Plus j'en tombe, mieux je me porte

Je n'irai pas jusqu'à condamner systématiquement les aventures d'un soir. Dans certains cas, l'alchimie qui se produit entre deux êtres est tellement forte et l'occasion tellement propice qu'il s'avérerait trop dur de laisser passer la chance. Si vous êtes conscient des risques et prenez toutes les précautions pour les éviter, admettons que vous fassiez une fois ou deux l'expérience des amours fugaces…

Mais certains les érigent en véritable mode de vie. Pour eux, la diversité est le piment de l'existence. Ils se refusent à une relation stable et affective, lui préférant de beaucoup une suite de conquêtes sans fin. Selon leur point de vue, ce qui compte en matière sexuelle, ce n'est pas la qualité, mais la quantité.

Je trouve cette attitude complètement nulle !

À une époque où sida et autres maladies sexuellement transmissibles font des ravages, ceux qui multiplient les partenaires multiplient les dangers. Toute relation sexuelle augmente leurs chances de contamination, ne serait-ce que parce que, selon toute probabilité, leurs partenaires d'un soir ont, eux aussi, un comportement à risque.

Par ailleurs, pour la femme, que se passe-t-il en cas de grossesse accidentelle ? Quel soutien peut-elle espérer de la part d'un amant de passage ?

Outre leurs dangers, les aventures sans lendemain présentent un autre inconvénient : elles ne procurent pas les expériences sexuelles les plus inoubliables. Pour qu'un rapport entre deux personnes apporte plus qu'une séance de masturbation, il faut qu'il existe entre elles une intimité, des sentiments partagés et une émotion attachée à ce moment particulier, circonstances absentes lors d'une rencontre fugace.

Et puis, il faut songer au lendemain. Était-ce le début d'une série prolongée de retrouvailles sexuelles, ou un épisode sans suite ? Si l'un souhaite revoir l'autre, qui n'en a que faire, imaginez le sentiment de rejet qu'il éprouve ; c'est bien pire que d'essuyer d'emblée une rebuffade. Quant au papillonneur, quel plaisir éprouve-t-il à ces coucheries d'un soir, qu'il refuse systématiquement de renouveler ? Une conquête supplémentaire sur un tableau de chasse apporte bien moins de satisfaction que le courant d'émotions multiples qui passe entre deux amants.

Je suis hétéro et donc pas concerné par le sida

Dans les pays occidentaux, l'épidémie du sida a frappé la communauté homosexuelle masculine plus tôt que les autres. De ce fait, les hétérosexuels refusent souvent d'admettre leur vulnérabilité face à la contamination. Ils sont convaincus qu'ils peuvent s'abstenir de se protéger sans en subir de conséquences. C'est faux, bien entendu.

En Afrique, région du monde où la maladie est le plus répandue, elle touche principalement les hétérosexuels. En Europe et en Amérique, c'est parmi eux qu'elle se développe le plus aujourd'hui, et non parmi les homosexuels. Le nombre d'hétéros atteints ne cessant de croître, les risques de contamination d'autres hétéros augmentent de même.

L'orientation sexuelle ne garantit pas la moindre immunité contre ce fléau mortel ; le préjugé inverse pourrait vous coûter la vie. D'ailleurs, il n'existe aucun moyen de remédier au virus VIH, à l'heure actuelle. Tout ce qu'il est possible de faire, c'est de se protéger et de pratiquer une sexualité à moindres risques. (Si vous avez négligé d'envisager l'ampleur du phénomène, revenez au chapitre 15 !)

L'herbe est toujours plus verte ailleurs

Certains pensent qu'en se confinant aux limites de leur couple, ils manquent peut-être quelque chose. Il importe de ne pas laisser s'instaurer une routine amoureuse, c'est vrai. Mais il serait erroné de croire que l'herbe est forcément plus verte dans la prairie du voisin.

Aujourd'hui, le sexe envahit les médias. À en croire la presse écrite et la télévision, nous savons tout de ce qui se passe dans la chambre à coucher de nos contemporains, à grands renforts d'enquêtes et de statistiques de toutes sortes. Dans l'esprit de celui qui ne s'y reconnaît pas, l'existence sexuelle qui lui convenait jusqu'alors peut, ainsi, prendre des apparences de purgatoire.

Je vous recommande vivement de prendre les informations véhiculées par les médias avec des pincettes. Lors des enquêtes, croyez-vous que les personnes interrogées répondent nécessairement la vérité ? À leur place, ne seriez-vous pas tenté d'enjoliver le tableau ?

Je crois que la plupart des gens exagèrent. Il n'est pas étonnant que votre expérience personnelle ne tienne pas la comparaison avec les statistiques sur la fréquence de leurs rapports sexuels, le nombre de leurs partenaires, etc. Si ces chiffres sont gonflés, pourquoi vous sentir en position d'infériorité ?

Ne prêtez pas attention aux comportements prétendument attribués aux autres. Efforcez-vous plutôt de tirer le meilleur parti des ressources à votre disposition. La plupart d'entre nous sommes en mesure d'améliorer notre existence et j'y suis particulièrement favorable. Mais nos progrès ne doivent pas avoir pour finalité d'imiter les voisins ; ce serait la porte ouverte vers des déconvenues. (En outre, qui vous dit que vos voisins ne déploient pas tous leurs efforts pour s'élever à votre niveau !)

Le sexe arrange tout

La sexualité ne peut réparer une relation qui s'effiloche. Cette vérité, évidente pour certains, échappe à d'autres, notamment des femmes. Il en est qui restent auprès d'un compagnon alors qu'il les maltraite. Au lieu de prendre leurs jambes à leur cou, elles croient qu'elles parviendront à en faire un agneau en menant « à la braguette » un individu dont l'assouvissement sexuel semble la principale motivation dans l'existence. Parfois, ils en tirent tous deux une satisfaction charnelle ; dans d'autres cas, un seul y trouve son compte. Quoi qu'il en soit, la sexualité, même passionnée, ne suffit pas à consolider un lien amoureux.

En effet, cela revient à placer la charrue devant les bœufs. Un amour se construit en vue d'un partage. Ensuite, on ajoute la « cerise sur le gâteau » – le sexe. En aucun cas celui-ci ne saurait remédier aux difficultés d'un couple.

Un bon partenaire est un livre ouvert

Au début d'une relation, on se montre sous son meilleur jour. On dissimule ses boutons par du fond de teint, on suce des bonbons à la menthe pour avoir bonne haleine, on fait des efforts vestimentaires au lieu de s'afficher dans son vieux survêtement.

Mais, quand des liens se créent, on se dépouille, lentement mais sûrement, de ces apparences. Les rapports sexuels, notamment, contribuent à faire tomber les masques. Se révèlent alors des traits de caractère qui n'ont rien à voir avec la sexualité mais sont au moins aussi importants. Le partenaire commence à savoir vraiment à qui il a affaire.

Cette évolution dans l'intimité est à la fois merveilleuse et cruciale pour la poursuite de la relation. Il arrive aussi qu'elle aille trop loin.

- Si vous aimez l'autre, mais trouvez son nez trop grand, il est inutile de le lui répéter sans cesse. En fait, il vaudrait même mieux ne pas le lui dire du tout.
- Si, dans ses bras, vous vous imaginez en compagnie de Sharon Stone ou de Harrison Ford, abstenez-vous de le lui avouer. Cela n'aurait pour effet que de le vexer.
- Vous êtes du genre exhibitionniste tandis que l'autre est plutôt bégueule. À quoi bon lui révéler votre face cachée ? Vous risqueriez juste de tomber dans son estime.

Il importe évidemment de se montrer sincère vis-à-vis de l'autre, en particulier quand on forme un couple stable. Toutefois, la franchise n'est pas une politique idéale quand elle n'a pour autre résultat que de faire de la peine.

J'adore les comparaisons

Entre deux paires de chaussures, deux restaurants ou deux lieux de vacances, les comparaisons se justifient. Mais comparer des partenaires sexuels ne peut attirer que des déboires ; l'effet « boomerang » est même garanti. Si vous commencez à réfléchir aux qualités respectives de la personne avec qui vous êtes en train de faire l'amour et de celle qui l'a précédée dans votre lit (même si la comparaison s'avère à l'avantage du partenaire actuel), vous risquez de laisser échapper le plaisir de l'instant.

En effet, les émotions d'ordre sexuel ne naissent pas uniquement sous la ceinture, mais aussi entre les oreilles. Le moindre motif de distraction peut suffire à vous faire perdre vos moyens. D'où l'intérêt de repousser la tentation des comparaisons et de vous concentrer sur l'action présente.

Je suis inapte à progresser en amour

Les grands peintres, danseurs célèbres ou athlètes professionnels ont toujours travaillé dur pour en arriver à leur niveau. Bien entendu, chacun possède une part de talent naturel. Mais il importe de la perfectionner : le résultat est proportionnel aux efforts déployés pour y parvenir.

En matière sexuelle, cette vérité se vérifie aussi. Tout le monde peut réaliser des progrès. Parmi les difficultés qu'on m'expose le plus couramment, certaines sont plus aisées à surmonter qu'il n'y paraît. Les deux questions suivantes reviennent plus souvent que les autres :

- Les hommes me demandent comment résoudre leur problème d'éjaculation précoce. Ne s'agissant que d'une question d'apprentissage, il suffit de le vouloir pour y remédier. Lorsque le patient s'y efforce avec le soutien d'une compagne aimante, la situation se rectifie beaucoup plus facilement (voir, à ce sujet, le chapitre 16).

VOUS, LES FEMMES

- Chez les femmes, la difficulté que je rencontre le plus fréquemment est l'incapacité à avoir des orgasmes. Comme je l'ai déjà indiqué, je qualifie, en fait, la grande majorité d'entre elles de pré-orgasmiques. En d'autres termes, elles sont tout à fait aptes à apprendre, par leurs propres moyens, à aboutir à la jouissance puis à montrer à leur partenaire comment leur procurer du plaisir (voir le chapitre 17).

En bref, l'adage « Impossible n'est pas français » s'applique aussi au sexe…

Deux personnes qui s'aiment doivent partager tous leurs goûts

Il aime le chocolat, elle préfère la fraise. Elle adore le poisson, lui est un carnivore forcené. Elle a une passion pour l'opéra, il s'endort dès le premier acte. Vous et votre conjoint avez certainement des goûts communs, mais pas dans tous les domaines. Pourquoi s'accorder en tout ?

Cela vaut également pour le sexe. Bien entendu, vous aimez tous deux le plaisir physique. Mais je suppose que vous n'éprouvez pas les mêmes appétits aux mêmes moments et que vous avez chacun vos moyens favoris d'atteindre la jouissance.

Lorsqu'on accepte les différences et les compromis, l'adaptation de l'un à l'autre devient possible. Il est une aptitude qu'il importe d'acquérir car elle améliore grandement les relations : savoir satisfaire son partenaire lorsqu'on n'a pas soi-même envie de faire l'amour. Voilà qui n'est pas difficile à apprendre.

Ce sont les attentes irréalistes qui nuisent à un couple. N'attendez pas de l'autre qu'il soit votre jumeau. Vous n'en connaîtrez que plus de bonheur.

Ce n'est plus de mon âge

Les êtres humains voient nombre de leurs facultés décliner avec l'âge ; le sexe est celle à laquelle ils se croient le plus souvent contraints de renoncer.

Si votre vue baisse, cessez-vous pour autant de lire et de regarder la télévision ? Non, vous consultez un ophtalmologiste pour qu'il vous prescrive des lunettes ou des verres plus forts. Vous n'avez plus vos jambes de vingt ans ? Préférez-vous vous enfermer chez vous ou recourir à une prothèse ou, du moins, à une canne ? Dans ce cas, pourquoi abandonner toute activité sexuelle, au motif que vous n'êtes plus aussi « performant » qu'autrefois ?

Il est vrai que le fonctionnement sexuel devient moins efficace avec l'âge, mais il n'y a aucune raison pour tirer définitivement un trait sur les plaisirs de la chair. Le vieillissement s'effectue selon diverses étapes, différentes pour les hommes et les femmes. Les uns voient disparaître leurs érections spontanées ; leur partenaire doit désormais leur apporter une stimulation physique. D'autres connaissent même l'impuissance, mais il existe aujourd'hui des médicaments, le Viagra, en particulier, qui permettent d'y remédier. Quant aux femmes ménopausées, elles doivent compenser leur absence de lubrification naturelle par l'emploi de produits artificiels. (Le chapitre 12 fournit de plus amples explications sur ces phénomènes.)

Le fait d'avoir des lunettes sur le nez ne gâche en rien le plaisir de la lecture. S'adapter aux nécessités de l'âge sur le plan sexuel n'a pas non plus à être vécu comme une catastrophe. Et il n'y a aucune raison pour renoncer à cet aspect éminemment agréable de l'existence.

Continuez à faire l'amour aussi longtemps que cela vous sera physiquement possible ; votre vie méritera d'autant plus d'être vécue.

Chapitre 20

Dix idées pour une sexualité à moindres risques

Dans ce chapitre :

- Le droit de dire « non »
- Ne multipliez pas les partenaires
- Restez sur vos gardes
- Comment aborder la question des MST
- Éviter les comportements dangereux

Si une sexualité complètement dépourvue de dangers n'est pas du domaine du possible, il est toutefois faisable de vivre la sienne à moindres risques, à condition de respecter quelques règles.

Gravez-les de façon indélébile dans votre mémoire. Ou, si vous n'y parvenez pas, notez-les sur une antisèche en prévision d'éventuelles « ouvertures ».

Savoir dire « non »

Personne n'est jamais mort de frustration sexuelle. On ne peut pas en dire autant de certaines MST.

Ce n'est pas parce que vous n'avez pas fait l'amour depuis longtemps et qu'une occasion se présente qu'il faut céder à la tentation sur-le-champ. Moins vous connaissez votre partenaire, plus il y a de probabilités qu'il vous contamine par une maladie sexuellement transmissible. C'est pourquoi je vous enjoins à trouver la force de dire « non ».

Bien entendu, vous avez la ressource de vous protéger. Mais cela ne vous garantit pas à 100 %. Sachant qu'il s'agit d'une question de vie ou de mort, il vaut mieux être prudent, n'est-ce pas ?

Ne multipliez pas les partenaires

Les partenaires ne sont pas comme les petits pains : on n'a rien à gagner à les multiplier ; au contraire, cela n'engendre que des déboires.

Quand vous êtes dans un lit avec quelqu'un, dites-vous bien que, d'une certaine manière, vous n'êtes pas seuls : sous la couette se cachent tous les précédents partenaires de votre partenaire, ainsi que leurs conquêtes respectives. Les virus qu'ils ont peut-être transmis à l'appétissante personne présentement couchée à vos côtés n'attendent qu'une chose : faire connaissance avec votre propre organisme.

De leur point de vue, vous n'êtes ni plus ni moins qu'un terrain idéal pour croître et se multiplier à cœur joie. La moralité de ces êtres cyniques est proportionnellement inverse à leur capacité de prolifération.

Ne vous laissez pas guider par vos impressions

On se fie parfois à ses premières impressions, à une « bonne tête », pour s'apercevoir, un peu tard, qu'on était tombé sur un individu peu recommandable. D'où l'intérêt d'éviter les réactions par trop instinctives.

En matière sexuelle, c'est d'autant plus risqué que quantité de gens se croient parfaitement sains alors qu'ils sont porteurs de MST. En effet, il en existe qui ne donnent lieu à aucun symptôme. Un partenaire potentiel qui vous affirme n'en avoir jamais attrapé peut donc parfaitement être de bonne foi. Voilà néanmoins une sincérité qui coûte parfois cher, car elle vous incite, à tort, à faire confiance.

Les meilleurs partenaires en qui vous puissiez placer votre confiance, ce sont les principes du sexe à moindres risques. Vous n'aurez pas à le regretter.

En présence d'inconnus, restez sur vos gardes

Je préconise souvent à mes patients de prendre un verre de vin ou deux pour s'aider à se « lâcher » un peu, ce qui contribue au plaisir sexuel. Ce conseil ne vaut que pour ceux qui forment déjà un couple. Dans d'autres circonstances, il est dangereux, au contraire, d'avoir l'esprit embrumé sous l'effet de l'alcool ou des stupéfiants.

J'ai rencontré beaucoup de gens qui avaient eu des rapports sexuels sous l'emprise de l'alcool ou de la drogue ; dans leur état normal, ils ne l'auraient accepté en aucun cas. Si vous passez la soirée entre amis dans un bar, en abusant quelque peu de tel ou tel breuvage, les risques que la situation dégénère sont faibles. Mais si on vous entraîne dans une fête organisée chez des inconnus et que la plupart des invités s'imbibent largement d'alcool ou autres, il se pourrait que vous vous en mordiez rétrospectivement les doigts.

Il n'est que trop facile, en effet, de se retrouver dans une chambre, en compagnie du premier venu, du genre à profiter de la situation. Dans de telles circonstances, on ne pense pas à prendre ses précautions (si tant est que l'on pense à quoi que ce soit). Il est probable que votre partenaire improvisé n'ait pas les idées plus claires que vous.

Pour pratiquer le sexe à moindres risques, il faut faire preuve de sens des responsabilités. Lorsqu'on ne dispose pas de toutes ses facultés, voilà qui devient difficile. Par conséquent, dans les circonstance où il vaut mieux garder tous vos esprits, optez pour les boissons non alcoolisées.

Parlez-en à l'avance

Vous avez rencontré quelqu'un ? Vos liens deviennent de plus en plus étroits ? Ne tardez pas trop à aborder la question des rapports sexuels protégés.

En effet, lorsque vous serez nus tous les deux dans un lit, vous aurez autre chose à faire que de parler capotes. N'oubliez pas que, quand on décide de se soumettre au test de dépistage du sida, on doit attendre des semaines pour obtenir le résultat (voir le chapitre 4).

Je suppose qu'avant d'approfondir une relation avec quelqu'un, il vous importe de connaître ses qualités : générosité, franchise, etc. Ajoutez à cette liste son attitude vis-à-vis de la sexualité. Vous courrez beaucoup moins de risques à coucher avec cette personne.

Utilisez le préservatif

Le préservatif n'offre pas une protection absolue contre les MST. En outre, des fuites peuvent se produire lorsqu'on ne l'utilise pas correctement. Il arrive aussi qu'il se déchire. Enfin, certains virus, comme celui de l'hépatite B, peuvent traverser le latex. Il n'empêche que le préservatif, c'est cent fois mieux que rien.

Vous n'avez aucune excuse pour ne pas y recourir. Une capote n'a jamais privé un homme d'orgasme. De nombreux individus mâles éprouvent davantage de sensations « à nu », je ne peux le nier ; mais faire l'amour « couvert », c'est toujours mieux que de ne pas faire l'amour du tout.

Pour se servir dudit bout de latex, encore faut-il s'en munir à l'avance. De plus, il est indispensable de renouveler son stock à intervalles réguliers, car un préservatif conservé pendant des mois dans un portefeuille « au cas où » se dégrade sous l'effet du temps et de la chaleur. Par ailleurs, il n'y a pas de raison qu'à notre époque, seuls les hommes se chargent de cette précaution. Toute femme sexuellement active devrait faire en sorte de se protéger, non seulement des grossesses non désirées, mais aussi des maladies sexuellement transmissibles.

Commencez par vous aimer

Si certaines personnes ont l'obsession des virus (loin de moi l'idée de leur reprocher leur manie de l'hygiène, en l'occurrence), la plupart des autres ne songent pas systématiquement à prendre toutes leurs précautions. Parfois, elles se laissent aller à la passion de l'instant, alors qu'elles n'ont pas de préservatif sous la main. À quoi bon les en blâmer ? Le sexe est dans la nature humaine. Nul n'étant parfait, nous cédons tous à la tentation de temps en temps, que ce soit pour tomber dans les bras de notre prochain ou engloutir une double ration de frites.

Dans le domaine sexuel, le mieux, pour éviter les risques, est de se « retenir » tant que l'on n'a pas noué de véritables sentiments avec l'intéressé. Avec une personne que vous fréquentez depuis un certain temps, vous avez eu l'occasion d'échanger vos conceptions respectives sur la vie et sur l'amour. Chacun a une idée du comportement sexuel de l'autre. Vous en savez assez désormais l'un sur l'autre pour passer à l'étape suivante (en utilisant un préservatif, cela va de soi).

Évidemment, tout le monde ne dit pas la vérité. C'est ainsi que certains transmettent à d'autres d'épouvantables virus. Le mariage lui-même ne constitue pas une garantie à toute épreuve… D'ailleurs, la vie en général ne procure jamais de garanties absolues. Il faut donc faire des choix, sans se laisser paralyser par la peur de l'inconnu. Heureusement, grâce aux précautions élémentaires décrites ci-dessus, vous mettrez toutes les chances de votre côté.

Bannissez les comportements dangereux

Certaines pratiques accroissent les risques de transmission du virus VIH. Ainsi, la sodomie favorise la contamination plus que toutes les autres. Sachez, en outre, que les rapports buccaux non protégés ne sont pas entièrement dénués de danger. Il en va de même en ce qui concerne la fréquentation de certains clubs, bars ou saunas, ainsi que l'échangisme. Enfin, on se met en danger de mort lorsqu'on se sert d'une seringue déjà utilisée par autrui.

La plupart des gens ne songeraient même pas à jouer ainsi à la roulette russe. Mais, sur d'autres, celle-ci exerce un attrait puissant. Certaines personnes aiment provoquer le destin ; bien souvent, celui-ci ne se prive pas de réagir.

Les comportements à risques procurent des sensations fortes, sur le moment. Par la suite, celles-ci cèdent parfois leur place à un cauchemar incessant, jusqu'à l'agonie sur un lit d'hôpital.

- Si la tentation de fréquenter les saunas ou bars homosexuels est plus forte que vous, contentez-vous de vous masturber en regardant les autres.
- Les boîtes échangistes vous attirent ? Allez-y avec votre partenaire mais abstenez-vous de faire l'amour avec d'autres couples.
- Vous êtes toxicomane ? Cherchez à vous faire aider avant qu'il ne soit trop tard.

Vous possédez, je pense, la volonté nécessaire pour éviter les comportements à risques. Dans le cas contraire, n'hésitez pas à vous faire aider par un spécialiste.

Il n'y a pas que le sida

Si le sida fait la une des journaux, il n'est pas la seule maladie sexuellement transmissible dont vous puissiez être victime. Il existe quantité d'autres affections connues, pour la plupart, depuis des centaines d'années (voir le chapitre 15).

Selon certaines théories, la syphilis aurait été importée en Europe par les équipages de Christophe Colomb, à leur retour du Nouveau Monde. Que cette version de l'histoire soit authentique ou non, ce fléau mortel s'est étendu à l'humanité entière et il a fallu des siècles pour lui trouver un remède.

Par ailleurs, il existe des souches de blennorragie gonococcique qui résistent aujourd'hui aux doses et aux types d'antibiotiques habituellement employés, c'est pourquoi on ne peut plus, désormais, considérer cette MST à la légère. L'hépatite B, quant à elle, est bien plus contagieuse que la plupart des autres affections vénériennes. Par chance, nous disposons d'un vaccin pour nous en protéger. Il n'existe, en revanche, aucun vaccin ni traitement contre l'herpès. C'est ainsi que les partenaires d'une personne atteinte s'en trouvent fréquemment contaminés. Les infections à chlamydiae font rage dans les pays occidentaux. Enfin, il semblerait que le papillomavirus joue un rôle dans l'apparition de certains cancers de l'utérus.

Sans être contaminé par le sida, votre partenaire peut être porteur d'une autre MST. La sexualité est un terrain miné, alors, de grâce, soyez prudent.

Substituts à ne pas négliger

Je suppose que, si vous avez une activité sexuelle, ce n'est pas nécessairement, ou pas uniquement, dans le but de vous reproduire. Si vous n'avez que le plaisir érotique pour objectif, vous disposez d'une large gamme de moyens d'assouvir votre désir sans vous exposer aux MST.

Les contaminations résultent de l'échange de fluides corporels, éventuellement porteurs de tel ou tel virus. Mais il est possible d'atteindre l'orgasme en évitant cet inconvénient.

Vos mains sont des outils d'une incroyable agilité, propres à vous donner, ainsi qu'à votre partenaire, un maximum de jouissance. Pour changer, vous pouvez obtenir un résultat équivalent avec votre gros orteil. Par ailleurs, il est de tradition que l'homme stimule sa verge entre les seins de sa compagne. Enfin, des accessoires comme les vibromasseurs sont source d'orgasme, sans entraîner le moindre échange de secrétions corporelles.

Quand vous avez vraiment envie d'assouvir vos pulsions sexuelles, mais que vous ne connaissez pas bien votre partenaire, il serait dommage d'oublier ces solutions de rechange. Elles permettent de satisfaire un besoin sans avoir à le regretter par la suite.

Chapitre 21

Dix choses que les femmes voudraient que les hommes comprennent

Dans ce chapitre :

- Faites-vous beau pour ses beaux yeux
- Comprenez le fonctionnement du clitoris
- Ne précipitez pas les choses
- Amour et tâches ménagères

La plupart des hommes sont complètement obsédés par le sexe ; pourtant, je suis toujours stupéfaite d'observer qu'ils ne font pas le moindre effort pour chercher comment devenir de bons amants. Je recommande donc aux mâles qui, parmi vous, se plaignent de ne jamais « en » avoir assez, de lire attentivement ce chapitre. Je sais, vous détestez demander de l'aide – ce serait avouer votre ignorance. Mais, pour retrouver votre chemin sur la route du sexe, obligez-vous, pour une fois, à suivre quelques instructions.

Galanterie pas morte

Hormis une minorité d'extrémistes du féminisme qui se sentent insultées lorsqu'un homme s'efface pour leur laisser le passage, je suis convaincue que la plupart de mes congénères trouvent toujours du plaisir à être traitées avec galanterie. Cela vaut pour les inconnues, qui gratifieront votre effort d'un sourire, mais surtout pour la femme avec laquelle vous vivez, qui saura vous en récompenser de façon plus tangible.

Lui offrir des fleurs ou des chocolats, l'inviter au restaurant, lui passer un coup de fil dans la journée... Tous ces petits gestes ont leur importance car ils lui prouvent que vous pensez à elle et que vous l'aimez.

Il est vrai que certains hommes ont beau se livrer à l'envi à de telles démonstrations, les intéressées sentent bien que le cœur n'y est pas. L'objectif des don Juan est clair : attirer leur proie dans un lit. Ils ne cherchent pas l'amour, mais l'élargissement de leur tableau de chasse. Leurs conquêtes flattent certainement leur ego, pendant un certain temps ; mais un jour, ils se rendent compte de la solitude qui a marqué toute leur existence.

Il faut plus que du panache pour faire un chevalier servant. Il ne suffit pas de montrer des sentiments : encore faut-il les éprouver.

Les apparences comptent, quoi qu'on dise

En dehors de leur calvitie éventuelle, bien des hommes ne se soucient guère de leur apparence. Je comprends que, condamnés à s'engoncer dans une veste et une cravate toute la journée, ils aient hâte de s'en débarrasser à peine rentrés chez eux. Les femmes qui travaillent sont tout aussi impatientes de quitter leur tailleur et leurs talons aiguilles quand elles retrouvent leurs pénates. Mais la vue du sempiternel et flasque « jogging » de leur conjoint a de quoi les révulser.

Vous, messieurs, faites probablement très attention à l'aspect physique des dames qui vous entourent, quels que soient vos rapports avec elles. (Je conçois néanmoins que la longueur de leur jupe vous intéresse davantage que son harmonie avec le coloris de leur sac à main...) Alors que la plupart d'entre elles s'efforcent d'être présentables, vous ne leur rendez pas souvent la pareille.

Peut-être faites-vous partie de ces gens qui ne perçoivent pas la séduction émanant de leur personne. Vous vous trompez, en particulier pour ce qui concerne votre compagne. Alors, pourquoi ne pas jouer le jeu ?

Certains reprochent à leur femme de ne pas faire l'amour avec eux aussi souvent qu'ils le voudraient. Ils mettraient sans doute plus de chances de leur côté si leur accoutrement évoquait moins irrésistiblement celui du « beauf » de service...

Donnez du temps à l'amour

Il est tout à fait exact que les hommes s'excitent beaucoup plus vite que les femmes. Chercher à savoir pourquoi n'y changerait rien. Les femmes ont besoin de se préparer à l'acte sexuel – et, par là, je n'entends pas uniquement qu'il leur faut de plus longs préliminaires.

Ce que les femmes voudraient que les hommes comprennent, c'est que, pour « coucher », ils doivent d'abord se montrer un peu romantiques. Inutile d'entrer dans les complications ; certes, un dîner aux chandelles, c'est idéal. Mais votre partenaire se contenterait certainement d'un moment de conversation tranquille pour se mettre dans l'ambiance en oubliant les soucis du quotidien. Alors, apprenez à ronger votre frein.

En général, la gent masculine n'éprouve aucune difficulté à offrir au « beau sexe » de tels instants privilégiés… jusqu'au jour où le couple s'installe. Avant que les deux partenaires ne décident de vivre ensemble, le monsieur ne se montrait pas avare de tendres appels téléphoniques, de rendez-vous les yeux dans les yeux et de sorties en amoureux, au restaurant ou ailleurs. Pas étonnant que la demoiselle « fonde » devant tant d'attentions. Et, même si elle se laissait désirer, elle était probablement décidée à céder à des manœuvres aussi attendrissantes. (« Si j'avais su que c'était déjà "dans la poche" », en entends-je d'ici murmurer certains. Mais elle risquait alors de passer pour une fille facile et de vous voir disparaître dès le lendemain en quête d'une nouvelle dulcinée…)

Vous, les hommes, avez tendance à mettre votre arsenal de séduction au placard dès que l'affaire est dans le sac. Dépoussiérez-le de temps en temps : vous ne pourrez que vous en féliciter.

Un clitoris n'est pas un pénis miniature

Ils ont beau savoir qu'il existe quelques différences anatomiques d'un sexe à l'autre, de nombreux hommes considèrent qu'un clitoris n'est jamais qu'un pénis en réduction. Chez l'être humain de sexe mâle, il suffit de frôler l'organe en question pour le mettre dans tous ses états, puis de lui accorder quelques moments supplémentaires d'attention pour que son propriétaire connaisse l'extase. C'est pourquoi les hommes s'imaginent qu'un clitoris ne saurait fonctionner autrement. D'accord, ils ont compris qu'en cet endroit résidait le centre névralgique du plaisir féminin. Mais ils persistent à ignorer qu'un clitoris est bien plus délicat qu'un membre viril. Chez de nombreuses femmes, sa stimulation directe est douloureuse. Il convient alors de ne caresser que la zone périphérique du clitoris. Par conséquent, chers partenaires, veillez à stocker l'information suivante dans votre banque de données sexuelles : ce n'est pas parce qu'un clitoris se gonfle sous l'effet de l'excitation qu'on peut l'assimiler à un pénis.

D'aucuns étendent la confusion à la poitrine féminine. Ils s'emploient à pétrir les seins de leur compagne comme s'il s'agissait de vulgaires tas de pâte à pain, en oubliant que ce sont des parties sensibles, aux tissus fragiles. Ces maladroits ont également tendance à prendre appui sur l'oreiller, justement là où s'étendent les cheveux épars de la dame ; ils voudraient la rendre aussi chauves qu'eux-mêmes qu'ils ne s'y prendraient pas autrement. En bref, pour une immense majorité de femmes, le sexe à la hussarde est anti-érotique au possible. Moralité : si vous tenez à leur faire atteindre l'orgasme, procédez avec douceur. Vous aurez toutes les chances de succès.

Les femmes aiment l'après

Les femmes expriment toutes sortes de doléances quant aux manières peu délicates de leurs compagnons. L'un de leurs principaux griefs concerne la rapidité avec laquelle ceux-ci s'endorment une fois leurs besoins assouvis. De même qu'il faut plus de temps à la gent féminine pour atteindre le septième ciel, il lui faut plus longtemps pour en redescendre (voir le chapitre 10). Si vous lui tournez le dos pour vous mettre à ronfler (ou si vous vous levez pour rentrer chez vous ou regarder un match à la télé), votre partenaire ne peut que se sentir abandonnée. Voilà une façon peu satisfaisante de conclure l'acte d'amour.

Je ne vous suggère pas de consacrer autant de temps aux « postludes » qu'aux préludes. Reconnaissez cependant que, si un copain vous téléphonait soudain pour vous proposer une entrée gratuite au Parc des Princes dans l'heure qui suit, vous ne lui prétendriez pas que vous tombez de sommeil. Dans ce cas, pourquoi refuser à votre compagne dix petites minutes de câlins supplémentaires avant de sombrer dans l'inconscience ? (Ne cherchez pas, cette question n'appelle pas de réponse !)

De plus, si vous savez vous y prendre, vous récolterez un bénéfice personnel à ce moment de tendresse. En effet, c'est un moyen idéal de préparer le terrain pour le câlin du lendemain (avant lequel vous ne vous sentirez certainement pas fatigué, je suppose).

Elles n'aiment pas jouer aux trois petits cochons

Je reçois quantité de courriers de la part de femmes me demandant pourquoi leur pervers-pépère de mari leur propose aussi souvent des « trucs tordus ». L'une des fantaisies masculines les plus couramment exprimées consiste, pour l'homme, à contempler sa femme faisant l'amour avec une autre ou à se joindre à leurs ébats. Certains fantasment sur le triolisme en soi, que le partenaire supplémentaire soit mâle ou femelle. D'autres n'ont de cesse d'entraîner bobonne dans des partouzes ou des clubs échangistes.

J'admets que certaines femmes trouvent du charme à ce genre de distractions ; il arrive que ce soit le mari qui s'y refuse. Mais, dans l'ensemble, ce sont plutôt les hommes qui manifestent des envies un tantinet inhabituelles.

Je ne saurais expliquer l'origine de ces lubies. Peut-être l'imagination masculine est-elle plus fertile que celle de la femme ; peut-être ces messieurs voient-ils trop de films pornos. Quoi qu'il en soit, leurs compagnes, pour la plupart, ne trouvent aucun agrément à les suivre dans leurs désirs. Elles se satisfont amplement de faire l'amour avec leur conjoint, sans spectateur ni acteur supplémentaire.

Loin de moi l'idée de reprocher aux hommes leurs fantasmes. Si vous, monsieur, souhaitez y faire participer votre petite amie, rien ne vous interdit de le lui proposer. En revanche, si elle refuse, n'insistez pas. Affirmez-lui, au contraire, que vous assouvissez avec elle tous vos désirs. En persistant dans vos demandes, vous la dissuaderiez non seulement de satisfaire à vos fantaisies, mais carrément de faire l'amour avec vous.

Ne reluquez pas les autres

Les hommes adorent reluquer les femmes, qui n'y voient, en général, pas trop d'inconvénients. Mais il y a un temps et un lieu pour tout. Lorsque vous êtes en tête-à-tête amoureux dans un bar ou un restaurant et que votre compagne vous voit lorgner vos jolies voisines, la langue pendante, comment voulez-vous qu'elle l'accepte de bon gré ? De façon inévitable, votre comportement va la mettre de très mauvaise humeur et réduire à pas grand-chose vos chances de finir agréablement la soirée avec elle.

Les femmes aiment que les hommes, et en particulier celui avec qui elles ont des relations intimes, leur manifestent les plus grands égards. (Admettons que vous en soyez exempté quand vous êtes au volant ou que vous rangez le bac à glaçons dans le freezer.) Votre compagne ne trouve rien d'érotique à lutter contre la concurrence, que celle-ci émane d'un match de foot, d'une belle voiture ou d'une péronnelle affriolante.

Elle se plait à croire que vous voyez en elle la femme la plus désirable du monde. Pourtant, elle a de quoi en douter lorsque votre regard plonge directement dans le décolleté d'une autre. Prenez-vous pour le macho de service si vous voulez, mais ne vous imaginez pas que ce rôle implique nécessairement de « mater » tout ce qui porte jupon. Les authentiques étalons ne se contentent pas de fantasmes. Convoiter des femmes autres que celle qui vous accompagne ne vous mènera pas là où vous voulez aboutir.

Le charme impalpable du talc

Même si de nombreux pères se chargent volontiers, aujourd'hui, de changer les couches de leurs bébés, il ne leur viendrait jamais à l'idée que cette activité contribue d'une façon ou d'une autre à l'épanouissement sexuel de leur couple. Honni soit qui mal y pense ! Il ne s'agit évidemment pas ici de s'exciter à la vue des fesses d'un bambin. Ni même de s'amuser, entre adultes, à se talquer l'arrière-train.

Trop d'hommes s'imaginent que, sous prétexte qu'une mère passe son temps à changer les couches de ses rejetons, alors même qu'elle poursuit une activité professionnelle, elle adore se livrer à cette occupation. Croyez-moi, tout mignons que soient les bébés, nul ne se délecte à cette corvée.

C'est pourquoi, quand papa se porte volontaire pour effectuer le « sale boulot » – sans qu'on n'ait à l'en prier avec insistance –, maman l'apprécie au plus haut point. D'ailleurs, elle ne manque pas de s'en souvenir en fin de journée. Papa n'a alors pas à regretter son petit effort de participation aux tâches ménagères.

En effet, sa contribution ne doit pas se limiter aux soins du petit dernier. L'effet sur l'humeur de madame est identique quand il lave la vaisselle, fait le repassage ou passe un coup de chiffon sur la bibliothèque. Attention : ne le faites pas dans un esprit de « donnant, donnant ». Il suffit de se plier de bon gré à ces obligations pour obtenir une appréciable récompense.

L'éjaculation précoce n'est pas une maladie incurable

Abordons maintenant un sujet délicat. Il est évident que pour une femme, qui a besoin de temps pour arriver au sommet de l'excitation, un partenaire qui ne « tient pas la route » pose un problème.

De façon plus scientifique, on désigne ce genre de difficultés sous le nom d'éjaculation précoce. Par chance, il est possible de les surmonter.

Vous craignez d'être concerné ? Pour le savoir, il est superflu de vous munir d'un chronomètre. Il suffit de vous demander si vous êtes satisfait ou non de votre endurance. Dans la négative, je vous conseille d'effectuer les travaux pratiques préconisés au chapitre 16. Supposons, à l'inverse, que vos performances équivalent à celles d'un lapin mais que ni vous ni votre partenaire n'y voyiez d'inconvénient car, par ailleurs, vous êtes capable d'acrobaties dignes d'un singe de cirque. Dans ces conditions, pourquoi vous faire des soucis inutiles ?

On m'interroge souvent sur l'origine du problème et, à vrai dire, elle n'est pas clairement établie. Mais, dès lors qu'on est en mesure d'y remédier, peu importe, n'est-ce pas ?

Ce n'est pas parce qu'on ne peut pas qu'on ne veut pas

Cette section s'adresse aux plus âgés de ces messieurs. Je sais que vos capacités ne sont plus à la hauteur de celles de vos vingt ans. Cela ne signifie pas pour autant que votre activité sexuelle soit arrivée à extinction. Il vous faut juste plus de temps pour vous mettre en forme. D'ailleurs, admettez enfin une vérité dont vous n'avez peut-être pas encore pris conscience : il est tout à fait possible de satisfaire une femme en l'absence d'érection.

Lorsque la partenaire a des envies érotiques tandis que son compagnon ne se sent guère disposé à faire l'amour, celui-ci, quand il n'ignore pas carrément ses désirs, s'efforce d'obtenir une érection. Mais si cela lui est devenu impossible, il a tendance à renoncer à toute vie de couple. Pourtant, il pourrait procurer du plaisir à sa femme en la stimulant par toutes sortes de moyens.

Ne soyez pas égoïste. Ce n'est pas parce que vous n'éprouvez pas d'appétit sexuel que votre compagne doit s'en trouver frustrée. Un bienfait n'est jamais perdu : quand vous aurez besoin d'un « coup de main » de sa part pour vous aider à entrer en érection, elle saura se souvenir des efforts que vous avez déployés en sa faveur.

Chapitre 22

Dix choses que les hommes voudraient que les femmes comprennent

Dans ce chapitre :

- N'adressez pas de messages ambigus
- Laissez la lumière allumée
- Donnez-lui un coup de main
- Il n'a pas les yeux dans sa poche, et alors ?
- Admettez qu'il vieillisse

Les femmes qui persisteraient à croire qu'on s'attache un homme par l'estomac ont encore beaucoup à apprendre sur la psychologie masculine. Entre les jambon-beurre de leur troquet favori, les plats chinois à emporter et autres pourvoyeurs de *fast-food*, même ceux qui ne savent pas faire la cuisine auraient du mal à mourir de faim. Mais il est des besoins qu'ils déploreraient beaucoup plus d'avoir à satisfaire sans votre contribution, madame, et je ne parle pas ici de raccommodage.

S'il est vrai que l'équipement sexuel de l'homme est facilement accessible, cela ne signifie pas qu'il soit d'un fonctionnement simple. En outre, je suppose qu'en tant qu'épouse ou compagne, vous préférez vous occuper vous-même de l'entretien de cette mécanique plutôt que d'en laisser le soin à d'autres. Par conséquent, je vous conseille de bien prendre note des recommandations qui suivent, pour tirer le meilleur parti de votre couple.

N'adressez pas de messages ambigus

Émoustiller un être humain de sexe mâle n'a rien de très sorcier. Ses structures mentales sont ainsi constituées qu'il réagit à la moindre provocation, même inconsciente, de la part de l'individu femelle. En un clin d'œil (c'est une façon de parler), l'intéressé entre en érection.

Supposez, madame, que vous rentriez du travail après une chaude journée d'été. Quand, à la suite d'un éprouvant trajet en transports en commun, vous arrivez enfin chez vous, la dernière chose dont vous ayez envie, c'est de sexe. Ôter vêtements, chaussures et autres accessoires puis vous doucher afin de vous détendre et de vous débarrasser de vos odeurs de transpiration, voilà votre seul désir. Votre conjoint, rentré du bureau quelques instants avant vous, assiste au spectacle, canette de bière à la main. De son point de vue, vous ne cherchez pas du tout à vous rafraîchir : vous vous livrez tout bonnement à un strip-tease en règle. Et au milieu du salon, par-dessus le marché. Même s'il a l'habitude de vous voir vous changer sans manifester d'excitation particulière (ce qui ne signifie pas qu'il n'en ressente aucune), cette exposition de chair fraîche à un moment où il ne s'y attendait pas ne peut que lui faire bouillir les sangs.

Autrement dit, lui, il chauffe, tandis que vous, vous n'avez soif que de fraîcheur. Comprenant ses intentions lubriques à son œil torve, vous l'envoyez promener et poursuivez votre chemin en direction de la douche. Mais, ce jour-là, vous n'êtes vraiment pas sur la même longueur d'onde, tous les deux : une fois dans la salle de bains, vous vous dites qu'après tout, il est plutôt valorisant de lui faire de l'effet et qu'un apéritif crapuleux ne serait pas à dédaigner. Du coup, quand vous en ressortez, c'est pour vous pavaner derechef sous son nez en petite tenue, juste pour voir sa réaction… Lui, n'ayant pas encore digéré votre récente rebuffade, s'abstient, craignant les représailles. Il prend le parti de s'écrouler sur le canapé en demandant « Quand est-ce qu'on mange ? », ce qui vous met hors de vous.

Au sein d'un couple, ce genre de messages ambigus se produisent sans cesse. Savoir dans quelles circonstances ils surviennent permet de les éviter, au moins en partie. Non, il n'y a rien de mal à se promener toute nue dans une salle de séjour. Mais dites-vous bien que, sous peu, vous aurez des enfants et que vous serez déjà bien contente s'ils n'entrent pas dans votre chambre à l'improviste au moment où vous en avez le moins envie.

Régime sans sexe : trop cruel

Pour un homme, faire « ceinture », cela fait physiquement mal. Certes, la douleur n'est pas insupportable et rien ne l'empêche, s'il peut s'isoler, de se soulager par la masturbation. Mais, s'il vous affirme que la continence lui endolorit les testicules, vous devez le croire (attendez-vous toutefois à ce qu'il vous exprime cela en termes moins choisis).

Voilà une raison supplémentaire d'éviter les messages équivoques. Je ne fais pas allusion aux érections spontanées que la vue de votre anatomie peut susciter chez votre compagnon, mais à celles qui, prolongées, lui remuent véritablement le système hormonal. Un homme n'apprécie pas, mais alors, pas du tout qu'on le laisse sur sa faim après lui avoir amplement mis l'eau à la bouche. En bref, la gent masculine déteste qu'on l'allume, pour le simple motif que ses testicules en souffrent autant que son amour-propre.

À ce propos, je recommande aux dames d'être particulièrement délicates avec les bijoux de famille de ces messieurs, même quand il n'existe que peu de probabilités qu'ils fassent un jour partie de leur patrimoine personnel. Les testicules sont des glandes ultrasensibles ; tout choc accidentel, toute manipulation brutale cause chez l'homme une douleur intense. Par conséquent, à moins d'avoir affaire à un violeur potentiel (dans ce cas, ne vous privez pas de frapper là où cela fait le plus mal), prenez les choses en main avec douceur.

Oubliez un moment les économies d'énergie

Comme le démontrent les impressionnants tirages de la presse porno, l'homme est particulièrement réceptif aux *stimuli* visuels. En revanche, vous, les femmes, appréciez de vous blottir sous la couette, dans une obscurité de bon aloi : cela vous rassure et vous aide à vous « lâcher ». J'approuve, certes, les économies d'énergie autant que la modestie, mais pourquoi ne pas allumer la lumière de temps en temps pour faire l'amour ? Cela lui fait tellement plaisir.

Admettons que vous ne tapissiez pas de miroirs les murs et plafonds de votre chambre conjugale – ne serait-ce qu'en prévision des visites de votre belle-mère. Mais, dès lors que la pièce est assez chauffée, vous pouvez bien offrir à votre compagnon le spectacle le plus indiqué pour le réjouir.

Pratiquez l'esprit d'équipe

Je sais qu'une majorité d'épouses ont une dent contre le sport. Rien ne les contrarie davantage que de savoir leur homme occupé, tous les dimanches après-midi, à s'enthousiasmer envers des types qui s'amusent à taper dans un ballon. Sans vous pousser à devenir d'authentiques « supporteuses », bien que les femmes se passionnent de plus en plus pour le foot ou autres jeux d'équipe, je crois que vous pourriez tirer du sport un enseignement utile pour votre vie de couple.

Pour vous, les femmes, la communication verbale est essentielle. Vous ressentez un besoin irrépressible de parler à l'être qui compte le plus dans votre existence. L'ennui, c'est que les hommes, dans l'ensemble, se montrent moins bavards que leurs compagnes, d'où des problèmes de dialogue. Souvent, ils préféreraient que la profondeur de vos liens s'exprime non pas par la parole, mais par des actes leur prouvant que vous constituez une « équipe » soudée. Ayant pratiqué des sports collectifs dans leur jeunesse, ils gardent un goût pour ce genre de spectacles, d'une part, et savent apprécier la conjugaison d'efforts complémentaires, d'autre part.

Inspirez-vous de cette idée pour améliorer votre existence amoureuse. Plus vous envisagerez votre sexualité selon un esprit de coopération avec votre partenaire, plus votre communication, et donc l'harmonie de votre couple, en seront améliorées. Par conséquent, abstenez-vous, quand vous faites l'amour, de regarder en l'air en attendant que l'homme fasse tout le travail.

- Si vous avez tendance à la passivité, commencez, tout simplement, par prendre l'initiative de temps en temps.
- Faites-lui la surprise de lui offrir quelques gadgets du genre coquins (des sous-vêtements comestibles, par exemple).
- Suggérez-lui des plans pour vos prochaines retrouvailles sexuelles : lieu, horaires, positions, etc.
- Faites-lui cadeau d'un t-shirt, par exemple, et achetez-vous-en un aussi : lorsque chacun le mettra, ce sera comme un signe de connivence entre deux membres d'une équipe. En d'autres termes, vous saurez que vous êtes prêts, l'un et l'autre, pour un match un peu spécial.

Plus vous prendrez une part active dans votre sexualité commune, plus votre couple marquera de points.

Les playmates ne sont pas des rivales potentielles

Personnellement, j'aime bien les articles de *Playboy*. Mais je sais que nombre de femmes refusent la simple idée que de telles revues pénètrent leur foyer conjugal. Contrairement aux créatures qui peuplent les magazines pour hommes, ces dames n'affichent pas forcément un irréprochable 95-60-95, il ne suffit pas de quelques retouches pour faire disparaître leurs éventuels bourrelets et elles n'ont ni le temps ni l'argent de se faire tailler la toison pubienne en forme de « V » impeccable. De ce fait, les figures de magazines représentent, dans leur esprit, de dangereuses rivales.

Il vous incombe de décider si les beautés en question ont leur place sous votre lit. Cependant, l'objet de ce chapitre demeure de vous informer des griefs de vos compagnons respectifs. Les passer sous silence pour ménager votre susceptibilité serait donc manquer à ma mission.

Sachez que les *playmates* des revues cochonnes sont tout le contraire d'une menace pour votre couple. En effet, rares sont les petits veinards qui ont seulement l'occasion de les rencontrer en dehors des pages centrales de leurs magazines favoris. Alors, vous tromper avec elles, vous pensez ! Il est peu probable que votre conjoint, amateur de photos de charme, vous plante là pour partir à la recherche d'une petite copine de papier, quelle que soit l'impression qu'elle lui fait. Après avoir scruté son journal à s'en dévisser les prunelles, il y a fort à parier qu'il se souviendra de votre présence à ses côtés. Peu lui importe que vous n'ayez pas des mensurations de rêve : ce qu'il aime en vous, c'est l'ensemble de vos qualités. L'un de vos atouts personnels consiste peut-être, justement, à ne pas ressembler à une *playmate*. D'ailleurs, si l'une de ces pulpeuses jeunes femmes l'attirait dans son lit, il prendrait sans doute ses jambes à son cou, terrorisé à l'idée de ne pas se montrer à la hauteur.

En outre, vos propres lectures vous laissent-elles toujours physiquement indifférente ? Et les films de Mel Gibson, par exemple, ne vous font-ils aucun effet ? Et les séries télévisées dont vous aimez à vous repaître ? Imaginez que votre époux vous interdise du jour au lendemain vos chers romans à l'eau de rose. D'accord, *Penthouse* est beaucoup plus explicite et vous n'aimeriez ni l'un ni l'autre que vos enfants mettent la main sur ce genre de publications. Mais, dès lors que votre mari demeure discret dans ses lectures, pourquoi ne pas les tolérer, à défaut de les comprendre ? Il apprécierait certainement votre ouverture d'esprit.

Si on a des yeux, c'est pour regarder

Dans le chapitre précédent, j'expliquais aux hommes que leurs compagnes détestent, quand elles sortent avec eux, les voir reluquer d'autres représentantes du beau sexe, la bave aux lèvres. Il ne s'agissait pas de leur interdire cette occupation, mais de les inciter à un peu plus de savoir-vivre.

Les hommes regarderont toujours les femmes. À quoi bon, dans ces conditions, faire un scandale quand ils se laissent distraire par la vue d'une jolie fille, dès lors qu'ils ne le font pas par muflerie délibérée envers celle qui les accompagne. Dites-vous que, si votre mari cessait de regarder les autres, il cesserait sans doute de vous regarder aussi. Ceci traduirait sans aucun doute une perte d'intérêt pour les plaisirs sensuels, dont vous seriez la première victime.

Reconnaissons, par ailleurs, que les femmes elles-mêmes ne se privent pas de lorgner les hommes, bien qu'une paire de beaux yeux attire davantage leur attention qu'une braguette (soyons honnêtes jusqu'au bout, ce qui se situe en dessous de la ceinture ne les laisse pas non plus indifférentes). Mais les liens qui unissent un couple ne relèvent pas que du regard ; par conséquent, quelques œillades baladeuses ne portent guère à conséquence. Ce qui importe, pour préserver la paix des ménages, ce n'est pas d'imposer des œillères à l'un ou à l'autre, mais de savoir user de discrétion.

Si tu m'aimais vraiment, tu...

Je dois conserver un fond de pruderie, car je n'ai pas osé terminer le titre de cette section. La plupart de mes lectrices doivent toutefois deviner à quoi je fais allusion et ne privent sans doute pas leur partenaire de ces petites gâteries qui contribuent tant à son bien-être.

À l'intention des autres, précisons que j'aborde ici le sujet de la fellation (rapport bucco-génital pratiqué sur un homme).

Bien que ce chapitre soit consacré à la défense des intérêts masculins, mon propos n'est, en aucun cas, d'inciter une femme à faire quoi que ce soit qui lui répugne. Mais, avant de poursuivre, je suggère aux personnes concernées de se demander ce qu'elles trouvent d'aussi dégoûtant à lécher et à sucer un sexe masculin, sachant qu'on n'est pas dans l'obligation d'avaler...

Si c'est l'hygiène qui vous préoccupe, pourquoi ne pas faire bénéficier l'objet d'un brin de toilette préalable ? Il n'y verra aucun inconvénient et son propriétaire non plus, à condition d'éviter l'eau froide.

Je ne soutiens absolument pas l'idée selon laquelle c'est parce que les hommes considèrent la fellation dégradante pour la femme qu'ils y trouvent un plaisir particulier. S'ils en sont friands, c'est tout simplement parce qu'elle leur procure de fortes sensations. D'ailleurs, quand les rôles sont inversés, leur partenaire n'est probablement pas indifférente aux rapports bucco-génitaux. Même si ce serait trop lui demander que d'élever la bonne vieille « pipe » au rang de classique de son répertoire, qu'elle fasse au moins l'effort d'y consentir dans les grandes occasions, l'anniversaire du monsieur, par exemple... Ou, au pire, ses changements de décennie.

Les bons petits plats ne suffisent pas

Pour retenir un homme, rien ne vaut mieux que des talents de cuisinière, paraît-il. Voilà une idée répandue qui mériterait un sondage. À mon avis, je ne crois pas qu'elle rencontrerait une approbation majoritaire, à moins que l'échantillon de population consulté ne réside en maison de retraite, et encore.

Il est vrai que la gourmandise n'est pas le moindre défaut de ces messieurs. Mais, s'ils devaient se débrouiller seuls dans un domaine de leur existence quotidienne, ils préféreraient sans doute que ce soit dans celui de la bonne chère plutôt que de la chair tout court. Il arrive que leurs compagnes, soit après des années de vie commune, soit après avoir eu des enfants, éprouvent moins d'appétits sexuels. Certaines s'imaginent qu'il suffit, pour satisfaire leur conjoint, de lui mitonner de bons petits plats et de repasser ses chemises.

Cela peut fonctionner pendant un temps. Mais, tôt ou tard, l'attention du monsieur sera éveillée par l'arrivée d'une nouvelle secrétaire, par exemple. Ou, tout d'un coup, il ne regardera plus la voisine du même œil.

Sans vous transformer en gourgandine, veillez à ne pas vous désintéresser des choses du sexe. Malgré le passage des ans et un probable amoindrissement de ses besoins, votre compagnon n'en est certainement pas blasé. Votre condition de femme ne suffit pas à expliquer la baisse de votre désir. L'inappétence sexuelle résulte, en général, d'une raison bien précise ; le cas échéant, je vous enjoins donc à consulter un spécialiste (sexologue ou conseiller conjugal) ; il vous aidera à surmonter le problème.

Il y a une différence entre sexe et amour

Mon intention n'est pas de chercher des excuses aux maris volages, surtout à une époque où ceux-ci risquent de transmettre à leur épouse un virus mortel. Mais, de façon générale, il faut admettre que femmes et hommes ont une conception distincte de la sexualité. La plupart des femmes ne ressentent de désir qu'envers un partenaire qui leur inspire un sentiment. En revanche, les hommes, dans leur immense majorité, peuvent pratiquer l'acte sexuel sans que cela déclenche chez eux une réaction affective.

Voilà qui explique que les prostituées « expédient » depuis toujours leurs prestations, tandis que les quelques gigolos du marché assurent une relation à plus long terme auprès de leurs clientes.

Ce qui précède est important à savoir. En effet, dans le cas où vous surprendriez votre mari en flagrant délit d'infidélité, abstenez-vous de mettre fin à une longue histoire d'amour sans bien y réfléchir auparavant. Si vos sentiments respectifs semblent intacts et que le coupable n'a manifestement fauté que dans un but de plaisir physique, il est sans doute possible de sauver votre couple. À moins que vous ne viviez avec un incorrigible coureur de jupons. S'il ne s'agit que d'un écart exceptionnel, celui-ci est peut-être pardonnable, quoique cette décision ne dépende que de votre sentiment profond. Ce qui compte, c'est de ne pas la prendre sous le coup de la colère.

Quel que soit votre choix, retenez qu'en matière sexuelle, il serait erroné de croire que l'homme et la femme réagissent de façon comparable.

Plus il vieillit, plus il a besoin de votre aide

Les hommes ne savent pas tous qu'à partir d'un certain âge, il est normal qu'ils n'aient plus d'érections spontanées. Pourtant, c'est une réalité inévitable. Mais cela ne marque pas la fin d'une vie sexuelle ; c'est seulement le signe que, dorénavant, les préliminaires joueront un rôle aussi important pour l'homme que pour sa partenaire.

Certaines femmes se diront que le moment est alors arrivé de faire payer à leur compagnon toutes les fois où il n'a pas accordé assez d'attention à leur plaisir. Je leur déconseille de se livrer à ce jeu. Les changements que je viens de décrire sont très pénibles à vivre pour un homme, prompt à paniquer le jour où l'objet de toute sa fierté, qui démarrait jadis au quart de tour, reste désespérément flasque. J'implore donc votre pitié à son égard ; il ne mérite pas que vous aggraviez ses angoisses.

Confronté à la disparition de ses érections spontanées, l'homme trouve plus d'intérêt que jamais aux stimulations buccales. Si vous, sa compagne, vous y êtes montrée réticente jusqu'à présent, il devient d'autant plus important de revenir sur votre position. Le vieillissement présente au moins un avantage, celui de l'expérience ; votre mari est certainement capable aujourd'hui d'éviter d'éjaculer dans votre bouche. Le sachant, de nombreuses femmes surmontent leurs appréhensions et ne trouvent plus d'inconvénient à cette pratique.

Si votre conjoint connaît ce genre de déboires, relisez le chapitre 16, consacré aux troubles de la sexualité masculine. Vous comprendrez mieux ce qui lui arrive et saurez quoi faire pour lui apporter votre aide.

Index alphabétique

Avec les Nuls, apprenez à mieux vivre au quotidien !

Disponibles dans la collection Pour les Nuls

Pour être informé en permanence sur notre catalogue et les dernières nouveautés publiées dans cette collection, consultez notre site Internet à www.efirst.com

Pour les Nuls **Business**

Code Article	ISBN	Titre	Auteur
2-87691-644-4	65 3210 5	CV pour les Nuls (Le)	J. Kennedy, A. Dusmenil
2-87691-652-5	65 3261 8	Lettres d'accompagnement pour les Nuls (Les)	JL. Kennedy, A. Dumesnil
2-87691-651-7	65 3260 0	Entretiens de Recrutement pour les Nuls (Les)	JL. Kennedy, A. Dumesnil
2-87691-670-3	65 3280 8	Vente pour les Nuls (La)	T. Hopkins
2-87691-712-2	65 3439 0	Business Plans pour les Nuls	P. Tifany
2-87691-729-7	65 3486 1	Management pour les Nuls (Le)	B. Nelson
2-87691-770-X	65 3583 5	Le Marketing pour les Nuls	A. Hiam

Pour les Nuls **Pratique**

Code Article	ISBN	Titre	Auteur
2-87691-597-9	65 3059 6	Astrologie pour les Nuls (L')	
2-87691-610-X	65 3104 0	Maigrir pour les Nuls	J. Kirby
2-87691-604-5	65 3066 1	Asthme et allergies pour les Nuls	W. E. Berger
2-87691-615-0	65 3116 4	Sexe pour les Nuls (Le)	Dr Ruth
2-87691-616-9	65 3117 2	Relancez votre couple pour les Nuls	Dr Ruth
2-87691-617-7	65 3118 0	Santé au féminin pour les Nuls (La)	Dr P. Maraldo
2-87691-618-5	65 3119 8	Se soigner par les plantes pour les Nuls	C. Hobbs
2-87691-640-1	65 3188 3	Français correct pour les Nuls (Le)	J.-J. Julaud
2-87691-634-7	65 3180 0	Astronomie pour les Nuls (L')	S. Maran
2-87691-637-1	65 3185 9	Vin pour les Nuls (Le)	Y.-P. Cassetari
2-87691-641-X	65 3189 1	Rêves pour les Nuls (Les)	P. Pierce
2-87691-661-4	65 3279 0	Gérez votre stress pour les Nuls	Dr A. Elking
2-87691-657-6	65 3267 5	Zen ! La méditation pour les Nuls	S. Bodian
2-87691-646-0	65 3226 1	Anglais correct pour les Nuls (L')	C. Raimond
2-87691-681-9	65 3348 3	Jardinage pour les Nuls (Le)	M. MacCaskey

Avec les Nuls, apprenez à mieux vivre au quotidien !

Disponibles dans la collection Pour les Nuls

Pour être informé en permanence sur notre catalogue et les dernières nouveautés publiées dans cette collection, consultez notre site Internet à www.efirst.com

Pour les Nuls **Pratique**

Code Article	ISBN	Titre	Auteur
2-87691-683-5	65 3364 0	Cuisine pour les Nuls (La)	B. Miller, A. Le Courtois
2-87691-687-8	65 3367 3	Feng Shui pour les Nuls (Le)	D. Kennedy
2-87691-702-5	65 3428 3	Bricolage pour les Nuls (Le)	G. Hamilton
2-87691-705-X	65 3431 7	Tricot pour les Nuls (Le)	P. Allen
2-87691-769-6	65 3582 7	Sagesse et Spiritualité pour les Nuls	S. Janis
2-87691-748-3	65 3534 8	Cuisine Minceur pour les Nuls (La)	L. Fischer, C. Bach
2-87691-752-1	65 3527 2	Yoga pour les Nuls (Le)	G. Feuerstein
2-87691-767-X	65 3580 1	Méthode Pilates pour les Nuls (La)	H. Herman
2-87691-768-8	65 3581 9	Chat pour les Nuls (Un)	G. Spadafori
2-87691-801-3	65 3682 5	Chien pour les Nuls (Un)	G. Spadafori
2-87691-824-2	65 3728 6	Echecs pour les Nuls (Les)	J. Eade
2-87691-823-4	65 3727 8	Guitare pour les Nuls (La)	M. Phillips, J. Chappell
2-87691-800-5	65 3681 7	Bible pour les Nuls (La)	E. Denimal
2-87691-868-4	65 3853 2	S'arrêter de fumer pour les Nuls	Dr Brizer, Pr Dautzenberg
2-87691-802-1	65 3684 1	Psychologie pour les Nuls (La)	Dr A. Cash
2-87691-869-2	65 3854 0	Diabète pour les Nuls (Le)	Dr A. Rubin, Dr M. André
2-87691-897-8	65 3870 6	Bien s'alimenter pour les Nuls	C. A. Rinzler, C. Bach
2-87691-893-5	65 3866 4	Guérir l'anxiété pour les Nuls	Dr Ch. Eliott, Dr M. André
2-87691-915-X	65 3876 3	Grossesse pour les Nuls (La)	Dr J.Stone

Pour les Nuls **Poche**

Code Article	ISBN	Titre	Auteur
2-87691-873-0	65 3862 3	Management (Le) – Poche pour les Nuls	Bob Nelson
2-87691-872-2	65 3861 5	Cuisine (La) – Poche pour les Nuls	B.Miller, A. Le Courtois
2-87691-871-4	65 3860 7	Feng Shui (Le) – Poche pour les Nuls	D. Kennedy
2-87691-870-6	65 3859 9	Maigrir – Poche pour les Nuls	J. Kirby
2-87691-950-8	65 3894 6	Vente (La) – Poche pour les Nuls	T. Hopkins
2-87691-949-4	65 3893 8	Bureau Feng Shui (Un) – Poche pour les Nuls	H. Ziegler, J. Lawler